左上 卧龙生，前右 诸葛青云，右上 古龙。

绘图珍藏本

萧十一郎

珠海出版社

版权贸易合同登记号：19－2004－200

图书在版编目（CIP）数据

萧十一郎/古龙著．—4版．—珠海：珠海出版社，2005.8
（古龙作品集）2009年11月修订
ISBN 978－7－80607－059－8

Ⅰ．萧…　Ⅱ．古…　Ⅲ．侠义小说－中国－当代
Ⅳ．I247.5

中国版本图书馆CIP数据核字（2005）第044446号

本书由台湾古龙著作管理委员会授权珠海出版社在中国内地独家出版发行中文简体字版

萧十一郎

◎古龙　著
责任编辑：李一安
封面设计：吕唯唯

出版发行：珠海出版社
地　　址：珠海银桦路566号报业大厦3层
电　　话：0756－2639330　　邮政编码：519001
邮　　购：0756－2639344　2639345　2639346
网　　址：www.zhcbs.net
E－mail：zhcbs@zhcbs.net

印　　刷：茂名广发印刷有限公司
开　　本：880×1230mm　　1/32
印　　张：13.375　　　字数：312千字
版　　次：2009年11月第4版第1次印刷
书　　号：ISBN 978－7－80607－059－8
定　　价：22.00元

感悟古龙

——新版《古龙作品集》序

宁宗一

从文学史之宏观来考察，无论是外国的还是中国的文学史，都是一部又一部，一批又一批，一代又一代的作家、作品产生、流通和承传的过程，因此，我们可以说，一部文学史就是作家和作品的出现史。而在某个时代，出现了一种新的文学样式和新的文学类型，自然就构成了这个时代文学的标志，如通常所说，唐诗、宋词、元曲、明清章回小说就是。至于，在某个时代出现了巨擘、大师、泰斗级的作家，并创作了流传百世的不朽的文学经典，于是就构成了这个时代文学的辉煌。

而回过头来说，无数的优秀文学作品和经典文本又是我们共同的文学标记。它们，无论雅俗，都会构成精神活动的大大小小的里程碑。对于我们个人来说，也许只有几块，但是它所蕴极深，所含极远、极大、极广，有时几乎支配一个人一生的心灵世界和行为路径。而另一种情况即那些成功的、优秀的乃至可以称之为伟大的作品总是能感动一代又一代的人。这些作品可以和一个国家的历史相融和一个民族文化的命运与共，和一代人的情感共鸣。这样的作家和作品就是不朽和不可多得的。而武侠小说恰恰是中国文学发展长河中的一个特殊品种，一种最富民族特色的小说类型，并诞生了众多名家名作。

今天，我有机缘，趁着为古龙小说全集写序时，又一次向上世纪武林文坛闪烁的最明亮的巨星之一古龙走近一步。

古龙之于我，真像从天外吹来的生命的罡风，至今他的武侠小说中的精品仍然向我辐射出精神的热能。一遍遍阅读过程也就是一次次地从他的小说中听到他的也是自己的内在深沉的心声，感受到一种向上的冲动，一种异样的热力，甚至领悟到生命不息的搏动。我想，这可能就是古龙小说中的精品所具有的人生有意味的内蕴吧！

多年来，我读古龙的内在感受一再反复告之我：古龙之所以那样富于魅力，那样神气，那样激越，原因在于他充满了中国哲学家所说的"三气"，即"一气为天，二气为地，三气为人"。古龙之所以不朽，在于他笔下的侠义人物的意象符号的系列呈现，把这"三气"传导给了我们。我们的心，我们的每一根神经和每一条血管，才深深地受到了震撼。这是很多武侠小说难以企及和缺失的生命意蕴。

在读古龙的武侠精品时，常常伴随着我的情绪脉动。因为在那丰富的多彩的武侠世界里，你尽可以随着自己的想象、理解和爱好来品味其中的蕴涵。

如果上升到文化哲学的高度，古龙小说中的精品，首先启示我们的是对命运的思考。"命运"历来都是个最严峻的字眼，人们对它的思索和抗争的历史几乎是同人类自身一样悠久与古老，一样神秘莫测。然而每个人对命运的理解和采取的行动是截然不同的。英雄和懦夫、善与恶的分界线往往就表现在各自对命运的态度上。英雄的信条是：没有宿命。古龙小说中堪称杰作者，如《楚留香传奇》，正是鼓舞你在困境中站起来拼搏的一声响亮号角。"站起来"！这便是我们从古龙精品杰作和他的小说诗学中听到的最深刻的东西。《天涯·明月·刀》中傅雪红就是一位始终和命运抗衡的人物。他虽然生活在永恒的痛苦和寂寞中，但生命的意志和韧性使他在面对罪恶势力时也仍然充满战胜黑暗的理想与精神信念。古龙的代表作《多情剑客无情剑》中阿飞最终战胜荆无命也是贯注着古龙这一贯的思想主旨。正因为如此，读古龙的小说文本，总是使我们联想到世界上众多名著。在一贯的狂放和天纵中，总有一种人与命运永远处于绝对的矛盾中。而我们在领略这一切意象时，除了令我们惊愕，也迫使我们体悟到人生宇宙的神秘。

富有智慧和浪漫气质的古龙和他建构的武侠世界，最大的功能是推动、激励和补充对现实世界的认知。所以在我的人生体验中重读古龙，才逐渐读出和体味出他的杰作乃是对荒诞命运的质疑、挑战。事实上，多少读者只要一听到：

> 天涯远不远？
> 人就在天涯。
> 明月在哪里？
> 就在他心里，他的心不是明月。
>
> 那是柄什么样的刀？
> 他的刀如天涯般辽阔寂寞，
> 如明月般皎洁忧郁，有时一刀挥出，又仿佛是空
> 的！
> ……

真的，我们一旦听到这些声音，我们的心就会壮美得为这颤动、共鸣，就会因受到一种崇高审美力量的猛然袭击而暗暗落泪，眼泪和心泪一块儿流。人们读古龙经常出现的现象是，在泪花交融中意识到了人的价值、人的尊严和人的一生的使命。我想，这就

是读者和古龙的生命意识的沟通吧！因此，我们可以设想，古龙地下有知，当会感到幸福的。

我读古龙的书是由领略其文进而认识其人的。古龙善于用细致入微的情感去充溢整部小说。而人性关怀则弥漫在古龙的小说中，《多情剑客无情剑》、《楚留香传奇》是为典范。他笔下最成功的典型李寻欢和第一快刀傅红雪以及构成系列的楚留香，在他们的地位上都展示了人性光辉以及那人生的隐痛，我几乎把这理解为作者的自况。这是因为古龙的内心体验本质上就是所有智者的孤独感。事实是，当你面对他的武侠小说精品时，他绝对是中国精神史上的俊杰之士。作为一种心灵的文本，它们明晰地体现了这位"浪子班头"顽强而又猛烈的自我意识，都体现了内心孤独的生涯。在他的生存环境中，作为一个独有的生命意识，一个思想者，酒与色对他来说实际上都是表象的。为了打破这个不堪忍受的命运悲剧的框架，他只有既欢乐又悲剧性地低吟。正因为如此，武侠文学的写作之于他，就是解脱，就是灵魂的自由和归宿。

古龙的杰出之所在，是他把自己身上那么众多的痛苦、压抑、孤独感都转化为审美的人生，转化成了小说意识，并拓宽其情感空间。这正如许多读者早就意识到的，古龙的武侠小说都是没有具体历史背景故事，不仅它的内容不包括历史的背景和线索，而且在形式上也不再拘泥于原先那些武侠文学的古雅韵致和风格。从小说美学层次来观照，古龙应属于那种用自己的心灵回答人生和灵魂世界重要问题的作家。因此，古龙用他的生命创构了一种独特的既是历史又是现代的中国武侠世界的诗学体系。它犹如一面镜子，照鉴出的乃是当下时代的面影和精神，他的有情之人必定战胜无情之剑的信念，就是那永恒的贯通于古今的人性光辉和人的不朽的尊严。这又是一种平庸小说无法达到的境界。

这说明，古龙的魅力是与他的现代意识分不开的。现代意识是那种消除今人与古人之间距离的一种取向。古龙明快地坦言：

> 武侠小说写的虽然是古代的事，也未尝不可注入作
> 者自己的新观念。

而古龙的小说正是把"古人"的侠情诗情和自己的激情融
为一体，于是读者的心，随着作者一起激荡，一起进入那自由、
开朗、奔放、豪迈的情境中去，而历史与现实都未丢失其本相。
比如楚留香在无花败于他手下时，楚留香说：

> 我只能揭穿你的秘密，并不能制裁你，因为我既不
> 是法律，也不是神，我并没有制裁你的权力！

又说：

> 等到许多年以后，这样想的人自然会一天天多起
> 来。以后人们自然会知道武功并不能解决一切，世上没
> 有一个人有权利夺去别人的生命！

这种观念对于江湖世界简直是不可思议的，然而这却是古龙的现
代阐释。因为只有在今天，即具有当代法律意识并身体力行者才
能得以那样思考。

　　武侠小说在古龙的手中，不仅仅是一个江湖中的武林事件，
也不仅仅是武林人物和历史场景的工笔细描。我认知古龙以及对
他的武侠文学的解读乃是着眼于作家的人格、良知和学识的结
合，是他跋涉在人生旅途中对现实与历史以及贯穿其中的人情美
人性美的拥抱。质而言之，是他借助现实洗刷而变得深邃的目光
对逝去了的日子的扫描。没有现实性的渗透，无所谓武侠小说的

全部价值；没有现实的灵性感悟，无所谓武侠小说家的深刻和气韵生动。

如果说梁羽生、金庸和古龙是武林文坛的三大盟主，并且他们的小说都不同程度地表现出人性透视下的东方伦理的话，愚以为，古龙异于梁、金两位巨擘之处，还在于他的作品更多体现了最典型的陈述心灵和心灵处境的小说艺术。古龙的作品有时几乎直接针对灵魂，它直接打动我们的，也是我们自身最内在的精神生活。其实，古龙一生中的四十九个岁月的精神进展，他的内在生活，他的心路历程，其中包括由他画出的曲线，本身就是一部浪漫的雄浑的伟岸的悲壮交响诗。古龙的小说诗学的曲线只不过是他的灵魂、他的心路历程曲线的回声、映象和投影折射罢了。我们这些当代人的灵魂和内心世界同古龙武侠世界及其诗思能够得以发生如此强烈的共鸣，其实也是两条曲线的共振和大致上的重叠。换而言之，古龙只不过是用他那千变万化的小说思维和小说美学以及心灵律动在一种广阔的中华文化背景上壮美地、深沉地表述了人类中智慧阶层整个心胸起伏和波动而已。相对而言，梁羽生传统一些，金庸则传统与现代融合无间，而古龙就更现代一些了。

人生，就两个字，距离很短。从生到死，中间的那一片开阔地，往往丛生着令人困惑的荆棘。其实，我们无须惊诧于古龙的生前困顿和孤独，用今天的话来说，古龙活得还是蛮潇洒的，而且有声有色。他在当时实际上是比别人更早越过了那片困惑之地，到人间走了那么一遭，玩过了，累了，如鸟鹊倦而知返，归去也，何其快哉。

古龙武侠小说中之精品已经成了一座武侠小说史乃至中国小说艺术发展史上的里程碑。我们已经而且将不断地从中得到更多的社会现实的历史的审美的认知和体验。对它包孕的文化意蕴至今也未能说尽。随着人们体验和感受的加深，审美判断力的提高，它是永远说不尽的。

最后，我要说，对古龙小说的解读肯定有多种：竟夜废食手不释卷，一气呵成地读，是一种读法；细细品味，"不妨卒读"也是一种读法；至于舔一口再包进糖果纸放入口袋里捂上半天，拿出来再品味又是一种读法。然而，我们也发现，古龙的小说已经有了如果不是太多的重复也是不少雷同的评论。比如一般地说他是新派武侠小说的革新者；比如说他的武侠意象世界、特异的结构布局，还有那独创性极强的对话艺术的称道等等。可是，如何另辟蹊径地解读古龙小说文本，还是一项众人祈望的学术性和审美性工程。我想调整阅读心态，拓宽阅读空间，应当是关键。

2009 年 5 月 8 日写于南开寓所

（作者系天津南开大学教授、中国武侠文学学会名誉会长）

写在《萧十一郎》之前

写剧本和写小说，在基本上的原则是相同的，但在技巧上却不一样。小说可以用文字来表达思想，剧本的表达却只能限于言语、动作和书面，一定会受到很多的限制。

一个具有相当水准的剧本，也应具有相当"可读性"，所以萧伯纳、易卜生、莎士比亚甚至徐讦……这些名家的剧本，不但是"名剧"，也是"名著"。

但在通常的情况下，都是先有"小说"，然后再有"剧本"，由小说而改编成的电影很多，由《飘》而有《乱世佳人》，是个最成功的例子，除此之外，还有《简爱》《呼啸山庄》《基度山恩仇记》《傲慢与偏见》《愚人船》以及《云泥》《铁手无情》《窗外》等。

《萧十一郎》却是一个很特殊的例子，《萧十一郎》是先有剧本，在电影开拍之前，才有小说的，但《萧十一郎》却又明明是由"小说"而改编成的剧本，因为这故事在我心里已酝酿了很久，我要写的本来是"小说"，不是"剧本"。小说和剧本并不完全相同，但意念却是相同的。

写武侠小说最大的通病就是：废话太多、枝节太多、人物太多、情节也太多。在这种情况下，将武侠小说改编成电影剧本，就变成是一种很吃力不讨好的事。谁都无法将《绝代双骄》改编成"一部"电影，谁也无法将《独臂刀王》写成"一部"很成功的小说。

就因为先有了剧本，所以在写《萧十一郎》这部小说的时候，多多少少总难免要受这些影响，所以这本小说我相信不会有太多的枝节，太多的废话。但是否因此会减少了"武侠小说"的趣味呢？我不敢否定，也不敢预测。

我只愿做一个尝试。

我不敢盼望这尝试能成功，但无论如何，"成功"总是因"尝试"而产生的。

古　龙

目　录

1

第一章　情人的手

初秋，艳阳天。

阳光透过那层薄薄的窗纸照进来，照在她光滑得如同缎子般的皮肤上。

水的温度恰好比阳光暖一点，她懒洋洋地躺在水里，将一双纤秀的脚高高地跷在盆上，让脚心去接受阳光的轻抚——轻轻得就像是情人的手。

她心里觉得愉快极了。

经过了半个多月奔驰之后，世上还有什么比洗个热水澡更令人愉快的事情呢？她整个人都似已溶化在水里，只是半睁着眼睛，欣赏着自己的一双脚。

这双脚爬过山，涉过水，在灼热得有如热锅般的沙漠上走过三天三夜，也曾在寒冬中横渡过千里冰封的江河。

这双脚踢死过三只饿狼、一只山猫，踩死过无数条毒蛇，还曾将盘踞祁连山多年的大盗"满天云"一脚踢下万丈绝崖。

但现在这双脚看来仍是那么纤巧、那么秀气，连一个疤都找不出来；就算是足迹从未出过闺房的千金小姐，也未必会有这么完美的一双脚。

她心里觉得满意极了。

炉子上还烧着水，她又加了些热水在盆里；水虽然已够热，但她还要再热些，她喜欢这种"热"的刺激。

她喜欢各式各样的刺激。

她喜欢骑最快的马，爬最高的山，吃最辣的菜，喝最烈的酒，玩最利的刀，杀最狠的人！

别人常说："刺激最容易令人衰老。"但这句话在她身上并没有见效，她的胸还是挺得很，腰还是细得很，小腹还是很平坦，一双修长的腿也还是很坚固，全身上下的皮肤绝没有丝毫皱纹。

她的眼睛还是很明亮，笑起来还是很令人心动。见到她的人，谁也不相信她已是三十三岁的女人。

这三十三年来，风四娘的确没有虐待过自己；她懂得在什么样的场合中穿什么样的衣服，懂得对什么样的人说什么样的话，懂得吃什么样的菜时喝什么样的酒，也懂得用什么样的招式杀什么样的人！

她懂得生活，也懂得享受。

像她这样的人，世上并不多，有人羡慕她，有人妒忌她，她自己对自己也几乎完全满意了，只除了一样事——

那就是寂寞。

无论什么样的刺激也填不满这份寂寞。

现在，连最后一丝疲劳也消失在水里了，她这才用一块雪白的丝巾，洗擦自己的身子。

柔滑的丝巾磨擦到皮肤时，总会令人感觉到一种说不出的愉快，但她却不知多么希望这是一双男人的手。

她所喜欢的男人的手！

无论多么柔软的丝巾，也比不上一双情人的手，世上永远没有任何一样事物能代替情人的手！

萧十一郎

许明康 许黎黎/绘

萧十一郎

她痴痴地望着自己光滑、晶莹，几乎毫无瑕疵的胴体，心里忽然升起了一阵说不出的忧郁……

她痴痴地望着自己光滑、晶莹，几乎毫无瑕疵的胴体，心里忽然升起了一阵说不出的忧郁……

突然，窗子、门、木板墙壁，同时被撞破了七八个洞，每个洞里都有个脑袋伸了出来，每张脸上都有双贪婪的眼睛。

有人在格格地怪笑着，有人已看得眼睛发直，连笑都笑不出来；大多数男人在看到赤裸裸的美女时，都会变得像条狗——饿狗！

窗子上的那个洞位置最好，距离最近，看得最清楚。这人满脸横肉，头上还长着个大肉瘤，看来就像是有两个头叠在一起似的，那模样实在令人作呕。

其余的人也并不比这人好看多少。就算是个男人在洗澡时，突然见到这许多人闯进来，只怕也要被吓得半死。

但风四娘却连脸色都没有变，还是舒舒服服地半躺半坐在盆里，用那块丝巾轻轻地洗着自己的手。

她甚至连眼皮都没有抬起来，只是凝注着自己春葱般的手指，慢慢地将这双手洗干净了，才淡淡地笑了笑，道："各位难道从来没有看过女人洗澡吗？"

七八个人同时大笑了起来，一个满脸青春痘的小伙子眼睛瞪得最大，笑得最起劲，抢着大声笑道："我不但看过女人洗澡，替女人洗澡更是我的拿手本事，你要不要我替你擦擦背，包你满意。"

风四娘也笑了，媚笑着道："我背上正痒得很呢！你既然愿意，就快进来吧！"

小伙子的眼睛已眯成了一条线，大笑着"砰"地打开了窗子，就想跳进来，但身子刚跳起，已被那长着肉瘤的大汉一把拉住；小伙子脸上的笑容立刻僵住了，铁青着脸，瞪着那大汉道："解老二，你已经有好几个老婆了，何必再跟我抢这趟生意?"

解老二没等他把话说完，反手一巴掌，将他整个人都打得飞了出去。

风四娘嫣然道："你擦背若也像打人这么重，我可受不了。"

解老二瞪着她，目光忽然变得又阴又毒，就像是一条蛇，他的声音却比响尾蛇还难听，一字字道："你知道这是什么地方?"

风四娘道："我若不知道，怎么会来的。"

她又笑了笑，才接着道："这里是乱石山，又叫做强盗山，因为住在山上的人都是强盗，就连这小客栈的老板看来虽很老实，其实也是强盗。"

解老二厉声道："你既然知道这是什么地方，居然还敢来?"

风四娘道："我又不是来惹你们的，只不过想来洗个澡而已，有什么关系呢?"

解老二狞笑道："你什么地方不好洗，偏偏要到这里来洗?"

风四娘眼波流动，柔声道："也许我就喜欢强盗看我洗澡呢，这岂非很刺激?"

解老二突然又反手一掌，拍在窗台上，成块的木头竟被他一掌拍得粉碎，显见铁砂掌的功夫已练得不差了。

风四娘似乎根本没瞧见，只是轻轻叹了口气，喃喃道："幸好我没叫这人来替我擦背，粗手粗脚的——"

解老二怒喝道："光棍眼里不揉沙子，你究竟是为什么来的? 还不老实说出来?"

风四娘又笑了笑，道："你倒真没有猜错，我千里迢迢赶到这里来，自然不会只为了要洗个澡。"

解老二目光闪动，道："是不是有人派你来刺探这里的消息？"

风四娘道："那倒没有，我只不过想来看个老朋友而已。"

解老二道："但这里并没有你的朋友！"

风四娘笑道："你怎么知道没有？难道我就不能跟强盗交朋友？说不定我也是强盗呢！"

解老二脸色变了变，道："你的朋友是谁？"

风四娘悠然道："我也很久没见过他了，听说他这些年混得很不错，已当了关中群盗的老大哥，不知你认不认得他？"

解老二脸色又变了变，道："关中黑道上的朋友有十三帮，每帮都有个老大哥，不知你说的是谁？"

风四娘淡淡道："他好像当了你们十三帮强盗的总瓢把子。"

解老二愣住了，愣了半天，突然又大笑起来，指着风四娘笑道："就凭你这女人，也配跟我们的总瓢把子交朋友？"

风四娘嫣然道："我为什么不能跟他交朋友？你可知道我是谁么？"

解老二的笑声停住了，眼睛在风四娘身上打了几个转，冷冷地道："你是谁？你难道还会是风四娘那女妖怪不成？"

风四娘没有回答这句话，却反问道："你是不是'两头蛇'解不得？"

解老二脸上露出得意之色，狞笑道："不错，无论谁见到我这两头蛇都得死，谁也解不得！"

风四娘道："你既然是两头蛇，我就只好是风四娘了。"

两头蛇的头像突然裂开了，裂成了四五个。

坐在洗澡盆里的，这赤条条的女人就是名满天下的风四娘？就是人人见着都头疼的女妖怪？

他简直不能相信，却又不敢不信。

他的脚已开始往后退，别人自然退得更快。

突然听到风四娘一声轻叱道："站住！"

等别人真的全都站住了，她脸上才又露出一丝微笑，笑得仍是那么温柔、那么迷人。

她柔声地笑道："你们偷看了女人洗澡，难道就想这样随随便便地走了吗？"

两头蛇道："你——你想怎样？"

他声音虽已有些发抖，但眼睛还是瞪得很大。看到风四娘赤裸裸的胸膛时，他的胆子突然又壮了，冷笑道："你难道还想让我们看得更清楚些不成？"

风四娘笑道："哦——原来你是欺负我没穿衣服，不敢跳起来追你们？"

两头蛇怪笑道："不错，除非你洗澡时也带着家伙，坐在洗澡盆里也能杀人。"

风四娘叹了口气，抬起了手道："你们看，我这双手像是杀人的手吗？"

这双手十指纤纤，柔若无骨，就像是兰花。

两头蛇道："不像。"

风四娘道："我看也不像，奇怪的是，有时它偏偏会杀人！"

她两只手轻轻一拂，指缝间突然飞出十余道银光。

接着，就是一连串的惨呼，每个人的眼睛里都插上了一根银针。谁也没看到这些银针是从哪里飞出来的，谁也没有躲开。

风四娘又叹了口气，喃喃道："偷看女人洗澡，会长'针眼'的。这句话你们难道没听见过？"

七八个人都用手蒙着眼睛，疼得满地打滚。

七八个人的惨呼声加在一起，居然还没有让风四娘掩上耳朵，因为她还是在看着自己的这双手。

看了很久，她才闭上眼睛，叹息着道："好好的一双手，不用来绣花，却用来杀人，真是可惜得很……"

突然间，惨呼声一下停止了，简直就像是在刹那间同时停止的。

风四娘皱了皱眉，轻唤道："花平？"

外面没有声音，只有风吹着树叶簌簌地响。

过了很久，才听得"嚓"的一声，是刀入鞘的声音。

风四娘嘴角慢慢地泛起一丝微笑，道："我就知道是你来了！除了你之外，还有谁能在一瞬间就杀死七个人！还有谁能使这么快的刀！"

外面还是没有人回答。

风四娘道："我知道你杀他们，是为了要让他们少受痛苦，却不知你的心几时也变得如此软了。"

过了半晌，外面才有一人缓缓道："是风四娘？"

风四娘笑道："难得你还听得出我的声音，还没有忘了我。"

花平道："除了风四娘外，世上还有谁在洗澡时也带着暗青子！"

风四娘吃吃笑道："原来你也在偷看我洗澡，否则你怎会知道我在洗澡的？"

花平像是没有听到她的话。

风四娘道："你要看，为什么不大大方方地进来看呢？"

花平似乎长长叹了口气，道："你出关六七年，大家都觉得很太平，你为什么又回来了呢？"

风四娘笑道："因为我想你。"

花平的嘴又闭上了。

风四娘道："你不相信我想你？我若不想你，为什么来找你？"

花平又在叹气。

风四娘道："你为什么要叹气？你以为我来找你一定没有好事？一个人发达了，连老朋友的面都不想见了么？"

花平道："你穿上衣裳，我等会见你。"

风四娘道："我已经穿上衣服了，你进来吧！"

花平的人终于在门口出现了，他的脸本来就很白，看到风四娘还是赤裸着坐在澡盆里，他的脸就像是突然又白了一倍。

风四娘格格笑道："有人存心想来偷看我洗澡，我就要杀了他，你存心不想看，我倒反而偏要你瞧瞧。"

花平其实很矮，但任何人都不会认为他是矮子，因为他看来全身都充满了一股劲，一股慑人之力！

他穿着件很长的黑披风，却露出了刀柄上的红刀衣。

花平能为关中群盗之首，就因为这把刀！

风四娘道："听说你前些年杀了'太原一剑'高飞，是吗？"

花平道："嗯。"

风四娘道："听说'太行双刀'丁家兄弟也是败在你刀下的，是吗？"

花平道："嗯。"

他非但不敢看风四娘，甚至不愿多说一个字。

风四娘笑道："高飞和丁家兄弟都是武林中一等一的高手，你居然能将他们杀了，可见你的刀法已越来越快了。"

花平这次连一个字都不说了。

风四娘道："我这次入关，为的就是要看看你的快刀！"

风四娘嫣然道："你也用不着紧张，我不是来找你比剑的，因为我既不愿死在你的刀下，也舍不得杀你。"

花平的脸色过了很久才复原，冷冷道："那你就不必看了。"

风四娘道："为什么?"

花平道："因为我的刀只是用来杀人的，不是给人看的！"

风四娘眼波流动，带着笑道："我若偏偏要看呢?"

花平沉默了很久，突然道："好，你就看吧！"

花平的话虽说得很慢，但一共才不过说了五个字，无论谁说五个字，都用不了很久，可是等他这五个字说完，他的刀已出鞘，又入鞘。刀光一闪间，摆在门口的一张木板凳已被劈成两半了。

花平的快刀果然惊人。

风四娘却又吃吃地笑了起来，摇着头笑道："我想看的是你杀人的刀法，不是劈柴的刀法。在老朋友面前，你又何苦还要藏私呢?"

花平道："藏私?"

风四娘道："你的刀法虽然是左右开弓，出手双飞，但江湖中谁不知道你用的是左手刀? 你的左手至少比右手快一倍。"

花平脸色又变了变，沉默了很久才沉声道："你一定要看我的左手刀?"

风四娘道："看定了。"

花平苦苦叹了口气，道："好，你看吧！"

突然用力扯下了身上的披风！

风四娘正在笑，笑声突然僵住，再也笑不出来。以"左手神刀"名动江湖、号称中原第一快刀的花平，他一条左臂竟已被人齐肩砍断了。过了很久，风四娘长长吐出了口气，惊叹道："这——这难道是被人砍断的?"

花平道："嗯。"

风四娘道："对方用的是剑，还是斧?"

花平道："是刀!"

风四娘动容道："刀？还有谁的刀比你更快?"

花平闭上眼道："只有一个人!"

他的神色虽然凄凉，但并没有悲愤不平之意，显然对这人的刀法已口服心服，觉得自己伤在这人的刀下并不冤枉似的。

风四娘忍不住问："这人是谁?"

花平目光遥注着远方，一字字道："萧十一郎!"

萧十一郎!

这四个字说出来，风四娘面上立刻就起了一种极奇异的变化，也分不出究竟是愤怒，是欢喜，还是悲伤。

花平喃喃道："萧十一郎，萧十一郎! ……你还该认得他的。"

风四娘慢慢地点了点头，道："不错，我认得他……我当然认得他!"

花平的目光自远方收回，凝注着她的眼睛，道："你想不想找他?"

花平叹了口气，道："你迟早总是要找他的。"

风四娘怒道："放你的屁。"

花平道："其实用不着骗我，我早知道你这次入关是为了要做一件事。"

风四娘瞪眼道："谁说的?"

花平道："我虽不知道你要做的是什么事，但却知道那必定是一件大事。你生怕自己一个人的力量不够，想找个帮手。"

他很凄凉地笑了，接道："所以你才会来找我，只可惜你找错人了。"

风四娘冷笑道："就算你猜得不错，我还是可以去找别人，为什么一定要找萧十一郎？武林中的高手难道都死光了吗？"

花平道："但除了他之外，还有谁能帮你的忙？"

风四娘赤裸裸地就从盆里跳了起来，大声道："谁说没有？我现在就去找个人给你瞧瞧。"

花平的眼睛立刻又闭上了，缓缓道："你想去找谁？莫非是飞大夫？"

她眼睛放着光，道："飞大夫有哪点比不上萧十一郎？他不但轻功绝高，指上的那份功夫，十个萧十一郎加起来只怕也比不上。"

江湖传言，据说"飞大夫"公孙铃只用一根手指的力量，就可以挽奔马；那手"燕子三抄水"的独到轻功，更可说是冠绝天下；再加上医道高绝，妙手回春，武林中有很多人都尊之为"公孙三绝"！

公孙三绝住的地方也绝得很，他住的屋子是个用石块砌成的坟墓，睡的床就是口棺材。

他觉得这样子最方便，死活都不必再换地方。

他家里也没有别的，只有个应门的童子，长得也是怪模怪样的。风四娘问他："公孙先生在不在？"又问他："公孙先生哪里去了？"再问他："公孙先生今天回不回来？什么时候回来？"

风四娘问了五六句，这孩子一共才说了一句话。

这句话一共才两个字："不在。"

风四娘气得真恨不得给他两巴掌。

其实她也知道飞大夫出门只有一件事：替人看病。

飞大夫的脾气虽然怪，但心肠却不坏。

她也知道飞大夫晚上也绝不会睡在别的地方，一定要睡在棺材里，那么就算这一觉睡着不再醒，也不必费事再搬别的地方了。

风四娘本可坐着等他回来的，但要一个活生生的人坐在坟墓里，坐在棺材上，那滋味总不好受。

她宁可坐在路口等。

暮色沉沉，秋风中已有寒意。

风四娘在路旁的山崖上，找了个最舒服的地方躺下来，望着黯淡的苍穹，等着第一颗星升起。

很少有人看到第一颗星是如何升起来的。

风四娘就是这样的人，无论在什么情况下，她都能找到件有趣的事来做，她绝不浪费她的生命。

唉！世上又有几个人懂得这种生活的情趣？

夜已深了，星已升起。

暮色中终于传来一阵沉重的脚步声，两个人抬着顶软兜小轿沿着山路碎步跑过来，上边坐着个大布青袍的枯瘦老人。

老人的神情很萧索，很疲倦，正闭着眼在养神。

抬轿子的两个人似累极了，牛一般地喘着气，走到山坡前，前面的轿夫就扭转头，道："前面好长的一段山路，咱们在这里歇歇脚再往上爬吧！"

后面的轿夫道："这两天我精神不继，上山时在后面的人自然要吃力得多。"

前面的轿夫笑骂道："好小子，又想偷懒，莫非昨晚上又去报效了小甜瓜两次，我看你迟早总有一天死在她肚子上。"

　　两个人说说笑笑，脚步已放缓了下来，那老人也不知是真的睡着了，还是假装没有听到，连眼睛都没有睁开。

　　到了山坡前，轿夫就停住了脚，慢慢地放下轿子。突然间，两个人同时自轿子中各抽出了两柄又细又长的剑，两柄剑刺向老人的前心，两柄剑刺向老人的后背！

第二章　飞大夫的脚

这老人正是飞大夫。

两个轿夫竟是深藏不露的武林高手，出手之快，如电光石火。四柄剑一上一下，一前一后，刹那间已将飞大夫所有的退路全都封死，无论怎样闪避，身上都难免被刺上两个洞。

凤四娘虽然是老江湖了，却也未料到有此一着，再想赶去阻止也来不及了，只道这次飞大夫只怕就要变成死郎中。

谁知就在这刹那之间，飞大夫的身子突然一偏，两柄剑已贴着他身子擦过；另两柄剑刚刚刺入他衣服，却又被他以两根手指夹住；这两根手指就像是铁做的，两个"轿夫"用尽全力也扳不动。

只听"格"的一声，两柄剑竟被他手指生生拗断。

轿夫大惊之下，凌空一个翻身，倒掠两丈。

飞大夫连眼都没有张开，双手轻轻一挥，手里的两截断剑已化做了两道青光飞虹，然后就是两声惨呼！

鲜血箭一般射了出来，轿夫人虽已死了，但去势未遏，身子还在往前冲，鲜血在地上画出两行血花。

惨呼之声一停，天地间立刻变得死一般的静寂。

只听一阵清脆的掌声疏落地响了起来。

飞大夫厉声道："谁？"

他眼睛一张，目光如闪电，闪电般向风四娘藏身的山崖上射了过去，就瞧见了风四娘动人的笑脸。

飞大夫皱了皱眉头道："原来是你！"

风四娘嫣然道："一别多年，想不到公孙先生风采依然如昔，武功却更精进了。"

飞大夫眉头皱得更紧，道："四娘对老朽如此客气，莫非是有求而来？"

风四娘叹了口气，喃喃道："我若对人客气，人家就说我是有求而来的，我若对人不客气，人家就说我无礼，唉！这年头做人可真不容易。"

飞大夫静静地听着，毫无反应。

风四娘一掠而下，拍了拍衣裳，道："你看，我既没有生病，也没有受伤，为何要来求你？"

飞大夫道："那你来干什么？"

风四娘笑："来看看你呀。"

飞大夫道："现在你已看过了我么？"

风四娘道："看过了。"

飞大夫道："很好，再见。"

风四娘眨了眨眼，忽然银铃般笑起来，道："果然是条老狐狸，谁也骗不了你。"

飞大夫这才笑了笑，道："遇着你这女妖怪，我也只好做做老狐狸。"

风四娘眼珠转了转，指着地上的尸体，道："你可知道这两人是谁，为何要杀你？"

飞大夫淡淡道："老夫一生纵横天下，杀人无数！别人要来杀我，也是天经地义的事，我又何苦要去追问他们的来历？"

风四娘也笑了，道："我早就知道你不怕死，但你若被一些后生小子不明不白地杀了，岂非冤枉得很，你难道不怕一世英名扫地？"

飞大夫目光闪动，盯着风四娘，良久良久，才沉声道："你究竟想要我怎样？"

风四娘背负着手，悠然地道："你若肯帮我一个忙，我就帮你将仇家打听出来，你总该知道打听消息是我的拿手本事。"

飞大夫叹了口气，苦笑道："我早就知道你找我绝不会有什么好事。"

风四娘正色道："但这次却是件好事。"

她在飞大夫的轿前蹲了下来，接着道："不但是好事，而且还是件大事，事成之后，你我都有好处。"

飞大夫沉默了半晌，面上忽然露出一丝惨淡的微笑缓缓道："我本来也很愿意助你一臂之力，只可惜你来迟了一步。"

风四娘皱眉道："来迟了一步，为什么？"

飞大夫没有回答，却将置在他腿上的一条毛巾掀了起来，风四娘就像是突然被冷水淋头，整个人都僵住。

飞大夫的一双腿竟已被人齐膝砍断了！

飞大夫轻功高绝，"燕子三抄水"施展开来，当真可以手擒飞鸟，但现在他的一双腿却被人砍断了。

风四娘简直比看到花平的断臂还要吃惊，轻声问道："这是怎么回事？"

飞大夫黯然一笑，道："自然是被人砍断的。"

风四娘道："是谁下的毒手？"

飞大夫一字字道："萧十一郎！"

风四娘的呼吸都似已停顿，过了很久，突然跳了起来，跺脚道："我不想找他，你们为何偏偏要我去找他！"

飞大夫道："你本该去找他的，只要有他相助，何愁大事不成？"

风四娘道："你呢？你不想找他复仇？"

飞大夫摇了摇头，道："他虽然伤了我，我却并不怨他。"

风四娘道："为什么？"

飞大夫闭起眼睛再也不说话了。

风四娘沉默了很久，才长长叹息了一声，道："好，你既不肯说，我就送你回去吧！"

飞大夫道："不必"。

风四娘道："谁说不必，你这样怎么能上得了山？"

飞大夫道："男女授受不亲，不敢劳动大驾，四娘你请便吧！"

风四娘瞪眼道："什么男女授受不亲，我从也没把自己当做女人，从来也不管这一套。"

她也不管飞大夫答不答应，就将他抱了起来。

飞大夫只有苦笑。遇到这样的女人他也没法子了。

夜色凄迷，那石墓看来更有些鬼气森森的，诡秘可怖；墓中虽有灯光透出，看来却宛如鬼火。

风四娘道："我真不懂你为什么一定要住在这种地方，你真不怕鬼吗？"

飞大夫道："与鬼为邻，有时比和人结伴还太平些。"

风四娘冷冷道："鬼至少不会砍断你的两条腿。"

墓室里虽然有灯，但却没有人，那阴阳怪气的应门童子也不知走到哪里去了。最怪的是，那口棺材也不见了。

这种地方难道也会有小偷来光顾？

风四娘忍不住笑了起来，道："这小偷倒也妙得很，什么不好偷，却来偷棺材，就算家里死了人，也不必到这里来……"

她没有说完这句话，因为她突然发现飞大夫的身子在发抖，再看他的脸，竟已沁出了冷汗。

风四娘立刻觉得事情有些不对了，皱眉问道："你那口棺材里莫非有什么秘密？"

飞大夫点了点头。

风四娘道："你绝不会是守财奴，自然不会把钱藏在棺材里，那么……"

她眼睛突然亮了，道："我知道了，你认为世上绝不会有人来偷你的棺材，所以就将你的医术和武功心法全都刻在棺材上，将来好陪你葬。"

飞大夫点了点头，他似乎什么话都说不出来了。

风四娘叹了口气，道："我真不明白，你们这些人为什么要这样自私，为什么不肯把自己学来的东西传授给别人……"

话未说完，突然一阵喘息声响了起来，那阴阳怪气的应门童子回来了，正站在门口。

可是他全身上下都已被鲜血染红，右臂也已被砍断，两眼发直，瞪着飞大夫，以嘶哑的声音说出了四个字。

他一字一字道："萧十一郎！"

说完这句话他人已倒下，左手里还紧紧抓住一只靴子，他抓得那么紧，竟连死也不肯放松。

萧十一郎，又是萧十一郎！

风四娘跺了跺脚，恨恨道："想不到他——竟变成了这么样一个人，我从来也想不到他会做出这样的事来。"

飞大夫道："这绝不是他做的事。"

风四娘目光落在那双靴子上。

靴子是用硝过的小牛皮制成的，手工很精细，还镶着珠花。非但规矩人绝不会穿这种靴子，江湖豪侠穿这种靴子的也不多。

风四娘长长吐出口气，道："他本来的确不穿这种靴子的，但鬼知道他现在已变成什么样子了。"

飞大夫道："萧十一郎永远不会变的。"

风四娘虽然板着脸，目中却忍不住有了笑意，道："这倒是怪事，他砍断了你的两条腿，你反而帮他说好话。"

飞大夫道："他堂堂正正地来找我，堂堂正正地伤了我，我知道他是个堂堂正正的人，绝不做鬼鬼祟祟的事。"

风四娘轻轻叹了口气，道："这么样说来，你好像比我还了解他了？可是这孩子临死前为什么要说出他的名字呢？"

飞大夫目光闪动，道："这孩子不认得萧十一郎，但你却认得他的，你若追着那凶手，就可查出他是谁了。"

风四娘失笑道："说来说去，原来你是想要我去替你追贼。"

飞大夫黯然垂下头，望着自己的腿。

风四娘眼中露出同情之色，道："好，我就替你去追，但追不追得上，我就不敢说了，你总该知道我的轻功并不太高明。"

飞大夫道："那人背着口棺材，必定走不快的，否则这孩子就不至于死了，这孩子想必已追上了那人，而且还抱住了他的腿。"

风四娘咬着嘴唇，喃喃道："他为何要冒萧十一郎的名？为何要杀这孩子？否则就算偷了八百口棺材，我也绝不会去追他的。"

冷月，荒山，风很急。

风四娘是一向不愿迎着急风施展轻功，因为她怕风吹在脸上，会吹皱了她脸上的皮肤。

现在她却在迎风飞掠，这倒不是因为她想快些追上凶手，而是想藉这脸面的冷风吹散她心上的人影。

她第一次见到萧十一郎的时候，他还是个大孩子，正精光赤着上身，想迎着势如雷霆的急流，冲上龙秋瀑布。

他试了一次又一次，有次他几乎已成功，却又被瀑布打了下来，撞在石头上，撞得头破血流。他连伤口都没有包扎，咬着牙又往上冲；这一次他终于爬上了巅峰，站在峰头拍手大笑。

从那一次起，风四娘心头就有了萧十一郎的影子。

无论多么急的风，也吹不散这影子。

风四娘咬着嘴唇，咬得很疼；她从不愿想到他，但人类的悲哀就是每个人都会常常想到自己最不愿想到的事。

地上有个人的影子，正在随风摇荡。

风四娘满腹心事，根本没瞧见。她垂首急行，忽然间看到一张脸，这张脸头朝下，脚朝上，一双满布血丝的眼睛几乎已凸了出来，正一眨不眨地瞪着风四娘，那模样真是说不出的可怕。

无论胆子多么大的人，骤然见到这张脸，也难免要吓一跳；风四娘大骇之下，退后三步，抬起头。

见这人被倒吊在树上，也不知是死是活。

风四娘刚想用手探探他的鼻息，这人的眼珠子已转动起来，喉咙里"格格"地直响，像是想说什么。

风四娘道："你是不是中了别人的暗算？"

那人想点头也没法子，只好眨了眨眼睛，嘎声道："是强盗——强盗——"

风四娘道："你遇着了强盗？"

那人又眨眨眼睛。

他年纪并不大，脸上长满了青渗渗的胡碴子，身上穿的衣服虽很华丽，但看起来还是满脸凶相。

风四娘笑道："我看你自己倒有些像强盗，我若救了你，就说不定反被你抢上一票。"

那人双目露出了凶光，却还是陪着笑道："只要姑娘肯出手相救，我必有重谢。"

风四娘道："你既已被强盗抢了，还能用什么来谢我？"

那人说不出话了，头上直冒冷汗。

风四娘笑了笑，道："我怎么看你这人都不像好东西，但我却也不能见死不救。"

那人大喜道："谢谢——谢谢——"

风四娘笑道："我也不要你谢我，只要我救了你后，你莫要在我身上打歪主意就好了。"

那人还是不停地谢谢，但一双眼睛已盯在风四娘高耸的胸膛上，风四娘倒也并不太生气，因为她知道男人大多数都是这种轻骨头。

她掠上树，正想解开绳索，忽然发现这个被绳索套住的一只脚只穿着布袜，没有穿靴子，上面还染着斑斑血渍。

再看他另一只脚，却穿着只皮靴。

小牛皮的靴子上，镶着很精致的珠花！

风四娘呆住了。

只听那人道："姑娘既已答应相救，为什么还不动手？"

风四娘眼珠一转，道："我想来想去，还是觉得有些不妥。"

那人道："有什么不妥？"

风四娘道："我一个妇道人家，做事不能不分外仔细。现在半夜三更的，四下又没有人，我救了你之后，你万一要是——要是起了邪心，我怎么办？"

那人勉强笑道："姑娘请放心，我绝不是个坏人，何况，瞧姑娘所施展上树的身法，也绝不是好欺负的。"

风四娘道："但我还是小心些好，总得先问你几件事。"

那人显然已有些不耐，嘎声道："你要问什么？"

风四娘道："不知道你贵姓呀，是从哪里来的？"

那人迟疑着道："我姓萧，从口北来的。"

风四娘道："害你的那强盗，是个怎样的人？"

那人叹了气，道："不瞒姑娘说，我连他人影都没有看见，就已被他吊了起来。"

风四娘皱了皱眉，道："你偷来的那口棺材呢？也被他黑吃黑了么？"

那人面色骤然大变，却勉强笑道："什么棺材？姑娘说的话，我完全不懂。"

风四娘忽然跳下去，"劈劈啪啪"给了他七八个耳刮子，打得他脸也肿了，牙齿也掉了，顺着嘴角直流血，大怒道："我正要问你，你究竟是什么人？为何要偷飞大夫的棺材？是谁主使你来的？假冒十一郎的名是何用心？"

那人就好像被砍了两刀，一张脸全都扭曲了起来，目中露出了凶光，瞪着风四娘，牙齿咬得"格格"直响。

风四娘悠然道："你不肯说，是不是？好，那么我告诉你，我就是风四娘，落在我手上的人，没有一个能不说实话的。"

那人这才露出恐怖之色，失声道："风四娘，原来你就是那风四娘。"

风四娘道：“你既然听过我的名字，总该知道我说的话不假。”

那人长长叹了口气，喃喃道：“想不到今日竟遇上了你这女妖怪，好，好，好，好——”

说到第四个“好”字，他突然一咬牙。

风四娘目光一闪，立刻想去挟他的下颚，但已来不及了，只见这人眼睛一翻，脸已发黑，嘴角露出诡秘的微笑，眼珠凸了出来，瞪着风四娘，嘶声道：“你现在还有法子让我说话么？”

这人竟宁可吞药自尽，也不肯说出自己的来历，显然是怕活着回去后，受的罪比死还难受。

风四娘跺了跺脚，冷笑道：“你死了也好，反正你说不说都和我全无关系。”

她心里只有一件事。

将这凶手吊起来的人是谁呢？那口棺材到哪里去了？

棺材赫然已回到飞大夫的墓室中了。

这口棺材难道自己会走回来？

风四娘几乎不相信自己的眼睛，一步蹿了过去，大声道：“棺材怎会回来的？”

飞大夫笑了笑道：“自然是有人送回来的。”

风四娘道：“是谁？”

飞大夫笑得似乎很神秘，缓缓道：“萧十一郎！”

风四娘跺了跺脚，恨恨道：“萧十一郎？又是他！原来那人就是被他吊起来的！奇怪他为何不追问那人的来历呢？”

飞大夫淡淡道：“他知道，有些人的来历是问也问不出的！”

风四娘怒道："那么他为何还要将那人留在那里？难道是故意留给我的吗？"

飞大夫笑而不语。

风四娘目光四扫，道："他的人呢？"

飞大夫道："走了。"

风四娘瞪眼道："他既然知道我在这里，为何不等我？"

飞大夫道："他说你不愿见他，他只好走了。"

风四娘咬着嘴唇，冷笑道："不错，我一见这人就有气……他到哪里去了呢？"

飞大夫微笑道："你既不愿见他，又何必问他到哪里去了？"

风四娘愣了半晌，突然飞起一脚，将桌子踢翻，大声道："你这老狐狸，我希望他再来砍断你的双手！"

话未说完，人已飞一般奔了出去。

飞大夫长长叹了口气，喃喃道："三十多岁的女人还像个孩子，这倒也真是怪事——"

第三章　夜半歌声

竹叶青盛在绿瓷杯里，看来就像是一大块透明的翡翠。

明月冰盘般高挂在天上，月已圆，人呢？

风四娘脸红红的，似已有了醉意，月光自窗外照进来，她抬起头，望见了明月，心里骤然一惊。

"今天莫非已是十五了？"

七月十五，是她的生日，过了今天，她可就要加一岁。

"三十四！"这是个多么可怕的数字。

她十五六岁的时候，曾经想：一个女人若是活到三十多，再活着也没什么意思，三十多岁的女人正如十一月里的残菊，只有等着凋零。

可是她自己现在也不知不觉到了三十四了，她不敢相信，却又不能不信，岁月为何如此无情？

墙角有面铜镜，她痴痴地望着镜中的人影。

镜中的人看来还是那么年轻，甚至笑起来眼角都没有皱纹，谁也不相信这已是三十四岁的女人。

可是，她虽能骗过别人的眼睛，却骗不过自己。

她扭转身，满满地倒了一杯酒，月光将她的影子长长地拖在地上，她心里忽然想起了两句诗："举杯邀明月，对影成三人。”

她以前从来也未感觉到这句诗意境的凄凉。

门外隐隐传来孩子的哭声。

以前她最讨厌孩子的哭声，可是现在，她多么想要一个孩子！她多么希望听到自己孩子的哭声！

月光照着她的脸，她脸上哪里来的泪光？

最近这些年来，她曾经有几次想随随便便找个男人嫁了，可是她不能，她看到大多数男人都会觉得很恶心。

青春就这样消逝，再过几年，以前她觉得恶心的男人只怕也不会要她了，唉，三十四岁的女人！

门外又传来一阵男人的大笑声。笑声很粗豪，还带着醉意。

“这会是个怎么样的男人？”

这男人一定很粗鲁、很丑、满身都是酒臭。

但现在，这男人若是闯进来求她嫁给他，她说不定就会答应——一个女人到了三十四，对男人的选择是不是就不会像二十岁时那么苛刻了？风四娘在心里问着自己，嘴角不禁露出凄凉的微笑。

夜已渐深，门外各种声音都已消寂。

远处传来零落的更鼓声，听来是那么的单调，但人的生命却已在这种单调的更鼓声中一分分消逝。

“该睡了。”

风四娘站了起来，刚想去掩窗子，晚风中突然飘来一阵歌声，这凄凉而又悲壮的歌声听起来竟是那么熟悉。

萧十一郎！

她记得每次见到萧十一郎时，他嘴里都在低低哼着这相同的曲调，那时，他神情就会变得说不出的萧索。

风四娘心里便觉一阵热意上涌，再也顾不得别的，手一按，人已箭一般飞出窗外，向歌声传来的方向飞掠过去。

　　长街静寂。

　　家家户户门前，都有一摊摊已烧成灰的锡箔纸钱，一阵风吹过，灰烟随风四散，黑暗中也不知有多少看不见的鬼魂正在等着攫取。

　　七月十五日，正是群鬼出关的时候。现在门已开了，天地间难道真的已充满各式各样的鬼魂？

　　风四娘咬着牙，喃喃道："萧十一郎，你也是个鬼，你出来呀！"

　　但四下却连个鬼影都没有，连歌声都消失了。

　　风四娘恨恨道："这人真是鬼，既不愿见我，为何又要让我听到他的歌声？"

　　她心情突然变得说不出的落寞，全身再也提不起劲来，只想回去再喝几杯，一觉睡到明天。明天也许什么事都改变了。

　　一个人之所以能活下去，也许就因为永远有个"明天"。

　　看到她屋子窗内的灯光，她心里竟莫名地泛起一种温暖之意，就好像已回到自己的家一样。

　　"但这真是我的家么？这不过是家客栈的屋子而已。"

　　风四娘长叹了口气，她永远不知道什么时候才有个家，永远不知道自己的家在哪里。她刚走到门口，就听到屋子里有个人在慢声长吟："一出阳关三千里，从此萧郎是路人——风四娘呀风四娘，我想你只怕早已忘了我吧？"

　　风四娘全身都骤然热起来，一翻身跳进屋子，大叫道："你这鬼——你终于还是露面了！"

　　桌子的酒樽已空了。

一个人懒洋洋地躺在床上，用枕头盖着脸。

他穿着套蓝布衣裳，却已洗得发白，腰间随随便便地系着根布带，腰带上随随便便地插着把刀。

这把刀要比普通的刀短了很多，刀鞘是用黑色的皮革所制，已经非常陈旧，但却还是比他那双靴子新些。

他的脚翘得很高，靴底上有两个大洞。

风四娘飞起一脚，踢在靴子上，板着脸道："懒鬼，又懒又脏，谁叫你睡在我床上的？"

床上的人叹了口气，喃喃道："我上个月才洗澡，这女人居然说我脏——"

风四娘忍不住"扑哧"笑出声来，但立刻又板起了脸，一把将他头上的枕头甩得远远的，道："快起来，让我看看你这几年究竟变多丑了？"

枕头虽已被甩开，床上的人却已用手遮住了脸。

风四娘道："你难道真的已不敢见人了么？"

床上的人分开两根手指，指缝间就露出了一双发亮的眼睛，眼睛里充满了笑意，带着笑道："好凶的女人，难怪嫁不出去，看来除了我之外，再也没人敢娶你——"

话未说完，风四娘已一巴掌打了下来。

床上的人身一缩，整个人突然贴到墙上去了，就像是个纸人似的贴在墙上，偏偏不会掉下来。

他发亮的眼睛里仍充满了笑意，他的眉很浓，鼻子很直，还留着很浓的胡子，仿佛可以扎破人的脸。

这人长得并不算英俊潇洒，但是这双眼睛、这份笑意，却使他看来充满了一种说不出的、野性的吸引力！

风四娘轻轻叹息了一声，摇着头道："萧十一郎，你还是没有变，简直连一点也没有变——你还是不折不扣、活脱脱的一个大混蛋。"

萧十一郎笑道："我一直还以为你很想嫁给我这混蛋哩，看来我只怕表错了情。"

风四娘涨红了脸，大声道："嫁给你？我会嫁给你——天下的男人全都死光了，我也不会嫁给你……"

萧十一郎长长吐出口气，道："那么我就放心了！"

他身子从墙上滑下，"扑通"坐到床上，笑着说道："老实说，听到你找我，我本来真有点害怕。我才二十七，就算要成亲，也得找个十五六岁的小姑娘，像你这种老太婆呀……"

风四娘跳了起来，大怒道："我是老太婆？我是老太婆？我有多老？你说——"

"呛"的，她已自衣袖中拔出了柄短剑。

一眨眼间她已向萧十一郎刺出了七八剑。

萧十一郎早已又滑到墙上，再一溜，已上了屋顶，就像个大壁虎似的贴在屋顶上，摇着手道："千万莫要动手，我只不过是说着玩的，其实你一点也不老，看起来最多也不过只有四十多岁。"

风四娘拼命想板着脸，却还是忍不住又"扑哧"笑了，摇头道："幸好我不常见着你，否则不被你活活气死才怪。"

萧十一郎笑道："拍你马屁的人太多了，能有个人气气你，岂非也很新鲜有趣？"

他人已飘落下来，眼睛一直盯着风四娘手里的剑。

那是柄一尺多长的小短剑，剑锋奇薄，发着青中带蓝的光，这种剑最适女子使用，唐代最负盛名的女剑客公孙大娘，用的就是这种剑，连大诗人杜甫都曾有一首长歌赞美她的剑法："昔日佳人公孙氏，一舞剑器动四方，观者如山色沮丧，天地为之久低昂。耀如羿射九日落，矫如群帝骖成翔，来如雷霆收震怒，罢如江海凝清光……"

公孙大娘虽然身在教坊，其剑术之高妙，看了这几句诗也可见一斑了。但她身子却很单薄，用的若非这种短剑，也难如此轻捷。

萧十一郎在凝视着这柄剑，风四娘却在凝视着萧十一郎的眼睛，突然反手一剑，向桌上的酒杯削了过去。

只听"呛"的一声，那只绿瓷杯竟被削成两半。

萧十一郎脱口赞道："好剑！"

风四娘似笑非笑，淡淡道："这柄剑虽然不能真的削铁如泥，却也差不多了，逍遥侯一向将它珍如拱璧，连看都舍不得给别人看一眼。"

萧十一郎眨了眨眼睛，笑问道："但他却将这柄剑送给了你，是么？"

风四娘昂起了头，道："一点也不错。"

萧十一郎道："如此说来，他是看上你了。"

风四娘冷冷地笑道："难道他就不能看上我？我难道就真的那么老？"

萧十一郎望了风四娘一眼，叹了口气，道："能被逍遥侯那样的人看上，可真不容易，却不知他要收你做他的第几房小老婆？"

风四娘怒道："放你的屁……"

她的剑又扬起，萧十一郎又缩起了脑袋。

风四娘的剑却又缓缓落了下来，用眼角瞅着他，道："你既然这么能干，总该知道这柄剑的来历吧？"

萧十一郎道："看来这好像是公孙大娘首徒申若关所有的'蓝玉'。"

风四娘点了点头，道："总算你还有些眼力。"

萧十一郎道："但这'蓝玉'却是柄雌剑，你既有了'蓝玉'，便该有'赤霞'才是，除非……"

风四娘道："除非怎样？"

萧十一郎笑了笑，悠然道："除非逍遥侯舍不得将两柄剑都送给你。"

风四娘瞪眼道："莫说这两柄剑，我就算要他的脑袋，他也会双手捧上来的。"

萧十一郎笑道："如此说来，那柄'赤霞'现在哪里呢？"

风四娘道："就让你开开眼界也无妨。"

萧十一郎道："其实我也并非真的想看，但我若不看，只怕你又要生气了。"

他笑嘻嘻接着道："你可记得那年十月，天气还热得很，你却穿了件貂裘来见我；虽然热得直冒汗，还要硬说自己着了凉，要穿暖些……"

风四娘笑骂道："放你的屁，你以为我要在你面前献宝？"

萧十一郎笑道："有宝可献，总是好的，像我这样无宝可献，就只好献献现世宝了。"

风四娘笑啐道："你真是个活宝。"

她已取出了另一柄剑，剑鞘上镶着淡红的宝玉。

萧十一郎接了过来，摇头笑道："女人用的东西果然都摆脱不了脂粉气。"

他嘴里说着话，手已在拔剑。

这柄"赤霞"竟是柄断剑！

风四娘却是神色不变，静静地看着他，道："你奇怪吗？"

萧十一郎道："如此利器，怎么会断的？"

风四娘道："是被一把刀削断的！"

萧十一郎动容道："是什么刀，怎会如此锋利？"

风四娘淡淡道："我知道你一听见有好刀，心就痒了，但是，这次我就偏偏不告诉你，也免得你说我献宝。"

萧十一郎眼珠子一转，突然站起来，道："看到你我肚子就饿了，走，我请你吃消夜去。"

长街的尽头，有个小小的面摊子。

据说这面摊子十几年前就在这里，而且不论刮风下雨，不论过年过节，这面摊从未休息过一天。

所以城里的夜游神都放心得很，因为就算回家老婆不开门，至少还可在老张的面摊子上吃碗热气腾腾的牛肉面。

老张的确已很老了，须发都已斑白，此刻正坐在那里，低着头喝面汤。挂在摊头的纸灯笼已被油烟熏得又黑又黄，就像是他的脸。

到这里来的老主顾都知道他脸上永远全无表情，除了要账外，也很少有人听到他说一句别的话。

萧十一郎笑道："就在这里吃怎样？"

风四娘皱了皱眉，道："好吧！"

萧十一郎道："你不必皱眉，这里的牛肉面，包你从来没有吃到过。"

他就在面摊旁那张摇摇欲倒的破桌子上坐了下来，大声道："老张，今天我有贵客，来些好吃的。"

老张头也没有抬，只朝他翻了个白眼，好像在说："你急什么，先等我喝完了这碗汤再说。"

萧十一郎摇了摇头，悄声道："这老头子是个怪物，咱们别惹他。"

名震天下的萧十一郎，竟不敢惹一个卖面的老头子，这话说出来有谁相信？风四娘只觉得又好气，又好笑。

过了很久，老张才端了两盘菜、一壶酒过来，"砰"地摆在桌子上，就头也不回地走了。

风四娘忍不住笑道："你欠他酒账么？"

萧十一郎挺了挺胸，笑道："我本来欠他一吊钱，但前天已还清了。"

风四娘望着他，良久良久，才轻轻地叹了口气，道："江湖中人都说萧十一郎是五百年来出手最干净利落、眼光最准的大盗，又有谁知道萧十一郎只请得起别人吃牛肉面，而且说不定还要赊账。"

萧十一郎大笑道："有我知道，又有你知道，这还不够吗？……来，喝一杯。"

萧十一郎就是这么样一个人，有人骂他，有人恨他，也有人爱他，但却很少有人了解他。

他也并不希望别人了解，他从未替自己打算过。

你若是风四娘，你爱不爱他？

风四娘有样最妙的长处，别人喝多了，就会醉眼乜斜，两眼变得模模糊糊、朦朦胧胧。

但她酒喝得越多，眼睛反而越亮，谁也看不出她是否醉了，她酒量其实并不大，但却很少有人敢跟她拼酒。

第四章　割鹿刀

　　现在她的眼睛亮得就像是灯，一直瞪着萧十一郎，忽然
道："那把刀的故事，你不想听了么?"

　　萧十一郎道："我不想听了。"

　　风四娘忍耐了很久，终于还是忍不住问道："为什么不想
听?"

　　萧十一郎板着脸道："因为我若想听，你就不会说出来;
我若不想听，你也许反而会忍不住要告诉我。"

　　他话未说完，风四娘忍不住大笑起来，笑骂道："你呀!
你真是个鬼……别人常常说我是个女妖怪，但我这女妖怪遇见
你这个鬼也没法子了。"

　　萧十一郎只管自己喝酒，也不答腔，他知道现在绝不能答
腔，一答腔风四娘也许又不肯说了。

　　风四娘只有自己接着说下去，道："其实不管你想不想
听，我都要告诉你的，那柄刀，叫'割鹿刀'!"

　　萧十一郎道："割鹿刀?"

　　风四娘道："不错，'割鹿刀'!"

　　萧十一郎道："这名字倒新奇得很，我以前怎么从未听说
过?"

风四娘道："因为这柄刀出炉还不到半年。"

　　萧十一郎皱眉道："一柄新铸成的刀，居然能砍断古代的利器？铸刀的这个人，功力难道比得上春秋战国时那些名匠大师么？"

　　风四娘先不回答，却反问道："继干将、莫邪、欧冶子等大师之后，还有位不世出的铸剑冶铁名家，你可知道是谁么？"

　　萧十一郎道："莫非是徐夫人？"

　　风四娘笑道："不错，看不出你倒真有点学问。"

　　徐夫人并不是个女人，他只不过姓"徐"，名"夫人"，荆轲刺秦王所用的剑，就是出自徐夫人之手的。

　　萧十一郎目光闪动，忽然道："那柄'割鹿刀'莫非是徐鲁子徐大师铸成的？"

　　风四娘讶然道："你也知道？"

　　萧十一郎笑了笑，道："徐鲁子乃徐夫人之嫡裔，你此刻忽然说起徐夫人，自然是和那柄'割鹿刀'有关系的了。"

　　风四娘目中不禁露出赞赏之意，道："不错，那柄'割鹿刀'确是徐大师所铸，为了这柄刀，他几乎已将毕生心血耗尽，这'割鹿'两字，取意乃是：'秦失其鹿，天下共逐，惟胜者得鹿而割之。'他的意思也就是惟有天下第一的英雄，才能得到这柄'割鹿刀'！他对这把刀的自豪，也就可想而知了。"

　　萧十一郎眼睛发亮，急着问道："你自然是见过那柄刀的了。"

　　风四娘闭上眼睛，长长地叹了口气，道："那的确是柄宝刀！'赤霞'遇见它，简直就好像变成了废铁。"

　　萧十一郎仰首将杯中的酒一干而尽，拍案道："如此宝刀，不知我是否有缘一见？"

风四娘目光闪动，道："你当然有机会见到。"

萧十一郎叹道："我与徐大师素昧平生，他怎肯将如此宝刀轻易示人？"

风四娘道："这柄刀现在已不在徐鲁子手里了。"

萧十一郎动容道："在哪里？"

风四娘悠然道："我也不知道。"

萧十一郎这次真的愣住了，端起酒杯，又放下去，起来兜了个圈子，又坐下来，夹起块牛肉，却忘了放入嘴里。

风四娘"扑哧"一笑，道："想不到我也有让你着急的时候，到底还是年轻人沉不住气。"

萧十一郎眨着眼道："你说我是年轻人？我记得你还比我小两岁嘛！"

风四娘笑骂道："小鬼，少来拍老娘的马屁，我整整比你大六年四个月零三天，你本该乖乖地喊我一声大姐才是。"

萧十一郎苦笑道："大姐，你记得当真清楚得很。"

风四娘道："小老弟，还不快替大姐倒杯酒。"

萧十一郎道："是是是，倒酒！倒酒。"

风四娘看着他倒完了酒，才笑着道："哎——这才是我的乖小弟。"

她虽然在笑，但目中却忍不住露出凄凉伤感之色，连眼泪都仿佛要流出来了，仰首将杯中酒饮尽，才缓缓道："那柄'割鹿刀'已在入关的道上了。"

萧十一郎紧张得几乎将酒都洒到桌上，追问道："有没有人沿途护刀？"

风四娘道："如此宝刀，岂可无人护送？"

萧十一郎道："护刀入关的是谁？"

风四娘道："赵无极……"

她刚说出这名字，萧十一郎已悚然动容，截口道："这赵无极可是那'先天无极门'的掌门人么？"

　　风四娘道："不是他是谁？"

　　萧十一郎默然半晌，慢慢地点了点头，似已胸有成竹。

　　风四娘一直盯着他，留意着他面上的神情的变化，接着又道："除了赵无极外，还有'关东大侠'屠啸天、海南派硕果仅存的惟一高手海灵子……"

　　萧十一郎苦笑道："够了，就这三个人已够了。"

　　风四娘叹道："但他们却认为还不够，所以又请了昔年独臂扫天山，单掌诛八寇的'独臂鹰王'司空曙。"

　　萧十一郎不说话了。

　　风四娘还是盯着他，道："有这四人护刀入关，当今天下，只怕再没有人敢夺刀的了。"

　　萧十一郎突然大笑起来，道："说来说去，原来你是想激我去替你夺刀？"

　　风四娘眼波流动，道："你不敢？"

　　萧十一郎笑道："我替你夺刀，刀是你的，我还是一场空。"

　　风四娘咬着嘴唇，道："他们护刀入关，你可知道是为了什么？"

　　萧十一郎摇着头道："不知道，我也不想知道，反正他们也不会为了要将刀送给我。"

　　风四娘道："就算你不敢去夺刀，难道也不想去见识见识么？"

　　萧十一郎道："不想。"

　　风四娘道："为什么？"

　　萧十一郎道："我若是看到了那柄刀，就难免要心动，心

萧
十
一
郎

动了就难免想去夺刀，夺不到就难免要送命。"

风四娘道："若是能夺到呢?"

萧十一郎叹了口气，道："若是夺到了，你就难免会问我要，我虽然舍不得，却又不好意思不给你，所以倒不如索性不去看的好。"

风四娘跺着脚站了起来，恨恨道："原来你这样没出息，我真看错了你! 好，你不去，我一个人去，没有你看我死不死得了。"

萧十一郎苦笑道："你这看见好东西就想要的脾气，真不知要到什么时候才能改得了。"

这市镇并不大，却很繁荣，因为它是自关外入中原的必经之路。由长白关东那边来的参商、皮货商、马贩子，由大漠塞北那边来的淘金客、胡贾……经过这地方时，差不多都会歇上一两个晚上。

由于这些人的豪侈，才造成这地方畸形的繁荣。

这地方有两样最著名的事。

第一样是"吃"——世上更少有男人不好吃的，这里就有各式各样的吃，来满足各种男人的口味。

这里的涮羊肉甚至比北京城里的还好、还嫩；街尾"五福楼"做出来的一味红烧狮子头，也绝不会比杭州"奎元雨"小麻皮做出来的差。就算是最挑剔的饕餮客，在这里也应该可以一快朵颐了。

第二样自然是女人——世上很少有男人不喜欢女人的，这里有各式各样不同的女人，可以适应各种男人的要求。

一个地方只有两样"名胜"虽不算是多，但就这两件事，已足够拖住大多数男人的脚。

"恩德元"是清真馆，老板马回回不但可以将一条牛做出一百零八种不同的菜，而且是关外数一数二的摔跤高手。

　　"恩德元"的门面并不大，装潢也不考究，但腰上扎着宽皮带、秃着脑袋、挺着胸站在门口的马回回，就是块活招牌。经过这里的江湖豪杰若没有到"恩德元"来跟马回回喝两杯，就好像觉得有点不大够意思。

　　平常的日子，马回回虽然也总是满面红光，精神抖擞，但今天马回回看来却特别的高兴。

　　还不到黄昏，马回回就不时走出门外来，瞪着眼睛向来路观望，像是在等待着什么贵客光临似的。

　　戌时前后，路尽头果然出现了一辆黑漆马车；四马并驰，来势极快，到了这条行人极多的路上，也并未缓下来。幸好赶车的身手十分了得，四匹马也都是久经训练的良驹，所以马车虽然奔驰甚急，却没有出乱子。

　　这条路上来来往往的车马虽多，但像这种气派的巨型马车还是少见得很，大伙儿一面往路旁躲闪，一面又不禁要去多瞧几眼。

　　只听健马一声长啸，赶车的丝缰一提，马车刚停在"恩德元"的门口，马回回已抢步迎了出来，陪着笑开了车门。

　　旁观的人又不禁觉得奇怪，马回回虽然是生意人，却一向不肯自轻身价，今天为何对这马车上的人如此恭敬？

　　从马车上第一个走下来的是个白面微须的中年人，圆圆的脸上常带着笑容，已渐发福的身上穿着件剪裁极合身的青缎圆花长袍，态度温文和气，看来就像是个微服出游的王孙公子。

　　马回回双手抱拳，含笑道："赵大侠远来辛苦了，请里面坐。"

　　那中年人也含笑抱拳道："马掌柜的太客气了，请，请。"

站在路旁观望的老江湖们听了马回回的称呼，心里已隐隐约约猜出这中年人是谁，眼睛不禁瞪得更圆了！

这人莫非就是"先天无极"的掌门人，以一手"先天无极"真功、八十一路"无极剑"名震天下的赵无极？

那么第二个下车来的人会是谁呢？

第二个下车来的是个白发老人，穿得很朴素，只不过是件灰布棉袄；高腰白袜系在灰布棉裤之外，手里还拿着根旱烟袋，看来就像是个土头土脑的乡下老头子，但双目神光闪动，顾盼之间，威凌逼人。

马回回弯腰陪笑道："屠老爷子，几年不见，你老人家身子越发地健朗了。"

这老头子打了个哈哈笑道："这还不都是托朋友的福。"

这老头子姓屠，莫非是坐镇关东垂四十年，手里的旱烟袋专打人身上三十六大穴、七十二小穴，人称"天下第一打穴名家"的关东大侠屠啸天？马车上有了这两人，第三人还会是弱者吗？

路旁窃窃私语，兴趣更浓了。

第三个走下车的是个枯瘦颀长、鹰鼻高颧的道人。

他虽是个出家人，衣着却十分华丽，酱紫色的道袍上都缕着金线，背后背着柄绿鲨鱼皮鞘，黄金吞口上还镶着颗猫儿眼的奇形长剑，一双三角眼微微上翻，像是从未将任何人放在眼里。

马回回的笑容更恭敬，躬身道："晚辈久慕海道长声名，今日得见，实在是三生有幸。"

那老头连瞧都没有瞧他一眼，只点了点头，道："好说，好说。"

海道长！难道是海灵子？

海南派的剑法以迅急诡秘见长，海南派的剑客们也都有些怪里怪气，素来不肯和别的门派打交道。

七年前"铜椰之战"震动武林，铜椰岛主以及门下的十三弟子固然都死在海南派剑下，海南派的九大高手也死得只剩下海灵子一个人了，自从这一战之后，海灵子的名头更响，眼睛也长得更高了。

今日他怎会和赵无极、屠啸天走在一起的？

最奇怪的是，这三个人下车之后，并没有走入店门，反而都站在车门旁，等着第四个人走下来。

过了很久，车子里才慢吞吞走下一个人。

这人一走出车门，大家都不禁吃了一惊。

这人的长相实在太古怪。

他身长不满五尺，一颗脑袋却大如笆斗，一头乱蓬蓬的头发，两条浓眉几乎连成一条。左眼精光闪动，亮如明星；右眼却是死灰色的，就像是死鱼的眼睛。乱草般白胡子里露出一张嘴来，却是鲜红如血。他右臂已齐肩断去，剩下来的一条左臂长得更可怕，垂下来几乎可以摸着自己的脚趾。

他手里还提着个长方形的黄布包袱。

这次马回回连头都不敢抬起，陪着笑道："听说老前辈要来，弟子特地选了条公牛……"

独臂人懒洋洋地点了点头，道："公牛比母牛好，却不知是死的，还是活的？"

马回回陪笑道："当然是活的，正留着给老前辈尝鲜哩。"

独臂人大笑道："很好，很好，你这孙子总算还懂得孝敬我。"

他居然将马回回当孙子，马回回居然还像是有点受宠若惊。不知道这独臂人来路的，心里多多少少都有点为马回回不平。

但有些人已猜出了这个独臂人的来路，心里反而替马回回高兴——能被"独臂鹰王"当孙子的人，已经很不容易了。

"恩德元"的后面有个小院子，是专门留着招待贵客的；院子里有座假山，假山旁有几棵大树。

树上系着条公牛。

这条牛实在大得出奇，牛角又尖又锐，仿佛是两把刀。

"独臂鹰王"手里的黄布包袱已不知藏到哪里去了，他此刻正围着这条牛在打转，嘴里啧啧有声，不停地说道："很好，很好……"

突然，他闪电般地欺身而进，公牛狂吼一声，倒在了地上。"独臂鹰王"双手中多了个血淋淋的牛心，他得意地对海灵子狂笑道："我这鹰爪力比你的剑怎么样？"

海灵子青渗渗的脸上现出了怒容，冷冷道："我用不着练什么鹰爪力。"

"独臂鹰王"眼睛一瞪，道："你用不着练，难道你瞧不起我老爷子的鹰爪力？"他一双鲜血淋漓的手已向海灵子抓了过去。

海灵子一个翻身，后退八尺，脸都吓白了。

"独臂鹰王"仰面大笑道："小杂毛，你用不着害怕，我老爷子只不过吓着你好玩的，我跟你那老杂毛师父是朋友，怎么能欺负你这小孩子。"

海灵子活到五十多了，想不到还有人叫他"小孩子"，他两只手气得发抖，却偏偏没有拔剑的勇气。

"独臂鹰王"那手力穿牛腹、巧取牛心的鹰爪力，那份狠、那份准、那份快，的确令人提不起勇气。

已经上到第七道菜了。

马回回的手艺的确不错，能将牛肉烹调得像嫩鸡、像肥鸭、像野味，有时甚至嫩得像豆腐。

他能将牛肉烧得像各种东西，就是不像牛肉。

到第八道菜时，马回回亲自捧上来，笑道："菜虽不好，酒还不错，各位前辈请多喝两杯。"

"独臂鹰王"突然一拍桌子，大声道："酒也不好。"

马回回愣住了。

幸好赵无极已接着笑道："酒虽是好酒，但若无红袖添酒，酒味也就淡了。"

"独臂鹰王"展颜大笑道："不错不错，到底还是你念过几天书，知道这'酒'字和那色字是万万不能分开的。"

马回回也笑了，道："晚辈其实已想到这一着，只怕此间的庸俗脂粉，入不了各位前辈的眼。"

"独臂鹰王"皱眉道："听说这里的女人很有名，难道连一个出色的都没有？"

马回回沉吟着道："出色的倒是有一个，但只有一个……"

"独臂鹰王"又一拍桌子，道："一个就已够了，这小杂毛是出家人，赵无极出名地怕老婆，屠老头已是心有余而力不足，你用不着替他们担心。"

屠啸天笑道："不错，你只要替司空前辈找一个就成了，我这糟老头子只想到旁边瞧瞧。年纪大的人，只要瞧瞧就已很过瘾了。"

赵无极笑道："怕老婆的人，还是连瞧都不要瞧的好。但若不瞧一眼，我还是舍不得走，马掌柜的，就麻烦你去走一趟

吧！"

　　马回回道："晚辈这就去找，只不过——"

　　"独臂鹰王"瞪眼道："只不过怎样？"

　　马回回陪笑道："那位姑娘出名的架子大，未必一找就能找来。"

　　"独臂鹰王"大笑道："那倒无妨，我就喜欢架子大的女人，架子大的女人必定有些与众不同，否则她的架子怎么大得起来？"

　　马回回笑道："既是如此，就请前辈稍候……"

　　"独臂鹰王"道："多等等也没关系，别的事我老爷子虽等不得，等女人的耐心我倒有。"

第五章　出色的女人

已经等了快一个时辰了，那位出色的女人还没有来。

屠啸天喝了杯酒，摇着头道："这女人的架子倒还真不小。"

"独臂鹰王"也摇着头笑道："你这糟老头子真不懂得女人，难怪要做一辈子的老光棍了……你以为那女人真的架子大么？"

屠啸天道："难道不是？"

"独臂鹰王"道："她这么样做，并不是真的架子大，只不过是在吊男人的胃口。"

屠啸天道："吊胃口？"

"独臂鹰王"道："不错，她知道男人都是贱骨头，等得越久，心里越好奇，越觉得这女人珍贵，那种一请就到的女人，男人反而觉得没意思。"

屠啸天抚掌笑道："高见、高见——想不到司空兄非但武功绝世，对女人也研究有素。"

"独臂鹰王"大笑道："要想将女人研究透彻，可真比练武困难得多了。"

他突然顿住笑声，竖起耳朵来听了听，悄悄笑道："来

了。"

这句话刚说完，门外就响起了细微的脚步声。

就连海灵子也忍不住扭过头去瞧，他也实在想瞧瞧，这究竟是怎么样一个出色的女人。

门是开着的，却挂着帘子。

帘下露出一双脚。

这双脚上穿的虽只不过是双很普通的青布软鞋，但样子却做得很秀气，使得这双脚看来也秀气得很。

虽然只看到一双脚，"独臂鹰王"已觉得很满意了。

他那特大的脑袋开始在摇，一双发光的眼睛一眨也不眨地盯着这双鞋，眼珠子都似乎快凸了出来。

只听帘外一人道："我可以进来吗?"

声音是冷冰冰的，但却清脆如出谷黄莺。

"独臂鹰王"大笑道："你当然可以进来，快——快请进来。"

脚并没有移动，帘外又伸出一双手。

手很白，手指长而纤秀，指甲修剪得很干净、很整齐，但却并不像一般爱打扮的女人那样，在指甲上涂上凤仙花汁。

这双手不但美，而且很有性格。

只看这双手，已可令人觉得这女人果然与众不同。

"独臂鹰王"不停地点着头笑道："好! 很好……好极了……"

只见这双手缓缓掀起了帘子。

这与众不同的女人终于走了进来。

在屠啸天想像中，架子这么大的女人，一定是衣着华丽，浓妆艳抹，甚至满身珠光宝气。

但他错了。

这女人穿的只是一身很浅淡、很合身的青布衣服，脸上看不出有脂粉的痕迹，只不过在耳朵上戴着一粒小小的珍珠。

屠啸天觉得很吃惊，他想不到一个风尘女子打扮得竟是如此朴素，甚至可以说连一点打扮都没有。

他吃惊，因为他年纪虽不小，对女人懂得却不多，而这女人对男人的心理懂得却太多了。

她知道自己越不打扮，才越显得出色脱俗。

男人的心理的确很奇怪，他们总希望风尘女人不像风尘女子，而像是个小家碧玉，或者是大家闺秀。

但当他们遇着个正正当当、清清白白的女人，他们又偏偏希望这女人像是个风尘女子。

所以，风尘女子若是像好人家的女子就一定会红得发紫，好人家的姑娘若像风尘女子，也一定会有很多男人追求。

赵无极虽然怕老婆，但怕老婆的男人也会"偷嘴"的，世上没有不偷嘴的男人，正如世上没有不偷嘴的猫。

他玩过很多次，在他印象中，每个风尘女人一走进来时，脸上都带着甜甜的笑容——当然是职业性的笑容。

但这女子却不同。

她非但不笑，而且连话也不说，一走进来，就坐在椅子上，冷冰冰地坐着，简直像是个木头人。

只不过这木头人的确美得很。

她年龄似乎已不小了，却也绝不会太大，她的眼睛很亮，眼角有一点往上吊，更显得妩媚。

"独臂鹰王"的眼睛已眯了起来，笑着道："好！很好——请坐请坐。"

这女人连眼角都没有瞟他一眼，冷冷道："我已经坐下了。"

"独臂鹰王"笑道:"很对!很对!你已经坐下了,你坐得很好看。"

这女人道:"那么你就看吧!我本来就是让人看的。"

"独臂鹰王"拍着桌子,大笑道:"糟老头,你看——你看这女人多有趣,就连说出来的话都和别人不同,居然敢给我钉子碰。"

若是别人给他钉子碰,他不打扁那人的脑袋才怪,但这女人给他钉子碰,他却觉得很有趣。

唉!女人真是了不起。

屠啸天也笑了,道:"却不知这位姑娘能不能将芳名告诉我们?"

这女人道:"我叫思娘。"

"独臂鹰王"大笑道:"思娘……难怪你这么不开心,原来你是在思念你的娘,你的娘也和你一样漂亮吗?"

思娘也不说话,站起来就往外走。

"独臂鹰王"大叫道:"等等,等等,你要到哪里去?"

思娘道:"我要走。"

"独臂鹰王"怪叫道:"走?你要走?刚来了就要走?"

思娘冷冷道:"我虽是个卖笑的女人,但我的娘却不是,我到这里来也不是为了要听你们拿我的娘开玩笑的。"

她倒是真懂得男人,她知道地位越高、越有办法的男人,就越喜欢不听话的女人,因为他们平时见到的听话的人太多了。

只有那种很少见到女人的男人,才喜欢听女人灌迷汤。

"独臂鹰王"果然一点也没生气,反而笑得更开心,道:"对对对,以后谁敢开你娘的玩笑,我先扭断他的脖子。"

思娘这才一百个不情愿地又坐了下来。

赵无极忍不住道："姑娘既然不喜欢开玩笑，却不知喜欢什么呢？"

思娘道："我什么都喜欢，什么都不喜欢。"

"独臂鹰王"大笑道："说得妙，说得妙！简直比别人唱得还好听。"

赵无极笑道："姑娘说的既是如此好听，唱的想必更好听了，不知姑娘是否能高歌一曲，也好让我们大家一饱耳福？"

思娘道："我不会唱歌。"

赵无极道："那么——姑娘想必会抚琴？"

思娘道："也不会。"

赵无极道："琵琶？"

思娘道："更不会。"

赵无极忍不住笑了，道："那么——姑娘你究竟会什么呢？"

思娘道："我是陪酒来的，自然会喝酒。"

"独臂鹰王"大笑道："妙极妙极，会喝酒已足够了，我就喜欢会喝酒的女人。"

这位"思娘"倒的确可以说是"会喝酒"，赵无极本来有心要她醉一醉，出出她的丑态。

但思娘酒喝得越多，眼睛就越亮，简直连一点醉意都看不出，赵无极反而不敢找她喝酒了。

"独臂鹰王"也没有灌她酒——他是个很懂得"欣赏"的男人，他只希望他的女人有几分酒意，却不愿他的女人真的喝醉。

他也很懂得把握时候。

到了差不多的时候，他自己先装醉了。

萧十一郎

赵无极也很知趣，到了差不多的时候，就笑着说道："司空兄连日劳顿，此刻只怕已有些不胜酒力了吧？"

"独臂鹰王"立刻就站了起来，道："是，是，是，我醉欲眠……我醉欲眠……"

赵无极忙道："马掌柜早已在后院为司空兄备下了一间清静的屋子，就烦这位姑娘将司空兄送过去吧！"

思娘狠狠瞪了他一眼，居然没有拒绝，扶着"独臂鹰王"就往外走，好像对这种事已经习惯得很。

屠啸天失笑道："我还当她真的有什么不同哩，原来到最后还是和别的女人一样。"

赵无极也笑道："到了最后，世上所有的女人都是一样的，尤其这种女人，她们本就是为了要'卖'才出来混，不卖也是白不卖。"

屠啸天笑道："只不过这女人'卖'的方法也实在和别的女人有些不同而已。"

马回回为"独臂鹰王"准备的屋子果然清静。

一进门，思娘就将"独臂鹰王"用力推开，冷冷道："你的酒现在总该醒了吧？"

"独臂鹰王"笑道："酒醒得哪有这么快。"

思娘冷笑道："你根本就没有醉，你以为我不知道？"

"独臂鹰王"的酒果然"醒"了几分，笑道："醒就是醉，醉就是醒，人生本是戏，何必分得那么清？"

他自己找着茶壶，对着嘴灌了几口，喃喃道："酒浓于水，水的确没有酒好喝。"

思娘冷冷地瞧着他，道："现在我已送你回来了，你还想要我干什么？"

"独臂鹰王"用一只手拉起她的一只手，眯着眼笑道：

"男人在这种时候想要干什么，你难道不懂？"

思娘甩开他的手，大声道："你凭什么以为我是那种女人？凭什么以为我会跟你做那种事？"

"独臂鹰王"笑道："我就凭这个。"

他大笑着取出一大锭黄澄澄的金子，眼角瞟着思娘，道："这个你要不要？"

思娘道："我们出来做，为的就是要赚钱，若非为了要赚钱，谁愿意被别人当做酒罐子？"

"独臂鹰王"大笑道："原来你还是要钱的，这就好办多了。"

他又拉起思娘的手，思娘又甩开了，冷冷道："我虽然要钱，可是我也得选择人。"

"独臂鹰王"的脸色变了，道："你要选择什么样的人？小白脸？"

思娘冷笑道："小白脸我看得多了，我要的是真正的男人。"

"独臂鹰王"展颜笑道："这就对了，你选我绝不会错，我就是真正的男子汉。"

思娘上上下下瞟了他一眼，道："我要的是了不起的男人，你是吗？"

"独臂鹰王"道："我当然是。"

思娘道："你若真有什么了不起的地方，让我瞧瞧，能令我心动，就算一分银子都没有，我也会心甘情愿地跟你……"

"独臂鹰王"大笑道："你不认得我，自然不知道我什么了不起，但江湖中人一听到我的名字，我要他往东，他就不敢往西。"

思娘道："吹牛人人都会吹的。"

"独臂鹰王"道："你不信？好，我让你瞧瞧！"

他的手轻轻一切，桌子就被切下了一只角，就好像刀切豆腐似的。

思娘淡淡道："好，果然有本事，但是在我看来还不够……"

"独臂鹰王"笑道："不管你够不够，我已等不及了，来吧！"

他轻轻一拉，思娘就跌入他的怀里。

思娘闭着眼，动也不动，道："你力气大，要强奸我，我也没法子反抗，但一个真正的男人，就该要女人自己心甘情愿地跟他。"

"独臂鹰王"的嘴不动了，因为他的手已在动，他虽然只有一只手，却比两只手的男人动得还厉害。

思娘咬着牙，冷笑道："亏你还敢说自己是男子汉，原来只会欺负女人，欺负女人的男人非但最不要脸，也最没出息。我倒想不到你会是这种人。"

"独臂鹰王"喘着气，笑道："你以为我是哪种人？"

思娘道："我看你长得虽丑，倒还有几分男子气概，所以才会跟你到这里来，若换了那三个人，就算醉倒在地上，我也不会扶一把。"

她轻轻叹了口气，道："谁知我竟看错了你，但这也只好怨我自己，怨不得别人……好，你要就快来吧！反正这种事也用不了多少时候的。"

"独臂鹰王"的手不动了，人也似已愣住。

愣了半晌，他才跳起来，大叫道："你究竟要我怎样？"

思娘坐起来，掩上衣襟，道："我知道你的本事，会杀人，别人都怕你，但这却没什么了不起。"

"独臂鹰王"道："要怎样才算了不起?"

思娘道："我听人说，越有本事的人，越深藏不露。昔年韩信受胯下之辱，后人才觉得他了不起。他当时若将那流氓杀了，还有谁佩服他?"

"独臂鹰王"大笑道："难道你要我钻你的裤裆不成?"

思娘居然也忍不住笑了。

她不笑时还只不过是个"木美人"，这一笑起来，当真是活色生香、风情万种；若有男人见了不心动，必定是个死人。

"独臂鹰王"自然不是死人，直着眼笑道："我司空曙纵横一世，但你若真要我钻你的裤裆我也认了。"

思娘嫣笑道："我不是这个意思，只不过……"

她眼波流动，接着道："譬如说，我虽打不过你，但你被我打了一下，却肯不还手，那才真正显得你是个男人，才真正有男子汉的气概。"

"独臂鹰王"大笑道："这容易，我就被你打一巴掌又有何妨?"

思娘道："真的?"

"独臂鹰王"道："自然是真的，你就打吧！打重些也没关系。"

思娘笑道："那么我可真的要打了。"

她卷起衣袖，露出一截白玉般的手腕。

"独臂鹰王"居然真的不动，心甘情愿地挨打。

这就是男人。可怜的男人，为了要在女人面前表示自己"了不起"，表示自己"有勇气"，男人真是什么事都做得出的。

思娘娇笑着，一掌轻轻地打了下去。

她出手很轻、很慢，但快到"独臂鹰王"脸上时，五根手指突然接连弹出，闪电般点了他四处大穴。

萧十一郎

"独臂鹰王"显然做梦也想不到有此一着，等他想到时，已来不及了——他自己就成了个木头人。

　　思娘已银铃般娇笑起来，吃吃笑道："好，'独臂鹰王'果然有大丈夫的气概，我佩服你!"

　　"独臂鹰王"瞪着她，眼睛里已冒出火来，但嘴里却一个字也说不出来。他整张脸已完全麻木。

　　思娘道："其实你也用不着生气，更不必难受，无论多么聪明的男人，见了漂亮女人时也会变成呆子的。"

　　她娇笑着接道："所以有些十七八岁的小姑娘，也能将一些老奸巨滑的老色鬼骗得团团乱转，世上这种事多得很——"

　　她一面说话，一面已在"独臂鹰王"身上搜索。

　　"独臂鹰王"穿着件宽大的袍子。

　　他方才提在手上的黄布包，就藏在袍子里。

　　思娘找出这包袱，眼睛更亮了。

　　解开黄布包，里面是个刀匣。

　　匣中刀光如雪!

　　思娘凝注着匣中的刀，喃喃道："萧十一郎，萧十一郎，你以为我一个人就夺不到这把刀？你不但小看了我，也太小看了女人，女人的本事究竟有多大，男人只怕永远也想不到……"

　　唉! 了不起的女人!

　　风四娘可真是个了不起的女人!

　　但风四娘毕竟还是个女人。

　　女人看到自己喜欢的东西时，就看不到危险了。

　　——世上大多数色狼，都知道女人这弱点，所以使用些眩目的礼物，来掩护自己危险的攻击。

　　风四娘全副精神都已放在这把刀上，竟未看到"独臂鹰王"面上露出的狞笑。

等她要走的时候，已来不及了！

"独臂鹰王"猿猴般的长臂，突然间闪电般伸出，擒住了她的腕子，她半边身子立刻发了麻，手里的刀"当"地掉到地上！

这一着出手之快，竟令她无闪避的余地。

"独臂鹰王"格格笑道："你若认为我真是呆子，就不但小看了我，也太小看男人了，男人的本事究竟有多大，女人只怕永远也想不到！"

风四娘的一颗心已沉到了底，但面上却仍然带着微笑，因为她知道自己此刻剩下的惟一武器，就是微笑。

她用眼角瞟着"独臂鹰王"甜笑着道："你何必发脾气？男人偶尔被女人骗一次，不是也蛮有趣的？若是太认真，就无趣了。"

"独臂鹰王"狞笑道："女人偶尔被男人强奸一次，不是也蛮有趣？"

他的手突然一紧，风四娘全身都发了麻，连半点力气都没有了，再被他反手一掌捆下来，她的人就被捆倒在床上。

只见"独臂鹰王"已狞笑着向她走过来，她咬了咬牙，用尽全身的力气，飞起一脚向他踢了过去。

但这一脚还未踢出，就被他的鹰爪般的手捉住。他的手轻轻一拧，她的脚踝就好像要断了，眼泪都快流了出来。

那薄薄的青布鞋，也变成了破布，露出了她那双精巧、晶莹、完美得几乎毫无瑕疵的脚。

"独臂鹰王"看到这双脚，竟似看得痴了，喃喃道："好漂亮的脚，好漂亮……"

他居然低下头，用鼻子去亲她的脚心。

　　世上没有一个女人的脚心不怕痒的，尤其是风四娘。"独臂鹰王"那乱草般的胡子刺着她脚心，嘴里的一阵阵热气似已自她脚心直透入她心底，她虽然又惊、又怕、又愤怒、又恶心……

　　但这种刺激她实在受不了。

　　她的心虽已快爆炸，但她的人却忍不住吃吃地笑了起来，笑出了眼泪，她一面笑、一面骂："畜生，畜生，你这老不死的畜生，快放开我……"

　　她将世上所有最恶毒的话都骂了出来，却还是忍不住要笑。

　　"独臂鹰王"瞪着她，眼睛里已冒出了火，突又一伸手，风四娘前胸的衣襟已被撕裂，露出了白玉般的胸膛。

　　她几乎晕了过去，只觉得"独臂鹰王"的人已骑到她身上，她只有用力绞紧两条腿，死也不肯松开。

　　只听"独臂鹰王"喘息着道："你这臭女人，这是你自己找的，怨不得我！"

　　他的手已捏住了她的喉咙。

　　风四娘连气都透不过来了，哪里还有力气挣扎反抗，她的眼前渐渐发黑，身子渐渐发软，两条腿也渐渐地放松……

　　突然间，"砰"的一声，窗子被撞开了。

　　一个青衣人箭一般蹿了进来，去掠取落在地上的刀！

　　"独臂鹰王"果然不愧是久经大敌的顶尖高手，在这种情况下，居然还没有晕了头，凌空一个倒翻，长臂直抓那人的头顶！

　　那人来不及拾刀，身子一缩，缩开了半尺。

　　只听"格"的一声，"独臂鹰王"的手臂竟又暴长了半尺，明明抓不到的地方，现在也可抓到了。

萧十一郎

许明康 许黎黎／绘

青衣人也不答话，着着抢攻，只见刀光缭绕，风雨不透，"独臂鹰王"目光闪动，避开几刀，突然纵声狂笑道："萧十一郎，原来是你……"

这就是"独臂鹰王"能纵横武林的绝技，若是换了别人，无论如何，也难再避得开这一抓。

谁知这青衣人的身法也快得不可思议，突然一个旋身，掌缘直切"独臂鹰王"的腕脉，脚尖轻轻一挑，将地上的刀向风四娘挑了过去。

风四娘左手掩衣襟，右手接刀，娇笑着道："谢谢你们……"

笑声中，她的人已飞起，蹿出窗子。

青衣人叹了口气，反手一挥，就有条雪亮的刀光匹练般划出，削向"独臂鹰王"的肩胛。

这一刀出手之快，当真快得不可思议。

"独臂鹰王"纵横江湖数十年，实未看过这么快的刀法，甚至未看清他的刀是如何出手的，大惊之下，翻身后掠，厉声喝道："你是什么人？"

青衣人也不答话，着着抢攻，只见刀光缭绕，风雨不透，"独臂鹰王"目光闪动，避开几刀，突然纵声狂笑道："萧十一郎，原来是你……"

青衣人也大笑道："'鹰王'果真好眼力！"

笑声中，他的人与刀突似化而为一。

刀光一闪，穿窗而出。

"独臂鹰王"大喝一声，追了出去。

窗外夜色沉沉，秋星满天，哪里还有萧十一郎的人影！

风四娘一面在换衣裳，一面在嘴里低低地骂，也不知咒骂的是谁，也不知在骂些什么。

只不过她的面上并没有怒容，反有喜色，尤其当她看到床上那刀匣时，她脸上就忍不住要露出春花般的微笑。

这把日思夜想的割鹿刀，终于还是到手了。

为了这把刀，风四娘可真费了不少心思。很多天以前，她就到这镇上来了，因为她算准这是赵无极他们的必经之路。

在镇外，她租下了这幽静的小屋，再找到马回回；马回回是个很够义气的人，以前又欠过她的情，当然没法子不帮她这个忙。

但"独臂鹰王"可实在是个扎手的人物，到最后她险些功亏一篑，偷鸡不成反要蚀把米，若不是萧十一郎……

想起萧十一郎，她就恨得牙痒痒的。

她刚扣起最后一粒扣子，突听窗外有人长长叹了口气，悠悠道："奉劝各位千万莫要和女人交朋友，更莫要帮女人的忙。你在帮她的忙，她自己反而溜了，将你一个人吊在那里。"

听到这声音，风四娘的脸就涨红了，不知不觉将刚扣好的那粒扣子也拧断了，看样子似乎恨不得一脚将窗户踢破。

但眼珠子一转，她又忍住，反而吃吃地笑了起来，道："一点也不错，我就恨不得把你吊死在那里，让'独臂鹰王'把你的心掏出来，看看究竟有多黑。"

窗子被推开一线，萧十一郎露出半边脸，笑嘻嘻道："是我的心黑？还是你的心黑？"

风四娘道："你居然还敢说我？问我？我诚心诚意要你来帮我的忙，你推三推四地不肯，我来了，你又偷偷地跟在后面，等眼见我就要得手，你才突然露面，想白白捡个便宜，你说你是不是东西？"

她越说越火，终于还是忍不住跳了过去，"砰"的将窗子打破了一个大洞，恨不得这窗子就是萧十一郎的脸。

萧十一郎早已走得远远的，笑道："我当然不是东西，我明明是人，怎会是东西？"

他叹了口气，喃喃道："也许我的确不该来的，就让那大头鬼去嗅你的臭脚也好，臭死他更好，也免得我再——"

风四娘叫了起来，大骂道："放你的屁，你怎么知道我的脚臭，你嗅过吗？"

萧十一郎笑道："我可没有那么好的雅兴。"

风四娘也发觉自己这么说，简直是在找自己的麻烦，涨红了脸道："就算你帮了我一个忙，我也不领你的情，因为你根本不是来救我，只不过是为了这把刀。"

萧十一郎道："哦？"

风四娘道："你若真来救我，为何不管我的人，先去抢那把刀？"

萧十一郎摇着头，苦笑道："这女人居然连声东击西之计都不懂——我问你，我若不去抢那把刀，他怎会那么容易就放开你？"

风四娘听了萧十一郎的分析，不由愣住了。

她想想也不错，萧十一郎当时若不抢刀，而先击人，他自己也免不了要被"独臂鹰王"所伤。

萧十一郎道："若有个老鼠爬到你的水晶杯上去了，你会不会用石头去打它？你难道不怕打碎你自己的水晶杯吗？"

风四娘板起脸，道："算你会说话……"

萧十一郎道："我知道你心里也明白自己错了，但嘴里却是死也不肯认错的！"

风四娘道："你怎么知道我的心思，难道你是我肚子里的蛔虫？"

萧十一郎道："就因为你心里已认了错，已经很感激我，所以才会对我这么凶，只要你心里感激我，嘴里不说也没关系。"

风四娘虽然还是板着脸，却已忍不住笑了。

女人的心也很奇怪，对她不喜欢的男人，她心肠会比铁还硬；但遇着她喜欢的男人时，她的心就再也硬不起来。

萧十一郎一直在看着她，似已看得痴了。

风四娘白了他一眼，抿着嘴笑道："你看什么？有什么好看的？"

萧十一郎道："这你就不懂了，一个女人最好看的时候，就是她虽然想板着脸却又忍不住要笑的时候，这机会我怎能错过？"

风四娘笑啐道："你少来吃我的老豆腐，其实你心里在打什么主意，我都知道。"

萧十一郎道："哦？你几时也变成我肚子里的蛔虫了？"

风四娘道："这次你落了一场空，心里自然不服气，总想到我这儿捞点本回去，是不是。"

萧十一郎道："那倒也不是，只不过——"

他笑了笑，接着道："你既然已有了'割鹿刀'，还要那柄'蓝玉'剑干什么？"

风四娘失笑道："我早知道你这小贼在打我那柄剑的主意——好吧！看在你对我还算孝顺，我就将这柄剑赏给你吧！"

她取出剑，抛出了窗外。

萧十一郎双手接住，笑道："谢赏。"

他拔出了剑，轻轻抚摸着，喃喃道："果然是柄好剑，只可惜是女人用的。"

风四娘忽然道："对了，你要这把女人用的剑干什么？"

萧十一郎笑道："自然是想去送给一个女人。"

风四娘瞪眼道："送给谁？"

萧十一郎道："送给谁我现在还不知道，只不过我总会找个合适的女人去送给她的，你请放心好了。"

风四娘咬着嘴唇，悠悠道："好，可是你找到的时候，总该告诉我一声。"

萧十一郎道："好，我这就去找。"

他刚转过身，风四娘突又喝道："慢着。"

萧十一郎慢慢地转回身子，道："还有何吩咐？"

风四娘眼波流动，拿起了床上的"割鹿刀"，道："你难道不想见识见识这把刀？"

萧十一郎道："不想。"

他回答得居然如此干脆，风四娘不禁愣了愣，道："为什么？"

萧十一郎笑了笑，道："因为——我若猜得不错，这把刀八成是假的。"

风四娘悚然道："假的？你凭什么认为这把刀会是假的。"

萧十一郎道："我问你，赵无极、屠啸天、'海灵子'，这三个人哪个是省油的灯？"

风四娘冷笑道："三个人都不是好东西。"

萧十一郎道："那么，他们为何要远巴巴地将'独臂鹰王'这老怪物找来，心甘情愿地受他的气，而且还将刀交给他，事成之后，也是他一个人露脸，像赵无极这样的厉害角色，为什么会做这种傻事？"

风四娘道："你说为什么？"

萧十一郎道："就因为他们要这'独臂鹰王'做替死鬼，做箭垛子。"

风四娘皱眉道："箭垛子？"

萧十一郎道："他们明知这一路上必定有很多人会来夺刀，敢来夺刀的自然都有两下子，所以他们就将一柄假刀交给

司空曙，让大家都来夺这柄假刀，他们才好太太平平地将真刀护到地头。"

他叹了口气，接道："你想想，他们若非明知这是假刀，我们在那里打得天翻地覆时，他们三人为何不过来帮手？"

风四娘道："这——也许是因为他们生怕打扰了司空曙……而且他们本来就是住在别处的，马回回只为司空曙一个人准备了宿处。"

萧十一郎摇着头笑道："司空曙带着的若是真刀，他们三个人能放心将他一个人留在那边么？"

风四娘说不出话来了。

她愣了半晌，突然拔出刀，大声道："无论你怎么说，我也不相信这柄刀会是假的！"

刀，的确是光华夺目。

但仔细一看，就可发觉这灿烂的刀光带着些邪气，就好像那些小姑娘头上戴的镀银假首饰似的。

萧十一郎拔出了那柄"蓝玉"，道："你若不信，何妨来试试？"

风四娘咬了咬牙，穿窗而出，一刀向剑上撩了过去。

只听"呛"的一声——

雪亮的刀已断成两半！

风四娘整个人都僵住了，手里的半截刀也掉落在地上；假如有人说风四娘绝不会老，那么她在这一刹那间的确像是老了好几岁。

萧十一郎摇着头，喃喃道："人人都说女人比男人聪明，可是女人为什么总常常会上男人的当呢？"

风四娘又跳了起来，怒道："你明知刀是假的，还要骗我的剑，你简直是个贼，是个强盗。"

萧十一郎叹道："我的确不该骗你，可是我认得一位姑娘，她又聪明、又漂亮、又爽直，我已有很久没见过她的面了，所以想找件礼物送给她，也好让她开心开心。"

风四娘瞪大了眼睛，道："那——那女人是谁?"

萧十一郎凝注着她，带着温暖的微笑，缓缓道："她叫做风四娘，不知你认不认得她?"

风四娘突然觉得一阵热意自心底涌起，所有的怒气都已消得无踪，全身都软，软软地倚着窗户，咬着嘴唇道："你呀! 你这个人——我认识了你，至少也得短命三十年。"

萧十一郎将那柄"蓝玉"剑双手捧过来，笑道："你虽然没有得到'割鹿刀'，却有人送你柄'蓝玉'剑，你岂非也应该很开心了么?"

萧十一郎

第六章 美人心

茶馆。

济南虽是个五方杂处、卧虎藏龙的名城，但要找个比茶馆人更杂、话更多的地方，只怕也很少。

风四娘坐茶馆的机会虽不多，但每次坐在茶馆里，她都觉得很开心，她喜欢男人们盯着她看。

一个女人能令男人们的眼睛发直，总是件开心的事。

这茶馆里大多数男人的眼睛的确都在盯着她，坐茶馆的女人不多，这么美的女人更少见。

风四娘用一只小茶碗慢慢地啜着茶。茶叶并不好，这种茶她平日根本就不会入口，但现在却似舍不得放下。

她根本不是在欣赏茶的滋味，只不过她自己觉得自己喝茶的姿势很美，还可以让别人欣赏欣赏她这双手。

萧十一郎也在瞧她，觉得很有趣。

他认识风四娘已有很多年了，他很了解风四娘的脾气。

这位被江湖中人称为"女妖怪"的女中豪杰，虽然很难惹，很泼辣，但和她分手的时候，却并不难受。

这究竟是种什么样的感情，他自己也分不清。

他们赶到济南来，因为"割鹿刀"也到了济南。

还有很多名人也都到了济南……

突然间，本来盯着风四娘的那些眼睛，一下子全都转到门外面去了；有人伸长脖子瞧，有人甚至已站起来，跑到门口。

风四娘也有些惊奇，她心里想："外面难道来了个比我更漂亮的女人？"

风四娘有些生气，又有些好奇，也忍不住想到门口去瞧瞧。她心里想到要做一件事，就绝不会迟疑。

她到了门口，才发现大家争着瞧的，只不过是辆马车。

这辆马车虽然比普通的华贵些，可也没有什么特别出奇的地方；车窗车门都关得紧紧的，也看不到里面是什么人。

马车走得也不快，赶车的小心翼翼，连马鞭都不敢扬起，像是怕鞭梢在无意间伤及路人。

拉车的马虽不错，也并非什么千里驹。

奇怪的是，大家却偏偏都在盯着这辆马车瞧；有些人还在窃窃私语，就像是这马车顶上忽然长出朵大喇叭花来了似的。

"这些人宁可看这破马车，却不看我。"风四娘真有点弄不懂了，这地方的男人难道都有点毛病？

她忍不住冷笑道："这里的人难道都没有见过马车吗？一辆马车有什么好看的？"

旁边的人扭过头瞧了她一眼，目光却又立刻回到那辆马车上去了。只有个驼背的老头子搭讪着笑道："姑娘你这就不知道了，马车虽没有什么，但车里的人却是我们这地方的头一号人物。"

风四娘笑道："哦？是谁？"

老头子笑道："说起此人来，可真是大大的有名，她就是城里'金针沈家'的大小姐沈璧君沈姑娘，也是武林中第一位大美人。"

他满脸堆着笑，仿佛也已分沾到一分光彩，接着又道："我说错了！沈姑娘其实已不该叫做沈姑娘，应该叫做连夫人才是。看姑娘你也是见多识广的人，想必知道姑苏有个'无瑕山庄'，是江南第一世家，沈姑娘的夫婿就是'无瑕山庄'的主人连城璧连公子。"

风四娘淡淡道："连城璧……这名字我好像听说过。"

其实她不但听说过，而且还听得多了。

"连城璧"这名字近年在江湖中名头之响，简直如日中天！就算他的对头仇人，也不能不对他挑大拇指。

那老头子越说兴趣越浓，又道："沈姑娘出嫁已有两三年，上个月才归宁，城里的父老兄弟都一心想看看她这两年来是否出落得更美了。只可惜这位姑娘从小知书识理，深居简出，我老头子等了二十年，也只不过遇见她一两次而已。"

风四娘冷笑道："如此说来，这位沈姑娘倒真是你们济南人心中的宝贝了？"

老头子根本听不出她话中的讥诮之意，点着头笑道："一点也不错，一点也不错……"

风四娘道："她坐在车子里，你们也能瞧得见她吗？"

老头子眯着眼笑道："看不到她的人，看看她坐的车子也是好的。"

风四娘几乎气破了肚皮，幸好这时马车已走到路尽头，转过去瞧不见了，大家这才纷纷落座。

有人还在议论纷纷："你看人家，回来两个月，才上过一趟街。唉！谁能娶到沈姑娘这样的媳妇，真不知是几辈子修来的福气。"

"但人家连公子也不错，不但学问好、家世好、人品好、相貌好，而且听说武功也是天下数一数二的高手，这样的女婿哪儿找去？"

"这才叫郎才女貌，珠连璧合。"

"听说连公子前两天也来了，不知是否……"

大家谈谈说说，说的都是连城璧和沈璧君夫妻，简直将这两个人说成天上少有、地下无双！

风四娘也懒得听了，正想叫萧十一郎赶快算账走路，但她身子还没有完全转过来，眼角突然瞥见一个人。

茶馆的斜对面，有家"源记"钱庄票号。

当时的行商客旅，若觉得路上携带银两不便，就可以到这种钱庄去换"银票"。信用好的钱庄发出的银票，走遍天下都可通用；信用不好的钱庄就根本无法立足。当时"银票"盛行，就因为所有钱庄的信用都很好。

做这行生意的，大都是山西人，因为山西人的手紧，而且擅长于理财；这家"源记"票号，就是其中最大的一家。

风四娘看到的这个人，此刻刚从"源记"票号里走出来。

这人年纪约莫三十左右，四四方方的脸，四四方方的嘴；穿着件规规矩矩的浅蓝缎袍，外面却罩着件青布衫，脚上穿着经久耐穿的白布袜、青布鞋。全身上下干干净净，就像是块刚出炉的硬面饼。

无论谁都可看出这是个规规矩矩、正正派派的人，无论将什么事交托给他都可以放心。

但风四娘见到这人，却立刻用手挡住了脸，低下头就往后面走，就像是穷光蛋遇着了债主似的。

不巧的是，这人的眼睛也很尖，走出来就瞧见风四娘了。一瞧见风四娘，他眼睛里就发出了光，大叫道："四娘，四娘……风四娘……"

他嗓子真不小，三条街外的人只怕都听得见。

风四娘只有停下脚，恨恨道："倒楣，怎么遇上了这个倒楣鬼。"

那位规矩的人已撩起了长衫，大步跑过来。

他眼睛里有了风四娘，就似乎什么也瞧不见了；街那边刚好转过来一辆马车，收势不及，眼见就要将他撞倒。

茶馆里的人都不禁发出了惊呼，谁知这人一退步，伸手一挽车辘，竟硬生生把马车拉住!

只见他两条腿钉子般钉在地上，一条手臂怕是有千斤之力，满街上的人又都不禁发出了喝彩声。

这人却似全没听到，向那已吓呆了的车夫抱了抱拳，道："抱歉。"

这句话刚说完，他的人已奔入了茶馆，四四方方的脸上这才露出一丝宽慰的微笑，笑道："四娘，我总算找到你了。"

风四娘用眼白横了他一眼，冷冷道："你鬼叫什么？别人还当我欠了你的债，你才会在这儿一个劲儿地穷吼。"

这人的笑容看起来虽已有些发苦，却还是陪着笑道："我——我没有啊!"

风四娘从鼻子里"哼"了一声，道："你找我干什么？"

这人道："没——没事。"

风四娘瞪眼道："没事？没事为何要找我？"

这人急得直擦汗，道："我——只不过觉——觉得好久没——没见了，所以——所以——才——"

原来他一着急就变成了结巴，越结越说不出。本来相貌堂堂的一个人，此刻就像变成了个呆头鹅。

风四娘也忍不住笑了，道："就算好久没见，你也不应该站在街上穷吼，知道吗？"

看到风四娘有了笑容，这位规矩人才松了口气，陪着笑道："你——你一个人？"

风四娘向那边坐着的萧十一郎指了指，道："两个。"

这人脸色立刻变了，眼睛瞪着萧十一郎，就像是恨不得将他一口吞下去，涨红着脸道："他——他——他是什么人？"

风四娘瞪眼道："他是什么人，跟你有什么关系？你凭什么问他？"

这人急得脖子都粗了，幸好这时萧十一郎已走了过来，笑道："我是她堂弟，不知尊驾是……"

听到"堂弟"两个字，这位规矩人又松了口气，说话也立刻变得清楚了起来，抱着拳笑道："原来尊驾是风四娘的堂弟，很好很好，太好了……在下姓杨，草字开泰，以后还请多指教。"

萧十一郎似乎觉得有些意外，动容道："莫非尊驾就是'源记'票号的少东主，江湖人称'铁君子'的杨大侠么？"

杨开泰笑道："不敢，不敢……"

萧十一郎也笑道："幸会，幸会……"

他吃惊的倒并非因为这个人竟是富可敌国的"源记"少东，而因为他是少林监寺"铁山大师"惟一的俗家弟子，一手"少林神拳"据说已有了九成火候，江湖中已公认他为少林俗家弟子中的第一高手。

这么样土头土脑，见了风四娘连话都说不出的一个人，居然是名震关中的武林高手，萧十一郎自然难免觉得意外。

杨开泰的眼睛又已转到风四娘那边去了，陪着笑道："两位为何不坐下来说话。"

风四娘道："我们正要走了。"

杨开泰道："走？到——到哪去？"

风四娘眼珠子一转，道："我们正想找人请客吃饭。"

杨开泰道："何必找人，我——我——"

风四娘用眼角瞟着他，道："你想请客？"

杨开泰道："当然，当然——听说隔壁的排骨面不错，馒头也蒸得很白……"

风四娘冷笑道："排骨面我自己还吃得起，用不着你请，你走吧！"

杨开泰擦了擦汗，陪笑道："你——你想吃什么，我都请。"

风四娘道："你若真想请客，就请我们上'悦宾楼'去，我想吃那里的水泡肚。"

杨开泰咬了咬牙，道："好——好，咱们就上'悦宾楼'。"

每个城里都有一两家特别贵的饭馆，但生意却往往特别好，因为花钱的大爷们爱的就是这调调儿。

坐在价钱特别贵的饭馆里吃饭，一个人仿佛就会变得神气许多，觉得自己多多少少还是个人物。

其实"悦宾楼"卖五钱银子一份的水泡肚，也未必比别家卖一钱七的滋味好些，但硬是有些人偏偏要觉得大不相同。

杨开泰从走上楼到坐下来，至少已擦了七八次汗。

风四娘开始点菜了，点了四五样，杨开泰的脸色看来已有点发白，突然站起来，道："我——我出去一趟，就——就回来。"

风四娘理也不理他，还是自己点自己的菜。等杨开泰走下楼，她已一口气点了十六七样菜，这才停下来，道："你猜不猜得出他干什么去了？"

萧十一郎笑了笑，道："去拿钱？"

风四娘笑道："一点也不错，这种人出来身上带的钱绝不会超过一两银子。"

萧十一郎道："无论如何，他总是个君子，你也不该穷吃他。"

风四娘冷笑道："什么'铁君子'，我看他简直像个铁公鸡！就和他老子一样，一毛不拔！这种人不吃吃谁？"

萧十一郎道："他总算对你不错。"

风四娘道："我这么样吃他，就是要将他吃怕。"

她撇了撇嘴，道："你也不知道这人有多讨厌，自从在王老夫人的寿宴上见过我一面后，就整天像条狗似的盯着我。"

萧十一郎道："我倒觉得他很好，人既老实、又正派，家世更没话说，武功也是一等的高手，我看你不如就嫁给他……"

话未说完，风四娘已叫了起来，道："放你的屁，天下的男人死光了，我也不会嫁给这种铁公鸡。"

萧十一郎叹了口气，苦笑道："女人真奇怪，未出嫁前，总希望自己的老公又豪爽、又慷慨；等到嫁给他以后，就希望他越小气越好，最好一次客也不请，把钱都交给她。"

上第二道菜的时候，杨开泰才赶回来。那边角落上刚坐下的一个面带微须的中年人看到他，就欠了欠身，抱了抱拳。

杨开泰也立刻抱拳还礼，彼此都很客气。

那中年人是一个人来的，穿的衣服虽然并不十分华贵，但气派看来却极大，腰畔系着的一柄乌鞘剑，看来也非凡品。一双眸子更是炯炯有神，顾盼之间，隐然有威，显见是个常常发号施令的人物。

风四娘早就留意到他了，此刻忍不住问道："那人是谁？"

杨开泰道："你不认得他？奇怪奇怪！"

风四娘道："我为什么就一定要认得他？"

杨开泰压低声音，道："他就是当年巴山顾道人的衣钵弟子柳色青，若论剑法之高远清灵，江湖间只怕已很少有人比得上他了！"

风四娘也不禁为之动容，道："听说他的'七七四十九手回风舞柳剑'已尽得顾道人的神髓，而且还有过之而无不及，你看过吗？"

杨开泰道："这人生性恬淡，从来不喜欢和别人打交道，所以江湖中认得他的人很少，但却和嵩山的镜湖师兄是方外至交，所以我才认得他。"

他说别的话时，不但口齿清楚，而且有条有理；但一说到自己和风四娘的事情，就立刻变成了结结巴巴的呆子了。

风四娘瞟了萧十一郎一眼，道："看来这地方来的名人倒不少。"

杨开泰笑道："的确不少，除了我和柳色青外，大概还有厉刚、徐青藤、朱白水和连城璧公子。"

风四娘冷笑道："如此说来，你也是个名人了？"

杨开泰愣了愣，道："我——我——我——"

他又说不出话来了。

连城璧、柳色青、杨开泰、朱白水、徐青藤、厉刚，这六人的名字说来的确非同小可，近十年来的江湖成名人物中，若论名头之响，武功之高，实在很难找得出几个人比这六人强的。

这六人的年纪都不大，最大的厉刚也不过只有四十多岁，但他们不但个个都是世家子弟、名门之后，而且为人都很正派，做的事也很漂亮；连江湖中最难惹的老怪物"木尊者"，都说他们六人都不愧是"少年君子"。

"木尊者"这句话说出来，"六君子"之名立刻传遍了江湖。

风四娘瞟了萧十一郎一眼，萧十一郎仍在低着头喝酒，始终都没有说话，风四娘这才转向杨开泰，道："今天是什么风将你们六位大名人都吹到济南来了啊？"

杨开泰擦了擦汗，道："有——有人请——请我们来的。"

风四娘道："能够请得动你们六位的人，面子倒真不小。是谁呀？"

杨开泰道："是——是司空曙、赵无极、'海灵子'、屠啸天和徐大师联合的请柬，要我们到大明湖畔的沈家庄来看一把刀。"

风四娘眼睛亮了，道："看什么刀？"

杨开泰道："'割鹿刀'！"

风四娘淡淡道："为了看一把刀，就将你们六位都请来，也未免太小题大做了吧？"

杨开泰道："据说那不是一把普通的刀，徐大师费了一生心血才铸成的。他准备将这把刀送给我们六人中的一人，却不知送给谁好。"

风四娘道："所以他就将你们六人都请来，看看谁的本事大，就将刀送给谁，是吗？"

杨开泰道："只怕是的。"

风四娘冷笑道："为了一把刀，你们居然就不惜老远地跑到这里来拼命，你们这六位'少年君子'也未免太不值钱了吧？"

杨开泰涨红了脸，道："其实我——我并不想要这把刀，只不过——只不过——"

萧十一郎忽然笑道："我了解杨兄的意思，徐大师既有此请，杨兄不来，岂非显得示弱于人了么？我知道杨兄要争的是这份荣誉，绝不是那把刀！"

杨开泰展颜笑道："对对对，对极了……"

他接着又道："何况徐大师这把刀也并不是白送我们的，无论谁得到这把刀，都要答应他两件事。"

凤四娘道："拿了人家以一生心血铸成的宝刀，就算要替人家做二十件事，也是应该的。"

杨开泰叹了口气，道："这两件事做来只怕比别的两百件事还要困难得多。"

凤四娘道："哦?"

杨开泰道："第一件事他要我们答应他，终生佩带此刀，绝不让它落入第二人手中。这件事说来容易，做来却简直难于登天。"

他苦笑着接道："现在江湖中已不知有多少人知道这把刀的消息了，无论谁将这把刀夺到手，立刻就能成名露脸，震动江湖。带着这把刀在江湖走动，简直就好像带着包火药似的，随时都可能引火上身。"

凤四娘笑了笑道："这话倒不假，就连我说不定也想来凑凑热闹呢。"

杨开泰道："但若比起第二件事来，这件事倒还算容易的。"

凤四娘道："哦? 他要你们干什么? 到天上摘个月亮下来么?"

杨开泰苦笑道："他要我们答应他，谁得到这把刀之后，就以此刀为他除去当今天下声名最狼藉的大盗……"

他话未说完，凤四娘已忍不住抢着问道："他说的是谁?"

杨开泰一字一字缓缓道："萧十一郎!"

已经上到第十样菜了。

杨开泰忽然看到满桌子的菜，脸色就立刻发白，喃喃道："菜太多了，太丰富了，怎么吃得下？"

风四娘板着脸道："这话本该由做客人的来说的，做主人的应该说：菜不好，菜太少……你连这点规矩都不懂吗？"

杨开泰擦了擦汗，道："抱——抱歉，我——我一向很少做主人。"

风四娘也忍不住为之失笑，道："你这人虽然小气，总算还坦白得很。"

萧十一郎忽然道："不知杨兄可认得萧十一郎么？"

杨开泰道："不认得。"

萧十一郎目光闪动，道："杨兄既然与他素不相识，得刀之后，怎忍下手杀他？"

杨开泰道："我虽不认得他，却知道他是个无恶不作的江洋大盗，这种人正是'人人得而诛之'，我为何要不忍？"

萧十一郎道："杨兄可曾亲眼见他做过什么不仁不义的事？"

杨开泰道："那倒也没有，我——只不过时常听说而已。"

萧十一郎笑了笑，道："亲眼所见之事，尚且未必能算准，何况仅是耳闻呢？"

杨开泰默然半晌，忽也笑了笑，道："其实就算我想杀他，也未必能杀得了他。江湖中想杀他的人也不知有多少，但他岂非还是活得好好的？"

风四娘冷笑道："一点也不错，你若肯听我的良言相劝，还是莫要得到那柄刀好些；否则你非但杀不了萧十一郎，弄不好也许还得死在他手上。"

杨开泰叹道："老实说，我能得那柄刀的希望本就不大。"

风四娘道："以你之见，是谁最有希望呢？"

杨开泰沉吟着，道："厉刚成名最久，他的'大开碑手'火候也很老到，只不过他为人太方正，掌法也不免呆板了些，缺少变化。"

风四娘道："如此说来，他也是没有希望的了。"

杨开泰道："他未必能胜得过我。"

风四娘道："徐青藤呢？"

杨开泰道："徐青藤是武当掌门人最心爱的弟子，拳剑双绝，轻功也好，据说他的剑法施展出来，已全无人间烟火气，只可惜……"

风四娘道："只可惜怎样？"

杨开泰道："他是世袭的杭州将军，钟鸣鼎食，席丰履厚。一个人生活过得若是太舒适了，武功就难有精进。"

风四娘道："所以，你觉得他也没什么希望，是吗？"

杨开泰没有说话，无疑已默认了。

风四娘道："朱白水呢？我听说他身兼峨嵋、点苍两家之长，又是昔年暗器名家'千手观音'朱夫人的独生子，收发暗器的功夫，一时无二。"

杨开泰道："这个人的确是惊才绝技，聪明绝顶，只可惜他太聪明了，据说已看破红尘，准备剃度出家，所以他这次来不来都很成问题。"

风四娘道："他若来呢？"

杨开泰道："他既已看破红尘，就算来了，也不会全力施为。"

风四娘道："他也没希望？"

杨开泰道："希望不大。"

风四娘瞧了坐在那边自斟自饮的柳色青一眼，压低声音道："他呢？"

杨开泰道："此人剑法之高，无话可说，只可惜人太狂傲，与人交手时未免太轻敌；而且百招过后若还不能取胜，就会变得渐渐沉不住气了。"

萧十一郎笑道："杨兄的分析的确精辟绝伦……"

风四娘道："你既然很会分析别人，为何不分析分析自己？"

杨开泰正色道："我自十岁时投入恩师门下，至今已有二十一年；这二十一年来无论风雨寒暑，我早晚两课从未间断，我也不敢妄自菲薄。若论掌力之强、内劲之长，只怕已很少有人能比得上我。"

萧十一郎叹道："杨兄果然不愧为君子，品评人事，既不贬人扬己，也不矫情自谦，而且——"

风四娘抢着笑道："而且他心里无论有什么事都存不住的，脸上立刻就会显露出来。有人要他请客，他的脸简直比马脸还难看。"

杨开泰的脸又红了，道："我——我——我只不过——"

风四娘道："你只不过是太小气，所以你的内力虽深厚，掌法却嫌太放不开，总是不求有功，但求无过。别人虽很难胜你，你想胜过别人也很难。"

她笑了笑，接着道："你评论别人完了，也得让我评论评论你，对不对？"

杨开泰红着脸呆了半晌，才长长叹了口气，道："四娘你真不愧是我的知己。"

风四娘道："知己两字，倒不敢当，只不过你的毛病我倒清楚得很。"

杨开泰叹道："正因如此，所以我才自觉不如连城璧。"

风四娘道："你看过他的武功？"

杨开泰道："就因为他的武功从不轻易炫露，才令人更觉深不可测。"

萧十一郎道："据说此人是个君子，六岁时便已有'神童'之誉。十岁时剑法已登堂奥，十一岁时就能与自东瀛渡海而来的'一刀流'掌门人太玄信机交手论剑，历三百招而不败。自此之后，连扶桑岛都知道中土出了位武林神童。"

他笑了笑，悠然接道："但我也听说过萧十一郎也是位不世出的武林奇才，刀法自成一格，出道后从未遇过敌手。却不知道这位连公子比不比得上他？"

杨开泰道："萧十一郎的刀法如风雷闪电，连城璧的剑法却如暖月春风，两人一刚一柔，都已登峰造极。但自古'柔能克刚'，放眼当今天下，若说还有人能胜过萧十一郎的，只怕就是这位连城璧了。"

萧十一郎神色不动，微笑道："听你说来，他两人一个至刚、一个至柔，倒好像是天生的对头！"

杨开泰道："但萧十一郎却有几样万万比不上连城璧！"

萧十一郎道："哦？愿闻其详。"

杨开泰道："连城璧是武林世家子弟，行事大仁大义，而且处处替人着想，从不争名夺利。近年来人望之隆，无人能及，已可当得起'大侠'两字！这种人无论走到哪里，别人都对他恭敬有加，可说已占尽了天时、地利、人和。"

风四娘咬着嘴唇道："萧十一郎呢？"

杨开泰道："萧十一郎却是声名狼藉的大盗，既没有亲人，更没有朋友，无论走到哪里，都绝不会有人帮他的忙。"

萧十一郎虽然还在笑，但笑容看来已带着种说不出的萧索寂寞之意，他举起酒杯，一饮而尽，大笑道："说得对，说得好，想那萧十一郎只不过是个马车夫的儿子而已，又怎能和连城璧那种世家子弟相比。"

杨开泰道："除此之外，连城璧还有件事，也是别人比不上的。"

风四娘道："什么事?"

杨开泰道："他还有个好帮手，贤内助。"

风四娘道："你说的可是沈璧君?"

杨开泰道："不错，这位连夫人就是'金针'沈太君的孙女儿,不但身怀绝技，而且温柔贤慧，是位典型的贤妻良母。"

风四娘冷冷道："只可惜她已嫁人了，否则你倒可以去追求追求。"

杨开泰的脸立刻又红了，吃吃道："我——我——我只不过——"

风四娘慢慢地啜着杯中的酒，喃喃道："不知道沈家的'金针'比起我的'银针'来怎样? ……"

她忽然抬起头，笑道："你们什么时候到沈家庄去?"

杨开泰道："明天下午——护刀入关的司空曙，最迟明天早上就可到了。"

风四娘眼珠子直转，道："不知道他们还请了些什么人?"

杨开泰道："客人并不多……"

他像是忽然想到了什么，瞧着风四娘道："你是不是也想去?"

风四娘冷笑了一声，淡淡道："人家又没有请我，我脸皮还没有那么厚。"

杨开泰道："但我可以带你去，你就算是我的——我的——"

风四娘瞪眼道："算是你的什么人?"

杨开泰红着脸，吃吃道："朋——朋——朋友——"

第七章　沈太君的气派

沈家庄在大明湖畔，依山面水，你只要看到他们门口那两尊古老石狮子，就可想见这家家族历史的辉煌与悠久。

沈家庄的奴仆并不多，但每个人都是彬彬有礼、训练有素，绝不会令任何人觉得自己受了冷落。

自从庄主沈劲风夫妇出征流寇，双双战死在嘉峪关口之后，沈家庄近年来实是人丁凋零，只有沈太君一个人在支持着门户。

但沈家庄在江湖人心目中的地位却非但始终不坠，而且反而越来越高了。这并不完全是因为大家同情沈劲风夫妇的惨死、崇敬他们的英节，也因为这位沈太君的确有许多令人心服之处。

连城璧一早就出城去迎接护刀入关的人了，此刻在大厅中接待宾客的，是沈太君娘家的侄子"襄阳剑客"万重山，最早来的是"铁君子"杨开泰。

他还带来了两位"朋友"，一位是个很英俊的白面书生，叫"冯士良"，另一位是冯士良的堂弟，叫"冯五"。

万重山阅人多矣，总觉得这两位"冯先生"都是英气逼人，武功也显然有很深的火候，绝不会是江湖中的无名之辈。

但他却偏偏从未听说过这两个人的名字。

万重山心里虽奇怪，表面却不动声色，绝口不提。他信得过杨开泰，他相信杨开泰带来的朋友绝不会是为非作歹之徒。

但厉刚就不同了。

厉刚来得也很早，万重山为他们引见过之后，厉刚的一双尖刀般的眼睛，就一直在盯着这两位"冯先生"。

这位以三十六路"大开碑手"名扬天下的武林豪杰，不但一双眼神像尖刀，他整个人都像是一把刀，出了鞘的刀!

凤四娘被他盯得几乎有些受不住了，但萧十一郎却还是面带微笑，安然自若，完全不在乎。

萧十一郎和别人不同的地方，就是他什么都不在乎。

然后柳色青也来了。

再到的是徐青藤。这位世袭的杭州将军，果然是人物风流，衣衫华丽;帽上缀着的一粒珍珠，大如鸽卵，一看就知道是价值连城之物，但他对人却很客气，并未以富贵凌人，也没有什么架子。

这其间还到了几位客人，自然也全都是德高望重的武林前辈;但厉刚的眼睛却还是一直在盯着萧十一郎。

杨开泰也觉得有些不对了，搭讪着道:"厉兄近来可曾到少林去过?"

厉刚板着脸点了点头，忽然道:"这位冯兄是阁下的朋友?"

杨开泰道:"不错。"

厉刚道:"他真的姓冯?"

凤四娘一肚子火，实在忍不住了，冷笑道:"阁下若认为我们不姓冯，那么我们应该姓什么呢?"

厉刚沉着脸，道："两位无论姓什么，都与厉某无关！只不过厉某平生最见不得藏头露尾、改名换姓之辈，若是见到，就绝不肯放过。"

风四娘脸色已变了，但万重山抢着笑道："厉兄为人刚正，是大家都知道的。"

徐青藤立刻也笑着打岔，问道："白水兄呢？为何还没有来？"

万重山轻轻叹息了一声，道："白水兄已在峨嵋金顶剃度，这次只怕是不会来的了。"

徐青藤扼腕道："他怎会如此想不开？其中莫非还有什么隐情么？"

厉刚忽然一拍桌子，厉声道："无论他是为了什么，都大大的不该！朱家世代单传，只有他这一个独子，他却出家做了和尚！常言道：不孝有三，无后为大。亏他还念过几天书，竟连这句话都忘了，我若见了他——哼！"

万重山和徐青藤面面相觑，谁也不说话了。

风四娘一肚子气还未消，忍不住冷笑道："你看这人多奇怪，什么人的闲事他都要来管管。"

厉刚霍然长身而起，怒道："我就是喜欢管闲事，你不服？"

杨开泰也站了起来，大声道："厉兄莫要忘了，他是我的朋友。"

厉刚道："是你的朋友又怎样，厉某今日就要教训教训你这朋友。"

杨开泰脸都涨红了，道："好好好，你——你——你不妨先来教训教训我吧！"

两人挽袖子，像是立刻就要出手，满屋子的人竟没有一个站出来劝架的，因为大家都知道厉刚的脾气，谁也不愿再自讨无趣。

突听一人道："你们到这里来，是想来打架的么？"

这句话说得本来不大高明，非但全无气派，也不文雅，甚至有些像贩夫走卒在找人麻烦。

但现在这句话由这人嘴里说出来，分量就好像变得忽然不同了，谁也不会觉得这句话说得有丝毫不雅、不高明之处——因为这句话是沈太夫人说出来的。

沈太君无论年龄、身份、地位，都已到了可以随便说话的程度。能够挨她骂的人，心里非但不会觉得难受，反而会觉得很光荣。她若对一个人客客气气的，那人反而会觉得全身不舒服。

这道理沈太君一向很明白。

无论对什么事，她都很明白。她听得够多、看得够多，经历过的事也够多了。现在她的耳朵虽已有点聋，但只要是她想听的话，别人声音无论说得多么小，她还是能将每个字都听得清清楚楚。

若是她不想听的话，她就一个字也听不到了。

现在她的眼睛虽也不如以前那么明亮敏锐，也许已看不清别人的脸，但每个人的心她却都能看得清清楚楚。

丫头们将她扶出来的时候，她正在吃着一粒蜜枣，吃得津津有味，像是已将全副精神都放在这粒枣子上。

方才那句话就好像根本不是她说的。

但厉刚、杨开泰都已红着脸，垂下了头，偏过半个身子，悄悄将刚卷起的衣袖又放了下来。

满屋子的人都在恭恭敬敬地行礼。

　　沈太君笑眯眯地点了点头，道："徐青藤，你帽子上这粒珍珠可真不错啊！但你将它钉在帽子上，岂非太可惜了吗？你为什么不将它挂在鼻子上呢？也好让别人看得更清楚些。"

　　徐青藤的脸红了，什么话也不敢说。

　　沈太君笑眯眯地瞧着柳色青，又道："几年不见，你剑法想必又精进了吧？天下大概已没有人能比得上你了吧？其实你外号应该叫做'天下第一剑'才对，至少你身上挂的这把剑比别人的漂亮得多。"

　　柳色青的脸也红了，他的手本来一直握着剑柄，像是生怕别人看不到，现在却赶快偷偷地将剑藏到背后。

　　他们的脸虽红，却并没有觉得丝毫难为情，因为能挨沈太君的骂，并不是件丢人的事。

　　没有挨骂的人，看来反倒有些怅怅然若有所失。

　　杨开泰垂着头，讷讷道："小侄方才一时无礼，还求太夫人恕罪。"

　　沈太君用手扶着耳朵，道："什么？你说什么？我听不见呀！"

　　杨开泰脸又红了，道："小——小侄方才无——无礼——"

　　沈太君笑了，道："哦——原来你是说没有带礼物来呀！那有什么关系，反正我知道你是个小气鬼，连自己都舍不得吃，舍不得穿，怎么会送礼给别人？"

　　杨开泰一句话也说不出了。

　　厉刚忍不住道："晚辈方才也并未想和杨兄打架，只不过这两个人……"

　　沈太君道："什么，你说这两人想打架？"

　　她笑眯眯地瞧了瞧风四娘和萧十一郎，摇头道："不会的，这两个人看来都是好孩子，怎么会在我这里打架？只有那种没规矩的野孩子才会在这里吹胡子、瞪眼睛，你说是吗？"

厉刚愣了半晌，终于还是垂首道："太夫人说的是。"

凤四娘越看越有趣，觉得这位老太婆实在有趣极了，她只希望自己到七八十岁的时候，也能像这老太婆一样有趣。

沈太君笑道："这地方本来客人还不少，可是自从璧君出了嫁之后，就已有很久没这么热闹过了。我这才明白，原来那些人并不是来看我这老太婆的；但今天你们若也想来看看我们那位大美人儿，只怕就难免要失望。"

她眼睛笑得眯成了一条线，道："我们那位大丫头今天可不能见客，她有病。"

杨开泰脱口道："有病？什么病？"

沈太君笑道："傻孩子，你着急什么？她若真的有病，我还会这么开心？"

她挤了挤眼睛，故意压低声音，道："告诉你，她不是有病，是有喜，但你千万不能说是我说的，免得那丫头又怪我老婆子多嘴。"

满屋子的人立刻又站了起来，只听"恭喜"之声不绝于耳，杨开泰更是笑得合不拢嘴来。

凤四娘瞪了他一眼，悄悄道："你开心什么？这孩子又不是你的。"

杨开泰的嘴立刻合了起来，连笑都不敢笑了。像他这么听话的男人，倒也的确少见得很。

萧十一郎不禁在暗中叹了口气，因为他很明白一个男人是绝不能太听女人话的；男人若是太听一个女人的话，那女人反会觉得他没出息。

萧十一郎无论和多少人在一起，都好像是孤孤单单的，因

萧
十
一
郎

　　为他永远是个"局外人"，永远不能分享别人的欢乐。

　　他永远最冷静，所以他第一个看到了连城璧。

　　他并不认得连城璧，也从未见过连城璧；可是他知道，现在从外面走进来的这个人就是连城璧。

　　因为他从未见过任何人的态度如此文雅，在文雅中却又带着种令人觉得高不可攀的清华之气。

　　世上有很多英俊的少年，有很多文质彬彬的书生，有很多气质不凡的世家子弟，也有很多少年扬名的武林侠少，但却绝没有任何人能和现在走进来的人相比。虽然谁也说不出他的与众不同之处究竟在哪里，但无论任何人只要瞧一眼，就会觉得他的确是与众不同。

　　赵无极本也是个很出色的人，他的风采也会令许多人倾倒，若是和别人走在一起，他的风采总是特别令人注意。

　　但现在他和这人走进来，萧十一郎甚至没有看见他。

　　他穿的永远是质料最高贵、剪裁最合身的衣服，身上佩戴的每样东西都经过仔细的挑选。每样都很配合他的身份；使人既不会觉得他寒碜，也不会觉得他做作，更不会觉得他是个暴发户。

　　武林中像赵无极这么考究的人并不多，但现在他和这人一齐走进来，简直就像是这人的跟班。

　　这人若不是连城璧，世上还有谁可能是连城璧？连城璧若不是这么样一个人，他也就不是"连城璧"了！

　　连城璧也一眼就瞧见了萧十一郎。

　　他也不认得萧十一郎，也从未见过萧十一郎，更绝不会想到站在大厅门口石阶上的这少年就是萧十一郎。

　　可是他只瞧了一眼，他就觉得这少年有很多和别人不同的地方——究竟有什么不同，他也说不出。

他很想多瞧这少年几眼，可是他没有这么做，因为盯着一个人打量是件很不礼貌的事。

连城璧这一生中从未做过对任何人失礼的事。

等大家看到连城璧和赵无极的时候，当然又有一阵骚动。

然后，赵无极才拜见沈太夫人。

沈太君虽然还是笑眯眯的，但眼睛里却连一丝笑意都没有，她似乎已觉出事情有些不对了。

赵无极拜道："晚辈来迟，有劳太夫人久候，恕罪恕罪。"

沈太君笑道："没关系，来迟了总比不来的好，是吗？"

赵无极道："是。"

沈太君道："屠啸天、'海灵子'，和那'老鹰王'呢？他们为什么不来？难道没有脸来见我？"

赵无极叹了口气，道："他们的确无颜来见老夫人……"

沈太君的眼睛像是忽然变得年轻了，目光闪动，道："刀丢了，是吗？"

赵无极垂下了头。

沈太君忽然笑了笑，道："你用不着解释，我也知道这件事责任绝不在你。有'老鹰王'和你们在一起，他一定会抢着要带那把刀，所以刀一定是在他手里丢了的。"

赵无极叹道："纵然如此，晚辈亦难辞疏忽之罪。若不能将刀夺回，晚辈是再也无颜见武林同道的了。"

沈太君道："能从那'老鹰王'手里将刀夺去的人，世上倒也没有几个，夺刀的人是谁呀？那人的本领不小吧？"

赵无极道："风四娘。"

沈太君道："风四娘——这名字我倒也听说过，听说她手上功夫也有两下子。但就凭她那两下子，只怕还夺不走'老鹰

王'手里的刀吧!"

赵无极道："她自然还有个帮手。"

沈太君道："是谁?"

赵无极长长叹息了一声，一字字道："萧十一郎!"

大厅中的人果然都不愧是君子，听到了这么惊人的消息，大家居然还都能沉得住气，没有一个现出惊讶失望之态来的，甚至连一个说话的人都没有；因为在这种时候，无论说什么都会令赵无极觉得难堪。

君子是绝不愿令人觉得难堪的。

脸上露出惊讶之色的只有两个人，一个是杨开泰，一个是风四娘。杨开泰盯着风四娘，风四娘却在盯着萧十一郎。

她心里自然觉得奇怪极了，她自然知道丢的那把刀并不是真刀，那么，真刀到哪里去了？

听到"萧十一郎"这名字，沈太君才皱了皱眉，喃喃道："萧十一郎，萧十一郎……最近我怎么总是听到这人的名字，好像天下的坏事都被他一个人做尽了。"

她忽又笑了笑，道："我老婆子倒真想见见这个人，一个人能做出这么多坏事来，倒也不容易。"

厉刚板着脸道："此人不除，江湖难安! 晚辈迟早总有一天提他的首级来见太夫人。"

沈太君也不理他，却道："徐青藤，你想不想要萧十一郎的头?"

徐青藤沉吟着，道："厉兄说得不错，此人不除，江湖难安……"

沈太君不等他说完，又道："柳色青，你呢?"

柳色青道："晚辈久已想与此人一较高低。"

沈太君目光移向连城璧，道："你呢?"

连城璧微笑不语。

沈太君摇着头，喃喃道："你这孩子什么都好，就是太不爱说话了——你们信不信，他到我这里来了半个月，我还没有听他说过十句话。"

杨开泰张开嘴，却又立刻闭上了。

沈太君道："你想说什么？说呀！难道你也想学他？"

杨开泰偷偷瞟了风四娘一眼，道："晚辈总觉得有时不说话反比说话好。"

沈太君笑了，道："那么你呢？你想不想杀萧十一郎？"

杨开泰道："此人恶名四溢，无论谁能除去此人，都可名扬天下，晚辈自然也有这意思，只不过——"

沈太君道："只不过怎样？"

杨开泰垂下头，苦笑道："晚辈只怕还不是他的敌手。"

沈太君大笑道："好，还是你这孩子说话老实，我老婆子就喜欢这种规规矩矩、本本分分的人，只可惜我没有第二个孙女嫁给你。"

杨开泰的脸马上又涨红了，眼睛再也不敢往风四娘那边去瞧——风四娘脸上是什么表情，他已可想像得到。沈太君目光这才回到厉刚身上，淡淡道："你看，有这么多人都想要萧十一郎的头，你想提他的头来见我，只怕还不大容易吧？"

风四娘瞧着萧十一郎："你感觉如何？"

萧十一郎道："我开心极了。"

风四娘道："开心？你还觉得开心？"

萧十一郎笑了笑，道："我倒还不知道我的头如此值钱，否则只怕也早就送进当铺了。"

风四娘也笑了。

夜很静，她的笑声就像是银铃一样。

这是沈家庄的后园，每个客人都有间客房；到了沈家庄的人若不肯住一晚上，那岂非太不给沈太君面子了。

风四娘的笑声很快就停了下来，皱起眉道："我们夺到的明明是假刀，但他们丢的却偏偏是真刀，你说这件事奇怪不奇怪？"

萧十一郎道："不奇怪。"

风四娘道："不奇怪？你知道真刀到哪里去了？"

萧十一郎道："真刀……"

他刚说出两个字，就闭上嘴。

因为他已听到了一个人的脚步声向这边走了过来。他知道必定是杨开泰，只有君子的脚步声才会这样重。

君子绝不会偷偷摸摸地走过来偷听别人的说话。

风四娘又皱起了眉，喃喃道："阴魂不散，又来了——"

她转过身，瞪着杨开泰，冷冷道："你是不是要我谢谢你？"

杨开泰涨红了脸，道："我——我没有这意思。"

风四娘道："我本来是应该谢谢你的，你方才若说出我是风四娘，那些人一定不会放过我。"

杨开泰道："我为什么要——要说？"

风四娘道："他们不是说我就是那偷刀的贼么？"

杨开泰擦了擦汗，道："我知道你不是。"

风四娘道："你怎么知道？"

杨开泰道："因为——因为——我相信你。"

风四娘道："你为什么相信我？"

杨开泰又擦了擦汗，道："没有为什么，我就是——就是相信你。"

风四娘望着他，望着他那四四方方的脸，诚诚朴朴的表情，风四娘的眼睛忍不住有些湿了。

　　她就算是个木头人，也有被感动的时候，在这一刹那间，她也不禁真情流露，忍不住握住了杨开泰的手，柔声道："你真是个好人。"

　　杨开泰的眼睛也湿了，吃吃道："我——我并不太好，我——也不太坏，我——"

　　风四娘嫣然一笑，道："你真是个君子，可也真是个呆子……"

　　她忽然想起萧十一郎，立刻松开了手，回首笑道："你说他……"

　　她笑容又凝结，因为萧十一郎已不在她身后。

　　萧十一郎已不见了。

　　风四娘愣了半晌，道："他的人呢？你看见他到哪里去了吗？"

　　杨开泰愣了一愣，道："什么人？"

　　风四娘道："他——我堂弟，你没有看见他？"

　　杨开泰道："没——没有。"

　　风四娘道："你难道是瞎子？那么大一个人你会看不见？"

　　杨开泰道："我——我真的没看见，我只——只看见你——"

　　风四娘跺了跺脚，道："你呀! 你真是个呆子。"

　　屋子里的灯还是亮着的。

　　风四娘只希望萧十一郎已回到屋里，但却又不敢确定，因为她很了解萧十一郎这个人。

　　她知道萧十一郎随时都会失踪的。

　　萧十一郎果然已失踪了。

屋子里一个人都没有，灯台下压着一张纸。

纸上的墨迹还未干，正是萧十一郎写的一笔怪字：

"快嫁给他吧！否则你一定会后悔的，我敢担保，你这一辈子绝对再也找不到一个比他对你更好的人了。"

风四娘咬着牙，连眼圈都红了，恨恨道："这混账，这畜生，简直不是人生父母养的！"

杨开泰陪着笑，道："他不是你堂弟吗？你怎么能这样子骂他？"

风四娘跳了起来，大吼道："谁说他是我堂弟，你活见鬼了吗？"

杨开泰急得直擦汗，道："他不是你的堂弟是什么？"

风四娘忍住了眼泪，道："他——他——他也是个呆子！"

呆子当然不见得就是君子，但君子却多多少少必定有些呆气，做君子本不是件很聪明的事。

萧十一郎嘴里在低低哼着一支歌，那曲调就像是关外草原上的牧歌，苍凉悲壮中却又带着几分寂寞忧愁。

每当他哼着这支歌的时候，他心情总是不太好的，他对自己最不满意的地方，就是他从不愿做呆子。

夜色并不凄凉，因为天上星光很灿烂；草丛中不时传出秋虫的低鸣，却衬得天地间分外静寂。

在如此静夜中，如此星空下，一个人踽踽独行，心情往往会觉得很平静，往往能将许多苦恼和烦恼忘却。

但萧十一郎却不同，在这种时候，他总是会想起许多不该想的事，他想起自己的身世，他想起他这一生的遭遇……

他这一生永远都是个"局外人"，永远都是孤独的，有时他觉得累得很，但却从不敢休息。

因为人生就像是条鞭子，永远不停地在后面鞭打他，要他往前面走，要他去找寻，但却又从不肯告诉他能找到什么……

他只有不停地往前走，总希望能遇到一些不平凡的事，否则，这段人生旅途岂非就太无趣？

萧十一郎

第八章　鹰王的秘密

突然间，他听到一阵很劲急的衣袂带风声，他一听就已判断出这夜行人的轻功显然不弱。

风声骤然在前面的暗林中停了下来，接着暗林中就传出了一个人急促的喘息声，还带着痛苦的呻吟。

这夜行人显然受了很重的伤。

萧十一郎的脚步并没有停顿，还是向前面走了过去，走入暗林，那喘息声立刻就停止了。

过了半晌，突听一人大声道："朋友留步!"

萧十一郎这才缓缓转过身，就看到一个人自树后探出了半边身子，笆斗大的头顶上生着一头乱发。

这人赫然竟是"独臂鹰王"! 萧十一郎面上丝毫不动声色，缓缓道："阁下有何见教?"

"独臂鹰王"一只独眼饿鹰般盯着他，过了很久，才叹了口气，道："我受了伤。"

萧十一郎道："我看得出。"

"独臂鹰王"道："你可知道前面有个沈家庄?"

萧十一郎道："知道。"

"独臂鹰王"道："你背我到那里去，快! 片刻也耽误不得。"

萧十一郎道："你不认得我，我也不认得你，我为何要背你去？"

"独臂鹰王"大怒道："你——你敢对老夫无理？"

萧十一郎淡淡道："是你无礼，还是我无礼？莫忘了现在是你在求我，不是我在求你。"

"独臂鹰王"盯着他，目中充满了凶光，但一张脸却已渐渐扭曲，显然正在忍受着极大的痛苦。

过了很久，他才叹了口气，嘴角勉强挤出一丝笑容，挣扎着自怀中掏出了一锭金子，喘息道："这给你，你若肯帮我的忙，我日后必定会重重谢你。"

萧十一郎笑了笑，道："这倒还像句人话，你为何不早就这么说呢？"

他慢慢走过去，像是真想去拿那锭金子，但他的手刚伸出来，"独臂鹰王"的独臂已闪电般飞出，五指如钩，直擒萧十一郎的手腕。

百足之虫，死而不僵。"独臂鹰王"虽已伤重垂危，但最后一击，仍然是快如闪电，锐不可当。

萧
十
一
郎

但萧十一郎更快，凌空一个翻身，脚尖已乘势将掉下去的那锭金子挑起，反手接住，人也退后了八尺，身法干净、漂亮、利落，只有亲眼见到的人才能了解，别人简直想都无法想像。

"独臂鹰王"的脸色变得更惨，嘎声道："你究竟是什么人？"

萧十一郎笑道："我早就认出了你，你还不认得我？"

"独臂鹰王"失声道："你——你莫非是萧十一郎？"

萧十一郎笑道："你总算猜对了。"

"独臂鹰王"眼睛盯着他，就好像见到了鬼似的，嘴里"咝咝"向外面冒着气，喃喃道："好，萧十一郎，你好!"

　　萧十一郎道："倒也还不坏。"

　　"独臂鹰王"又瞪了他半晌，突然大笑了起来。

　　他不笑还好，这一笑起来，触及了伤处，更是疼得满头冷汗；但他还是笑个不停，也不知究竟想起了什么好笑的事。

　　萧十一郎相信他这一生中只怕从来也没这么样笑过，忍不住问道："你很开心吗?"

　　"独臂鹰王"喘息着笑道："我当然开心，只因萧十一郎也和我一样，也会上别人的当。"

　　萧十一郎道："哦?"

　　"独臂鹰王"身子已开始抽搐，他咬牙忍耐，嘎声道："你可知道你夺去的那把刀是假的?"

　　萧十一郎道："我当然知道，可是你——你怎么知道的?"

　　"独臂鹰王"恨恨道："就凭那个小畜生，怎能始终将我蒙在鼓里?"

　　萧十一郎道："就因为你发现了他们的秘密，所以他们才要杀你?"

　　"独臂鹰王"道："不错。"

　　萧十一郎叹了口气，道："以赵无极、'海灵子'、屠啸天这三个人的身份地位，怎么会为了一把刀就冒这么大的险，竟不惜将自己的身家性命孤注一掷? 何况，刀只有一把，人却有三个，却叫他们如何去分呢?"

　　"独臂鹰王"不停地咳嗽着，道："他——他们自己并不想要那把刀。"

　　萧十一郎道："是谁想要? 难道他们幕后还另有主使的人?"

"独臂鹰王"咳嗽已越来越急剧，已咳出血来。

萧十一郎目光闪动，道："这人竟能令赵无极、屠啸天、'海灵子'三个人听他的话？他是谁？"

"独臂鹰王"用手捂着嘴，拼命想将嘴里的血咽下去，想说出这人的名字，但他只说了一个字，鲜血已箭一般射了出来。

萧十一郎叹了口气，正想先过去扶起他再说，但就在这时，他身子突又跃起，只一闪已没入树梢。

也就在这时，已有三个人掠入暗林里。

世上有很多人都像野兽一样，有种奇异的本能，似乎总能嗅出危险的气息，虽然他们并没有看到什么，也没有听到什么，但危险来的时候，他们总能在前一刹那间奇迹般避过。

这种人若是做官，必定是一代名臣；若是打仗，必定是常胜将军；若是投身江湖，就必定是纵横天下、不可一世的英雄。

诸葛亮、管仲，他们就是这样的人；所以他们能够居安思危，治国平天下。

韩信、岳飞、李靖，他们也是这样的人；所以他们才能决胜千里，战无不胜、攻无不克。

李寻欢、楚留香、铁中棠、沈浪，他们也都是这样的人，所以他们才能叱咤风云，名留武林，成为江湖中的传奇人物，经过许多年之后，仍然是游侠少年心目中的偶像。

现在，萧十一郎也正是这样的人，这种人纵然不能比别人活得长些，但死得总比别人有价值得多。

从林外掠入的三个人，除了海灵子和屠啸天之外，还有个看起来很文弱的青衫人，身材并不高，死气沉沉的一张脸上全

无表情；但目光闪动间却很灵活，脸上显然带着个制作极精巧的人皮面具。

他的身法也未见比屠啸天和海灵子快，但身法飘逸，举止从容，就像是在花间漫步一样，犹有余力。

他的脸虽然诡秘可怖，但那双灵活的眼却使他全身都充满了一种奇异的魅力，令人不由自主会对他多看一眼。

但最令萧十一郎注意的，还是他腰带上插着的一把刀。这把刀连柄才不过两尺左右，刀鞘、刀柄、线条和形状都很简朴，更没有丝毫炫目的装饰，刀还未出鞘，更看不出它是否锋利。

但萧十一郎只瞧了一眼，就觉得这柄刀带着种令人魄散魂飞的杀气！

难道这就是"割鹿刀"？

赵无极、海灵子、屠啸天不惜冒着身败名裂的危险，偷换了这柄"割鹿刀"，难道这是送给他的？

他是谁？有什么魔力能令赵无极他们如此听话？

"独臂鹰王"的咳嗽声已微弱得连听都听不见了。

海灵子和屠啸天对望一眼，长长吐出口气。

屠啸天笑道："这老怪物好长的命，居然还能逃到这里来。"

海灵子冷冷道："无论多长命的人，也经不起咱们一剑两掌！"

屠啸天笑道："其实有小公子一掌就已足够要他的命了，根本就不必我们多事出手了。"

青衫人似乎笑了笑，柔声道："真的吗？"

他慢慢地走到"独臂鹰王"面前，突然手一动，刀已出鞘。

只见刀光一闪，"独臂鹰王"的头颅滚落在地上。

青衫人连瞧也没瞧一眼，只是凝注掌中的刀。

刀如青虹，不见血迹。

青衫人轻轻叹了口气，道："好刀，果然是好刀。"

人已死了，他还要加一刀，这手段之毒、心肠之狠，的确少见得很，连海灵子面上都不禁变了颜色。

青衫人缓缓插刀入鞘，悠然道："家师曾经教训过我们，你若要证明一个人真的死了，只有一个法子，那就是先割下他的头来瞧瞧。"

他目光温柔地望着屠啸天和海灵子，柔声道："你们说，这句话可有道理么？"

屠啸天干咳了两声，勉强笑道："有道理，有道理……"

青衫人道："我师父说的话，就算没道理，也是有道理的，对吗？"

屠啸天道："对对对，对极了。"

青衫人吃吃地笑了起来，道："有人说我师父的好话，我总是开心得很，你们若要让我开心，就该在我面前多说说他的好话。"

小公子，好奇怪的名字。

这青衫人居然叫做"小公子"？

看他的眼睛，听他说话的声音，就可知道他年纪不大，但已经五六十岁的屠啸天和海灵子却对他客客气气、恭恭敬敬。

看他的样子好像很温柔，但连死人的脑袋都要割下来瞧瞧！

萧十一郎暗中叹了口气，真猜不出他的来历。

"徒弟已如此，他师父又是什么样的角色呢？"

这简直令人连想都不敢想了。

只听小公子道："现在司空曙已死了，但我们还有件事要做，是吗？"

屠啸天道："是。"

小公子道："是什么事呢？"

屠啸天瞧了海灵子一眼，道："这——"

小公子道："你没有想到？"

屠啸天苦笑道："没有。"

小公子叹了口气，道："凭你们活了这么大年纪，竟连这么点事都想不到。"

屠啸天苦笑道："在下已老糊涂了，还请公子明教。"

小公子叹道："说真的，你们倒真该跟着我多学学才是。"

屠啸天和海灵子年纪至少比他大两倍，但他却将他们当小孩子似的，屠啸天他们居然也真像小孩子般听话。

小公子叹了口气，才接着道："我问你，司空曙纵横江湖多年，现在忽然死了，是不是会有人要怀疑？"

屠啸天道："是。"

小公子道："既然有人怀疑，就必定有人追查，司空曙是怎么会死的？是谁杀了他？"

屠啸天道："除了小公子之外，谁还有这么高的手段？！"

小公子的眼睛忽然瞪了起来，道："你说司空曙是我杀的？你看我像是个杀人的凶手吗？"

屠啸天愣住了，道："不——不是——"

小公子道："不是我杀的，是你吗？"

屠啸天擦了擦汗，道："司空曙与我无冤无仇，我为何要杀他？"

小公子展颜笑道："这就对了，若说你杀了司空曙，江湖中人还是难免要怀疑，还是难免要追究。"

海灵子忍不住道："我也没有杀他。"

小公子道："你自然也没有杀他，但我们既然都没有杀他，司空曙是谁杀的呢？"

屠啸天、海灵子面面相觑，说不出话了。

小公子叹息道："亏你们还有眼睛，怎么没有看到萧十一郎呢？"

这句话说出，萧十一郎倒真吃了一惊："难道此人已发现了我？"

幸好小公子已接着道："方才岂非明明是萧十一郎一刀将司空曙的脑袋砍了下来，他用的岂非正是'割鹿刀'！"

屠啸天眼睛立刻亮了，大喜道："不错不错，在下方才也明明看到萧十一郎一刀杀了司空曙，而且用的正是'割鹿刀'，只是年老昏花，竟险些忘了。"

小公子笑道："幸亏你还没有真的忘了，只不过——司空曙虽是萧十一郎杀的，江湖中人却还不知道，这怎么办呢？"

屠啸天道："这——我们的确应该想法子让江湖中人知道。"

小公子笑道："一点也不错，你已想出了用什么法子吗？"

屠啸天皱眉道："一时未想出来。"

小公子摇了摇头，道："其实，这法子简单极了，你看。"

他的刀突又出了鞘，刀光一闪，削下了块树皮，道："司空曙的血还没有冷，你赶快用他的衣服，蘸他的血，在这树上写几个字，我念一句，你写一句，知道吗？"

屠啸天道："遵命。"

小公子目光闪动，道："你先写：割鹿不如割头，能以此刀割尽天下人之头，岂不快哉……然后再留下萧十一郎的名

字，那么普天之下，就都知道这件事是谁干的了，你说这法子简单不简单？"

屠啸天笑道："妙极妙极，公子当真是天下奇才，不但奇计无双，这几句话也写得有金石声，正活脱脱是萧十一郎那厮的口气。"

小公子笑道："我也不必谦虚，这几句话除了我之外，倒真还没有几个人能想得出来。"

萧十一郎几乎连肚子都气破了。

这小公子年纪不大，但心计之阴险，就连积年老贼也万万比不上；若让他再多活几年，江湖中人只怕要被他害死一半。

只听小公子道："现在我们的事都已办完了吗？"

屠啸天笑道："总算告一段落了。"

小公子叹了口气，道："看你们做事这么疏忽，真难为你们怎么活到现在的。"

屠啸天干咳两声，转过头去吐痰。

海灵子面上已变了颜色，忍不住道："难道还要将司空曙的头再劈成两半？"

小公子冷笑道："那倒也用不着了，只不过萧十一郎若也凑巧经过这里，看到了司空曙的尸身，又看到树上的字，你说他该怎么办呢？"

海灵子愣住了。

小公子悠然道："他可不像你们这么笨，一定会将树上的字削下来，再将司空曙的尸身移走，那么我们这一番心血岂非白费了么？"

屠啸天的咳嗽早已停了，失声道："不错，我们竟未想到这一着。"

小公子淡淡道："这就是你们为什么要听我话的原因，因为你们实在不如我。"

屠啸天道："依公子之见，该当如何？"

小公子道："这法子实在也简单得很，你们真的想不出？"

屠啸天只有苦笑。

小公子摇摇头，叹道："你怕他将树上的字迹削掉，你自己难道就不能先削掉么？"

屠啸天道："可是——"小公子道："你将这块树皮削下来，送到沈家庄去，那里现在还有很多人，你不妨叫他们一齐来看看司空曙的死状。"

他笑了笑，接着道："有这么多人的眼睛看到，萧十一郎就算跳到黄河也洗不清这冤枉了——你们说，这法子好不好？"

屠啸天长长叹了口气，道："公子心计之缜密，当真非人能及。"

小公子道："你也用不着拍我的马屁，只要以后听话些也就是了。"

听到这里，不但屠啸天和海灵子都已服服帖帖，就连萧十一郎也不得不佩服这位小公子实在是有两下子。

他倒还真未遇到过如此厉害的人物。

萧十一郎有个最大的毛病，越困难危险的事他越想去做，越厉害的人物他越想斗斗。

只听小公子又道："你们到了沈家庄后，我还有件事想托你们。"

屠啸天道："请吩咐。"

小公子道："我想托你们打听打听连城璧的妻子沈璧君什么时候回婆家。连城璧是否同行。准备走哪条路。"

屠啸天道："这倒不难，只不过——"

小公子道："你想问我为什么要打听她，又不敢问出来，是不是?"

屠啸天陪笑道："在下不敢,只不过——"

小公子道:"又是只不过,其实你问问也没有关系,我可以告诉你,这次我出来,为的就是要带两样东西回去。"

屠啸天试探道:"其中一样自然是'割鹿刀'。"

小公子道:"还有一样就是这位武林第一美人,沈璧君。"

屠啸天的脸骤然变了颜色,似乎一下子就透不过气来了。

小公子笑道:"这是我的事,你害怕什么?"

屠啸天讷讷道:"那连城璧的武功剑法,公子也许还未见过,据在下所知,此人深藏不露,而且——"

小公子道:"你用不着说,我也知道连城璧不是好惹的,所以我还要请你们帮个忙。"

屠啸天擦了擦汗,道:"只——只要在下力所能及,公子但请咐吩。"

小公子笑道:"你也用不着擦汗,这件事并不难——连城璧想必定会护送他妻子回家的,所以你就想个法子将他骗到别的地方去。"

屠啸天忍不住又擦了擦汗,苦笑道:"连城璧夫妻情深,只怕——"

小公子道:"你怕他不肯上钩?"

屠啸天道:"恐怕不容易。"

小公子道:"若是换了我,自然也不愿意离开那如花似玉般的妻子,但无论多么大的鱼,我们总有要他上钩的法子。"

屠啸天道:"什么法子?"

小公子道:"要钓大鱼,就得用香饵。"

屠啸天道:"饵在哪里?"

小公子道:"连城璧家财万贯,文武双全,年纪轻轻就已誉满天下，又娶了沈璧君那样贤淑美丽的妻子，你说他现在还想要什么？"

屠啸天叹了口气，道："做人做到他这样，也该知足了。"

小公子笑道："人心是绝不会满足的，他现在至少还想要一样东西。"

屠啸天道："莫非是'割鹿刀'？"

小公子道："不对。"

屠啸天皱眉道："除了'割鹿刀'外，在下委实想不出世上还有什么能令他心动之物。"

小公子悠然道："只有一件——就是萧十一郎的头!"

屠啸天眼睛亮了，抚掌道："不错，他们都以为'割鹿刀'已落在萧十一郎手上，他若能杀了萧十一郎，不但名头更大，刀也是他的了。"

小公子道："所以，要钓连城璧这条鱼，就得用萧十一郎做饵。"

屠啸天沉吟着道："但这条鱼该如何钓法，还是要请公子指教。"

小公子摇头叹道："这法子你们还不明白么？你们只要告诉连城璧，说你们已知道萧十一郎的行踪，连城璧自然就会跟你们去的。"

他目中带着种讥消的笑意，接道："像连城璧这种人，若是为了声名地位，连自己的命都可以不要的，妻子更早就被放到一边了。"

屠啸天失笑道："如此说来，嫁给连城璧这种人，倒并不是福气。"

小公子笑道："一点不错，我若是女人，情愿嫁给萧十一郎，也不愿嫁给连城璧。"

屠啸天道："像萧十一郎这种人，若是爱上一个女人，往往会不顾一切，而连城璧的顾忌太多了，做这种人的妻子并不容易。"

秋天的太阳，有时还是热得令人受不了。

树阴下有个挑担卖酒的，酒很凉，既解渴，又过瘾；还有开花蚕豆、椒盐花生和卤蛋下酒，口味虽未见佳，做得却很干净。

卖酒的是个白发苍苍的红鼻子老头，看他的酒糟鼻子，就知道他自己必定也很喜欢喝两杯。

他衣衫穿得虽褴褛，但脸上却带着种乐天知命的神气，别人虽认为他日子过得并不怎样，他自己却觉得很满意。

萧十一郎一向很欣赏这种人。

一个人活着，只要活得开心也就是了，又何必计较别人的想法？萧十一郎很想跟这老头子聊聊，但这老头子却有点心不在焉。

所以萧十一郎也只有自己喝着闷酒。

喝酒就好像下棋，自己跟自己下棋固然是穷极无聊，一个人喝酒也实在无趣得很，萧十一郎从不愿喝独酒的。

但这里恰巧是个三岔路口，他算准沈璧君的马车一定会经过这里，他坐在这里并不是为了喝酒的。

被人家当做"鱼饵"并不是件好受的事，萧十一郎那天几乎要出面和那小公子斗一斗了。

但他已在江湖中混了很多年，早已学会了"等"这个字，他无论做什么事，都要等到最好的时机。

萧十一郎喝完了第七碗，正在要第八碗。

红鼻子老头斜眼瞟着他，撇着嘴笑道："还要再喝吗？再喝只怕连路都走不动了。"

萧十一郎笑道："走不动就睡在这里又何妨？能以苍天为被、大地为床，就算一醉不醒又何妨？"

红鼻子老头道："你不想赶回去？"

萧十一郎道："回到哪里去？我自己也不知是从哪里来的，却叫我如何回去？"

红鼻子老头叹了口气，喃喃道："这人只怕已醉了，满嘴胡话。"

萧十一郎笑道："卖酒的岂非就是希望别人喝酒么？快打酒来。"

红鼻子老头"哼"了一声，正在舀酒，突见道路上尘土起处，远远地奔过来一行人马。

萧十一郎的眼睛立刻亮了，简直连一丝酒意也没有。

这一行人，有的臂上架着鹰，有的手里牵着狗；一个个都是疾服劲装，佩弓带箭，马鞍边还挂着些猎物，显然是刚打完猎回来的。

秋天正是打猎的好时候。

第一匹马上坐着的似乎是个孩子，远远望去，只见粉妆玉琢般一个人，打扮得花团锦簇，骑的也是匹万中选一的千里驹，正是："人有精神马又欢。"好模样的一位阔少年。

红鼻子老头也看出是大买卖上门了，精神一振，萧十一郎却有点泄气，因为那并不是他要等的人。

只听红鼻子老头扯开喉咙叫道："好清好甜的'竹叶青'，一碗下肚有精神，两碗下肚精神足，三碗下肚，神仙也不知。"

萧十一郎笑道："我已七碗下了肚，怎么还是一点精神也没有，反而要睡着了？"

红鼻子老头瞪了他一眼，幸好这时人马已渐渐停了下来，

萧十一郎

第一匹马上的阔少年笑道："回去还有好一段路，先在这儿喝两杯吧！看样子酒倒还不错。"

只见这阔少爷圆圆的脸，大大的眼睛，小小的嘴；皮肤又白又嫩，笑起来脸上一边一个酒窝，真是说不出的可爱。

萧十一郎也不禁多看了他两眼。这世上阔少年固然很多，但可爱的却不多，可爱的阔少年而没架子，更是少之又少。

这位阔少爷居然也很注意萧十一郎，刚在别人为他铺好的毯子上坐下来，忽然向萧十一郎笑了笑，道："独乐乐不如众乐乐，这位朋友何不也请过来喝一杯?"

萧十一郎笑道："好极了，在下身上只有八碗酒的钱，正不知第九碗酒在哪里，若有人请客，正是求之不得。"

阔少爷笑得更开心，道："想不到朋友竟如此豪爽，快，快打酒来。"

红鼻子老头只好倒了碗酒过来，却又瞪了萧十一郎一眼，喃喃道："有不花钱的酒喝，这下子只怕醉得更快了。"

萧十一郎笑道："人生难得几回醉，能快些醉更是妙不可言，请。"

"请"字刚出口，一碗酒已不见。

别人喝酒是"喝"下去的，萧十一郎喝酒却是"倒"下去的，只要脖子一仰，一碗酒立刻涓滴无存。

阔少爷拍手大笑道："你们看到了没有？这位朋友喝得有多快。"

萧十一郎道："若是他们没有看见，在下倒还可以多表演几次。"

阔少爷笑道："这位朋友不但豪爽，而且有趣，却不知高姓大名?"

萧十一郎道："你我萍水相逢，你请我喝酒，喝完了我就走；我若知道你的名字，心里难免感激，日后少不得要还请你一顿，那么现在这酒喝得就无趣了。所以这姓名么——我不必告诉你，你也是不说的好。"

阔少爷笑道："对对对！你我今日能在这里尽半日之欢，已是有缘，来来来……这卤蛋看来还不错，以蛋下酒，醉得就慢些，酒也可多喝些了。"

萧十一郎笑道："对对对！若是醉得太快，也无趣了。"

他拈起个卤蛋，忽然一抬手高高地抛了上去，再仰起头，张大嘴，将卤蛋接住，三口两口一个蛋就下了肚。

阔少爷笑道："朋友不但喝酒快，吃蛋也快……"

萧十一郎笑道："只因我自知死得比别人快，所以无论做什么都从不敢浪费时间。"

这位阔少爷看起来最多也只不过十四五岁，但酒量却大得惊人；萧十一郎喝一碗，他居然也能陪一碗，而且喝得也不慢。

跟着他来的，都是行动矫健、精神饱满的彪形大汉，但酒量却没有一个能比得上他。

萧十一郎的眼睛已眯了起来，舌头也渐渐大了，看来竟已有七八分醉态。有了七八分醉意的人，喝得就更多、更快。

已有七八分醉意的人，想不喝醉也困难得很。

萧十一郎毕竟还是醉了。

阔少爷叹了口气，摇着头道："原来他的酒量也不怎么样，倒教我失望得很。"

红鼻子老头带着笑道："他自己说过，醉了就睡在这里，醉死也无妨。"

阔少爷瞪眼道："他总算是我的客人，怎么能让他睡在这里？"

他挥了挥手，吩咐属下，道："看着这位朋友，等我们走的时候，带他回去。"

这时太阳还未下山，路上却不见行人。

阔少爷似乎觉得有些扫兴了，背负着双手，眺望大路，忽然道："老头子，准备着吧！看来你又有生意上门了。"

远处果然又来了一行车马。

黑漆的马车虽已很陈旧，看起来却仍然很有气派。车门自然是关着的，车窗上也挂着帘子，坐在车里的人显然不愿被人瞧见。

赶车的是个很沉着的中年人，眼神很足，马车前后还有三骑护从，也都是很精悍的骑士。

这一行车马本来走得很快，但这位阔少爷的车马已将路挡了一半，车马到了这里，也只得放缓了下来。

红鼻子老头立刻乘机拉生意了，高声叫道："好清好甜的'竹叶青'，客官们下马喝两碗吧！错过了这里，附近几百里地也喝不到这样的好酒了。"

马上的骑士们舔了舔嘴唇，显然也想喝两杯，但却没有一个下马来的，只是等着阔少爷的属下将道路让出来。

突听车厢中一人道："你们赶了半天的路，也累了，就歇下来喝碗酒吧！"

声音清悦而温柔，而且带着一种同情、体贴与关怀，令人心甘情愿地服从她。

马上的骑士立刻下了马，躬身道："多谢夫人。"

车厢中人又道："老赵，你也下车去喝一碗吧，我们反正也不急着赶路。"

赶车的老赵迟疑了半晌，终于也将马车赶到路旁，这时红鼻子老头已为骑士们舀了三碗酒，正在舀第四碗，拿到酒的已准备开始喝了。

老赵突然道："慢着，先看看酒里有没有毒!"

红鼻子老头的脸立刻气红了，愤愤道："毒？我这酒里会有毒？好，先毒死我吧!"

他自己真的将手里的酒喝了下去。

老赵根本不理他，自怀中取出一个银勺子，在坛子里舀了一勺酒，看到银勺子没有变色，才轻轻啜一口，然后才点头道："可以喝了。"

拿着酒碗发愣的骑士这才松了口气，仰首一饮而尽，笑道："这酒倒还不错，不知蛋卤得怎样?"

他选了个最大的卤蛋，正想放进嘴。

老赵忽然又喝道："等一等!"

那位阔少爷本来也没有理会他们，此刻也忍不住笑了，喃喃道："卤蛋里难道还有毒么？这朋友也未免太小心了。"

老赵瞧了他一眼，沉着脸道："出门在外，还是小心些好。"

他又自怀中取出柄小银刀，正想将卤蛋切开。

阔少爷已走了过来，笑道："想不到朋友你身上还带着这么多有趣的玩意儿，我们也想照样做一套，不知朋友你能借给我瞧瞧吗?"

老赵又上上下下打量了他一眼，终于还是将手里的小银刀递了过去。像这位阔少爷这样的人，他说出来的要求，实在很少有人能拒绝的。

银刀打造得古雅而精致。

阔少爷用指尖轻抚着刀锋，脸上的表情更温柔，微笑道："好精致的一把刀，却不知能否杀人?"

老赵道："这把刀不是用来杀人的。"

阔少爷笑道："你错了，只要是刀，就可以杀人……"

说到"杀"字，他掌中的刀已脱手飞出，化做了一道银光；说到"人"字，这把刀已插入了老赵的咽喉！

老赵怒吼一声，已反手拔出了刀，向那阔少爷扑了过去。但鲜血已箭一般射出，他的力气也随着血一齐流出。

他还未行出三步，就倒了下去，倒在那阔少爷的脚下，眼珠子都已凸了出来，他至死也不信会发生这种事。

阔少爷俯首望着他，目光还是那么温柔而可爱，柔声道："我说天下的刀都可以杀人的，现在你总该相信了吧？"

那三个骑士似已吓呆了，他们做梦也想不到如此秀气、如此可爱的一位富家公子，竟是个杀人不眨眼的恶魔。

直到老赵倒下去，他们的腰刀才出鞘，怒喝着挥刀扑过来。

阔少爷叹了口气，柔声道："你们都不是我的对手，又何必来送死呢？"

方才喝第一碗的大汉眼睛都红了，不等他这句话说完，"刀劈华山"，一柄鬼头刀已劈向阔少爷头顶。

阔少爷摇头笑道："真差劲……"

他身子动也未动，手轻轻一抬，只用两根手指，就夹住了刀锋，这一刀竟似砍入了石头里。

那大汉手腕一反，想以刀锋去割他手指。

突听"笃"的一声，一枝箭已射入了大汉的背脊；箭杆自后背射入，自前心穿出，鲜血一滴滴自箭镞上滴落下来。

这些事说来虽很长，但前后也不过只有两句话的工夫而已；另两条大汉此刻刚行到阔少爷面前，第一刀还未砍出。

就在这时候，只听车厢中一人缓缓道："你们的确都不是他的敌手，还是退下去吧！"

萧十一郎

许明康　许黎黎／绘

　　　　这就是武林中的第一美人
沈璧君。

第九章　倾国绝色

车厢的门开了，一个人走了出来。

在这一刹那间，所有的人不但都停止了动作，几乎连呼吸都已停顿，他们这一生中从来也未曾见到过如此美丽的人！

她穿的并不是什么特别华丽的衣服，但无论什么样的衣服，只要穿在她的身上，都会变得分外出色。

她并没有戴任何首饰，脸上更没有擦脂粉，因为对她来说，珠宝和脂粉都是多余的。

无论多珍贵的珠宝都不能分去她本身的光彩，无论多高贵的脂粉也不能再增加她一分美丽。

她的美丽是任何人也无法形容的。

有人用花来比拟美人，但花哪有她这样动人？有人会说她像"图画中人"，但又有哪支画笔能画出她的风韵？

就算是天上的仙子，也绝没有她这般温柔。无论任何人，只要瞧了她一眼，就永远也无法忘记。

但她却又不像是真的活在这世上的，世上怎会有她这样的美人？她仿佛随时随刻都会突然自地面消失，乘风而去。

这就是武林中的第一美人——沈璧君。

在这一瞬间，那位阔少爷的呼吸也已停顿。

他脸上的表情变得很奇特，他自然有些惊奇，有些羡慕，有些目眩神迷，这是任何男人都难免会生出的反应。

奇怪的是，他的目光看来竟似有些嫉妒。

但过了这一瞬间，他又笑了，笑得仍是那么天真，那么可爱。他的眼睛盯着沈璧君，微笑着道："有人说：聪明的女人都不美丽，美丽的女人都不聪明，因为她们忙着修饰自己的脸，已没功夫去修饰自己的心了。"

他轻轻叹了口气，才接着道："我现在才知道这句话并不是完全对的……"

沈璧君已走出了车厢，走到他面前。

她眼睛中虽已有了愤怒之意，但却显然在尽量控制着自己。

她这一生所受的教育，几乎都是在教她控制自己；因为要做一个真正的淑女，就得将愤怒、悲哀、欢喜……所有激动的情绪全都隐藏在心里，就算忍不住要流泪时，也得先将自己一个人关在屋里。

她静静地站在那里，听着那位阔少爷说话。

她这一生中从未打断过任何人谈话；因为这也是件无礼的事，她早已学会尽量少说，尽量多听。

直到那位阔少爷说完了，她才缓缓道："公子尊姓？"

阔少爷道："在下只是个默默无闻的人，怎及得沈姑娘的大名？这姓名实在羞于在沈姑娘面前提及，不提也罢。"

沈璧君居然也不再问了。

别人不愿说的事，她绝不追问。

她瞧了地上的死尸一眼，道："这两人不知是否是公子杀的？"

阔少爷道："沈姑娘可曾见到在下杀人么？"

沈璧君点了点头。

阔少爷又笑了，道："姑娘既然已见到，又何必再问？"

沈璧君道："只因公子并不像是个残暴凶狠的人。"

阔少爷笑道："多谢姑娘夸奖，常言道：知人知面不知心！这句话姑娘千万要特别留意。"

沈璧君道："公子杀了他们，想必是因为他们与公子有仇。"

阔少爷道："那倒也没有。"

沈璧君道："那么，想必是他们对公子有什么无礼之处。"

阔少爷道："就算是他们对在下有些无礼，在下又怎会和他们一般见识？"

沈璧君道："如此说来，公子是为了什么要杀他们，就令人不解了。"

阔少爷笑了笑，道："姑娘难道定要求解么？"

沈璧君皱了皱眉，不再开口。

两人说话都是斯斯文文、彬彬有礼，全没有半分火气；别的人都瞧得全都愣住了，只有萧十一郎还是一直躺在那里不动，似已烂醉如泥。

过了半晌，沈璧君突然道："请。"

阔少爷也愣了愣，道："请什么？"

沈璧君仍是不动声色，毫无表情："请出手。"

阔少爷红红的脸一下子忽然变白了，道："出——出手？你难道要我向你出手？"

沈璧君道："公子毫无理由杀了他们，必有用心，我既然问不出，也只有以武相见了。"

阔少爷道："不过——不过——姑娘是江湖有名的剑客，

我只是个小孩子，怎么打得过你。”

沈璧君道："公子也不必太谦，请!"

阔少爷道："我知道，我知道了——你是想杀——杀了我，替他们偿命。"他竟似怕得要命，连声音都发起抖来。

沈璧君道："杀人偿命，本就是天经地义的事。"

阔少爷苦着脸道："我只不过杀了两个奴才而已，你就要我偿命，你——你未免也太狠了吧?"

沈璧君道："奴才也是一条命，是吗?"

阔少爷眼圈儿也红了，突然跪了下来，流着泪道："我一时失手杀了他们，姐姐你就饶了我吧! 我知道姐姐人又美、心又好，一定不忍心杀我这样一个小孩子的。"

他说话本来非但有条有理，而且老气横秋，此刻忽然间一下子就变成了一个调皮撒赖的小孩子。

沈璧君倒愣住了。

江湖中的事，她本来就不善应付，遇着这样的人，她更不知道该如何应付才好。

阔少爷连眼泪都已流了下来，颤声道："姐姐你若觉得还没有出气，就把我带来的人随便挑两个杀了吧! 姐姐你说好不好? 好不好? ……"

无论谁对这么样的一个小孩子都无法下得了手的，何况沈璧君? 谁知就在这时，这可怜兮兮的小孩子突然在地上一滚，左腿扫向沈璧君足踝，右腿踢向沈璧君的下腹; 左右双手中，闪电般射出了七八件暗器，有的强劲如矢，有的盘旋飞舞。

他的双手方才明明还是空空如也，此刻突然间竟有七八种暗器同时射了出来，简直令人做梦也想不到这些暗器是哪里来的。

沈璧君居然还是不动声色，只皱了皱眉，长袖已流云般卷

122

出。那七八种暗器被袖风一卷，竟立刻无影无踪。

要知沈家的祖传"金针"号称天下第一暗器，会发暗器的人，自然也会收。沈璧君心肠柔弱，出手虽够快、够准，却不够狠；沈太君总认为她发暗器的手法还未练到家，如临大敌，难免要吃亏。

所以沈太君就要她在收暗器的手法上多下苦功。这一手"云卷流星"，使出来不带一点烟火气，的确已是武林中一等一的功夫。

她脚下踩的步法更灵动优美，而且极有效。只见她脚步微错，已将阔少爷踢出来的"鸳鸯腿"恰巧避过。

谁知这位阔少爷身上的花样之多，简直多得令人无法想像。他两腿虽是踢空，靴子里却又"铮"的一声，弹出了两柄尖刀。

他七八件暗器虽打空，袖子里却又"啵"地射出了两股轻烟。

沈璧君只觉脚踝上微微一麻，就好像被蚊子叮了一口；接着，又嗅到一阵淡淡的桃花香……

以后的事，她就什么都不知道了。

阔少爷这才笑嘻嘻地站起来，拍了拍衣服上的尘土，望着已倒在地上的沈璧君笑嘻嘻道："我的好姐姐，你功夫可真不错！只可惜你这种功夫只能给别人看看，并没有什么用。"

突听一阵掌声响了起来。

阔少爷立刻转过身，就看到了一双发亮的眼睛。

鼓掌的人正是萧十一郎。

方才明明已烂醉如泥的萧十一郎，此刻眼睛里连一点醉意也没有，望着阔少爷笑道："老弟呀老弟，你可真有两下子，佩服佩服。"

　　阔少爷眨了眨眼睛，也笑了，道："多谢捧场，实在不敢当。"

　　萧十一郎道："听人说昔年'千手观音'全身上下都是暗器，就像是个刺猬似的，碰都碰不得！想不到你老弟也是个小刺猬。"

　　阔少爷笑道："不瞒你说，我也只有这两下子，再也玩不出花样来了。"

　　跟着沈璧君来的两骑士本已吓呆了，此刻突又怒喝一声，挥刀直扑过来，存心想拼命了。

　　阔少爷嘴里还在说着话，脸上还带着笑，连头都没有回，只不过轻轻弯了弯腰，好像在向萧十一郎行礼。

　　他腰上束着根玉带，此刻刚一弯腰，只听"蓬"的一声，玉带上已有一蓬银芒暴雨般射了出来。

　　那两人刚行出两步，眼前一花，再想闪避已来不及了，暴雨般的银芒已射在了他们的脸上。

　　萧十一郎的脸色也变了，长叹道："原来你的话一个字也信不得。"

　　阔少爷拍了拍手，笑道："这真的已是我最后一样法宝了，不骗你，我一直将你当朋友，来——既然还没有醉，我们再喝两杯吧！"

　　萧十一郎道："已经没有胃口了。"

　　阔少爷道："酒里真的没有毒，真的不骗你。"

　　萧十一郎叹道："我虽然很喜欢喝不花钱的酒，但却还不想做个鬼，酒里若有毒，你想我还会喝吗？"

　　阔少爷目光闪动，笑道："我看酒里就算有毒，你也未必知道。"

　　萧十一郎笑道："那你就错了，我若不知道，还有谁知道？"

阔少爷笑道："难道你对我早已有了防备之心了？我看来难道像个坏人？"

萧十一郎道："非但你看来又天真、又可爱，就连这位红鼻子老先生看来也不大像坏人，我本来也想不到他是跟你串通好了的。"

阔少爷道："后来你是怎么看出来的？"

萧十一郎道："卖了几十年酒的老头子，舀酒一定又快又稳，但他舀酒时却常常将酒泼出来。这样子卖酒，岂非要蚀老本？"

阔少爷瞪了那红鼻子老头一眼，又笑道："你既然知道我们不是好人，为什么还不快走呢？"

萧十一郎道："你可知道我为什么到这里来的？"

阔少爷道："不知道。"

萧十一郎道："我到这里来，就是为了要等你。"

阔少爷也不禁愣了愣，道："等我？你怎知道我会来。"

萧十一郎道："因为沈璧君一定会经过这里。"

阔少爷眼睛盯着他，道："看来你知道的事情倒真不少。"

萧十一郎道："我还知道你会写文章。"

阔少爷又愣了愣，道："写文章？"

萧十一郎笑了笑，道："'割鹿不如割头，能以此刀割尽天下人之头，岂不快哉' ——这几句话，除了你之外，还有谁写得出来？"

阔少爷的脸色已发白了。

萧十一郎倏然道："你虽未见过我，我却已见过你，还知道你有个很有趣的名字。叫'小公子'。"

这一次过了很久之后，小公子才笑得出来。

他笑得还是很可爱，柔声道："你知道得确实不少，只可惜还有件事你不知道。"

萧十一郎道："哦？"

小公子道："酒虽无毒，蛋却是有毒的。"

萧十一郎道："哦？"

小公子道："你不信？"

萧十一郎道："蛋中若是有毒，我吃了一个蛋，为何还未被毒死呢？"

小公子笑了笑，道："酒若喝得太多，毒性就会发作得慢些。"

萧十一郎大笑道："原来喝酒也有好处的。"

小公子道："何况我用的毒药发作得都不快，因为我不喜欢看人死得太快，看着人慢慢地死，不但是种学问，也有趣得很。"

萧十一郎长叹了一声，喃喃道："一个十几岁的小孩子，就有这么狠的心肠，我真不知他是怎么生出来的。"

小公子道："我也不知道你是怎么生出来的，但我却知道你要怎么样死！"

萧十一郎忽又笑了笑，道："被卤蛋噎死，是吗？那么我就索性再吃一个吧！"

他慢慢摊开手，手里不知怎地居然真有个卤蛋。

只见他轻轻一抬手，将这个卤蛋高高抛了上去，再仰起头，张大嘴，将卤蛋用嘴接住，三口两口，一个卤蛋就下了肚。

萧十一郎道："滋味还真不错，再来一个吧！"

他又摊开手，手里不知从哪里又来了个卤蛋。

他抬手、抛蛋，用嘴接住，吞了下去。

但等他再摊开手，蛋还是在他手里。

每个人的眼睛都看直了，谁也看不出他用的是什么手法。

萧十一郎笑道："我既不是鸡，也不是母的，却会生蛋，你们说奇怪不奇怪？"

小公子默然半晌，叹了口气，道："我这次倒真看错了你，你既然已看出红鼻子是我的属下，怎么会吃这卤蛋？"

萧十一郎大笑道："你总算明白了。"

小公子叹道："常言道：一醉解千愁。你既然醉了，就不该醒的。"

萧十一郎道："哦？"

小公子道："酒醉了的人，一醒烦恼就来了。"

萧十一郎道："我好像倒并没有什么烦恼。"

小公子道："只有死人才没有烦恼。"

萧十一郎道："我难道是死人？"

小公子道："虽还不是死人，也差不多了。"

萧十一郎道："你难道想杀我？"

小公子道："这只怪你知道得太多。"

萧十一郎道："你方才还说拿我当朋友，现在能下得了手？"

小公子笑了笑，道："到了必要的时候，连老婆都能下得了手，何况朋友？"

萧十一郎叹了口气，喃喃道："看来'朋友'两个字已越来越不值钱了。"

他缓缓地站了起来，悠然道："但你既曾经说过我是朋友，我也不想骗你，你要杀我并不容易，我的武功虽不好看，却有用得很。"

萧
十
一
郎

127

小公子笑道："我好歹总要瞧瞧。"

　　只听弓弦机簧声响，弩箭暴雨般射出。

　　这些人都已久经训练，出手都快得很。但方才还明明站在树下的萧十一郎，等他们弩箭发出时，他的人已不见了！

　　小公子刚掠上树梢，就看到了萧十一郎笑眯眯的眼睛。

　　萧十一郎竟然早已在树上等着他了。

　　小公子一惊，勉强笑道："原来你的轻功也不错。"

　　萧十一郎道："倒还马马虎虎过得去。"

　　小公子道："却不知你别的武功怎样。"

　　他嘴里说着话，已出手攻出七招。

　　他的掌法灵变、迅速、毒辣，而且虚虚实实、变化莫测，谁也看不出他哪一招是虚，哪一招是实。

　　但萧十一郎却看出来了。

　　他身形也不知怎么样一闪，小公子的七招便已全落空。

　　他的手虽已落空，只听"铮"的一声，五只手指上的指甲竟全都飞射出来，闪电般射向萧十一郎胸骨间五处穴道。

　　他的手柔软而纤细，就像是女人的手，谁也看不出他指甲上竟还套着一层薄薄的钢套。

　　萧十一郎竟也未看出来。

　　只听一声惊呼，萧十一郎手抚着胸膛，人已掉下了树梢。小公子笑了笑，喃喃道："你若以为那真是我身上最后一样法宝，你就错了。"

　　他话还未完，已有人接着道："你还有什么法宝，我都想瞧瞧。"

　　方才明明已掉了下去的萧十一郎，此刻不知怎地又上来了。

　　他笑嘻嘻地摊开手，手上赫然有五个薄薄的钢指甲。

小公子脸色变了，嘎声道："你——你究竟是什么人？"

萧十一郎笑了笑，道："我也不是什么，只不过是个鱼饵而已。"

小公子"哎哟"一声，人也从树上掉了下去。

小公子的人虽然掉了下去，裤管里却"蓬"地喷出了一股淡青色的火焰，卷向萧十一郎。

树梢上的树叶一沾着这股火焰，立刻燃烧起来。

但萧十一郎却又已在地上等着他了。

小公子咬着牙，大声道："萧十一郎，我虽不是好人，你也不是好人，你为何要跟我作对？"

萧十一郎笑了笑，道："我不喜欢钓鱼，更不喜欢被别人当鱼饵。"

小公子跺脚道："好，我跟你拼了。"

他的手一探，自腰上的玉带中抽出一柄软剑。

薄而细的剑，迎风一抖，便伸得笔直，毒蛇般向萧十一郎刺出了七八剑；剑法快而辛辣，有点像是海南剑派的家数。

但仔细一看，却又和海南派的剑法完全不同。

萧十一郎倒也未见过如此诡秘怪异的剑法，身形展动，避开了几招，两手突然一拍。

小公子的剑竟已被他手掌夹住，动也动不了。

萧十一郎的两手往前面一送，小公子只觉一股大力撞了过来，身子再也站不住，已仰天跌倒。

但他的身形刚跌倒，人已滚出了十几步，也不知从哪里射出了一股浓浓的黑烟，将他的人整个隐没。

只听小公子的声音在浓烟中道："萧十一郎，你的武功果然有用，我斗不过你……"

说到最后一句话，人已在很远的地方了。

但萧十一郎已在前面等着他。

小公子一抬头，瞧见了萧十一郎，脸都吓青了，就好像见了鬼似的——萧十一郎的轻功身法，实在也快如鬼魅。

萧十一郎微笑道："你的法宝还没有全使出来，怎么能走？"

小公子哭丧着脸，故意重复道："你的法宝还没有全使出来，怎么能走？"

萧十一郎淡淡道："法宝若是真的已用完，就更休想走了。"

小公子道："你究竟是为什么要跟我作对？若是为了那位大美人，我就让给你好了。"

萧十一郎道："多谢。"

小公子道："那么你总该放我走了吧？"

萧十一郎道："不可以。"

小公子道："你——你还要什么？难道是'割鹿刀'？"

萧十一郎道："刀并不在你身上，否则你早已使出来了。"

小公子道："你若想要，我就去拿给你。"

萧十一郎道："那也不够。"

小公子道："你——你究竟想怎样？"

萧十一郎叹了口气，道："你认为我能眼看你杀了四个人就算了么？"

小公子冷道："你真的如此好心，我杀他们的时候，你为什么不救他们？"

萧十一郎叹道："你出手若是没有那么快、那么狠，我还能救得了他们，现在我也许就不会要你的命了。"

小公子道："你——你真想杀我？"

萧十一郎道："我虽不喜欢杀人，但留着你这种人在世上，我怎么睡得着觉？你现在还不过只是个小孩子，再过几年，那还得了!"

小公子忽然笑了。

他虽然常常都在笑，笑得都很甜，但这一次笑得却特别不同。

他的脸似忽然随着这一笑而改变了，变得不再是小孩子。他的眼睛也突然变了，变得说不出的妖娆而妩媚。

他媚笑道："你认为我真的是个孩子么？"

他的手落下，慢慢地解开了腰畔的玉带。

萧十一郎笑道："这次无论你再玩什么花样，我都不上你的当了。"

这句话还未说完，他已出手。

他既已出手，就很少有人能闪避得开。

其实他招式很平凡，并没有什么诡秘的变化，只不过实在很快，快得令人不可思议。

他的手一伸，便已搭上了小公子的肩头。

若是换了别人，只要被他的手搭上，就很难再逃出他的掌握；但小公子的身子却比鱼还滑，腰一扭，就从萧十一郎掌下滑走。

只听"哧"的一声，他身上一件织锦长袍已被萧十一郎撕了开来，露出了他丰满、坚挺、白玉般的双峰。

原来小公子竟是个女人，成熟的女人！

她的人虽然矮些，但骨肉匀停，线条柔和，完美得连一丝瑕疵都没有；只要是个男人，无论谁看到这样的胴体都无法不心动。萧十一郎骤然愣住了。

小公子的脸红得就像晚春的桃花，突然"嘤咛"一声，整个人都投入了萧十一郎的怀里。

萧十一郎只觉满怀软玉温香，如兰如馨，令人神魂俱醉；他想推，但触手却是一片滑腻。

　　怀抱中有这么样一个女人，还有谁的心能硬得起来？

　　这时小公子的手已探向萧十一郎脑后。

　　她的指甲薄而利，她吃吃地笑着，轻轻地喘着气；但她的指甲，已划破了萧十一郎颈子上的皮肤。

　　萧十一郎脸色立刻变了，大怒出手，但小公子已鱼一般自他怀抱中滑了出去，吃吃地笑着："萧十一郎，你还是上当了！我指甲里藏着的是'七巧化骨散'，不到半个时辰，你就要全身溃烂，现在你还不快走，难道还想要我看你临死前的丑态么？"

　　萧十一郎跺了跺脚，突然凌空掠起，倒飞三丈。

　　他的身形再一闪，就瞧不见了。

　　小公子轻抚着自己的胸膛，银铃般笑道："告诉你，这才是我最后一件法宝，虽然每个女人都有，但是要对付男人，没有比它更管用的了！"

第一〇章 杀 机

沈璧君只觉得人轻飘飘的，仿佛在云端，仿佛在浪头；又仿佛还坐在她那辆旧而舒适的车子里。

连城璧仿佛还在旁边陪着她。

结婚已三四年了，连城璧还是一点也没有变，对她还是那么温柔，那么有礼，有时她甚至觉得他永远和她保持着一段距离。

但她并没有什么好埋怨的，无论哪个女人能嫁给像连城璧这样的夫婿，都该觉得很满足了。

无论她要做什么事，连城璧都是顺着她的；无论她想要什么东西，连城璧都会想法子去为她买来。

这三四年来，连城璧甚至没有对她说过一句稍重的话。事实上，连城璧根本就很少说话。

他们的日子一直过得很安逸，很平静。

但这样的生活真的就是幸福么？

在沈璧君心底深处，总觉得还是缺少点什么，但是连她自己也不知道缺少的究竟是什么。

连城璧每次出门时，她会觉得很寂寞。

她真希望自己能将连城璧拉住，不让他走，她知道自己只

萧十一郎

要开口，连城璧也会留下来陪她的。

但她从没有这样做。

因为她知道像连城璧这样的人，生下来就是属于群众的，任何女人都无法将他完全占有的。

沈璧君知道连城璧也不属于她。

连城璧是个很冷静、很会控制自己的人，但每次武林中发生了大事，他冷静的眸子就会火一般地燃烧起来。

这次连城璧本该一直陪着她的，但当他听到萧十一郎的行踪已被发现时，他的眸子就又开始燃烧了。

就连他听到自己的妻子第一次有了身孕时，都没有显露过这样的热情。他嘴里虽然说"不去"，心却早已去了。

沈璧君很了解他，所以劝他去。

她嘴里虽然劝他去，心里却还是希望他留下来。

连城璧终于还是去了。

沈璧君虽然觉得有些失望，却并没有埋怨；嫁给连城璧这样的人，就得先学会照顾自己、控制自己。

晕晕迷迷中，沈璧君觉得有双手在扯她的衣服。

她知道这绝不会是连城璧的手，因为连城璧从未对她如此粗鲁。

那么这是谁的手呢？

沈璧君忽然想起方才发生的事，想起那恶魔般的"孩子"。她立刻惊出了一身冷汗，大叫一声，自迷梦中醒了过来。

她就看到那"孩子"恶魔般的眼睛正在望着她。

她果然是在车厢里，车厢里也只有他们两个人。

沈璧君宁愿和毒蛇关在一起，也不愿再看到这"孩子"。

她挣扎着想坐起来，但全身软绵绵的，全无半分力气。

小公子笑嘻嘻地瞧着她，悠然道："你怕什么？我又不会吃了你，还是乖乖地躺着吧！别惹我生气，我若生了气可不是好玩的。"

沈璧君咬着牙，真想将世上所有恶毒的话全都骂出来，却又偏偏连一句话也骂不出，她根本不知道应该怎么骂。

小公子盯着她，突然叹了口气，喃喃道："果然是个美人，不生气的时候固然美，生了气也很美，难怪有那么多的男人会为你着迷了，连我都忍不住想抱抱你，亲亲你。"

沈璧君脸都吓白了，颤声道："你——你敢？"

小公子道："不敢？我为什么不敢？"

她笑嘻嘻地接着道："有些事，像你这样的女人是永远也不会明白的，一个男人若是真想要一个女人时，他什么事都做得出。"

她的手已向沈璧君胸膛上伸了过去。

沈璧君紧张得全身都僵了，从发梢到脚尖都在不停地抖，她只希望这是一场梦，噩梦。

但有时真实远比噩梦还要可怕得多。

小公子的目光中充满了狞恶的笑意，就好像一只馋猫在望着爪下的老鼠，然后他的手轻轻一扯，已撕破了沈璧君的衣服。

沈璧君一生中虽然从未大声说过话，此刻却忍不住大叫了起来。

小公子根本不理她，盯着她的胸膛，喃喃道："美，真美，不但脸美，身子也美，我若是男人，有了这样的女人，也会将别的女人放在一边了……"

说到这里，她的笑容就变得更恶毒，目中竟现出了杀机。

一个美丽的女人，最看不得的就是一个比她更美的女人，

萧
十
一
郎

世上没有任何事能比"妒忌"更容易启动女人的杀机!

沈璧君又晕了过去。

当人们遇着一件所不能忍受的事时,他能晕过去,总比清醒着来忍受的好——昏迷,本就是人类保护自己的本能之一。

她晕过去时仿佛比醒时更美。

她那秋水双瞳虽已阖起,但长长的睫毛覆盖在眼帘上,嘴角扬起,仿佛还带着一丝甜笑……

小公子盯着她,居然轻轻叹了口气,道:"像你这样的女人,实在连我也舍不得杀你,却又不得不杀你,我若带你回去了,他眼中还会有我吗?"

突听车顶上也有个人轻轻叹了口气,道:"像你这样的女人,实在连我也舍不得杀你,却又不得不杀你,我若让你活下去,别人怎么受得了!"

车顶上有个小小的气窗,不知何时已被揭开了,露出了一双浓眉,一双大而发亮的眼睛。

除了萧十一郎外,谁还有这么亮的眼睛!

小公子脸色立刻变了,失声道:"你——你还没有死?"

萧十一郎笑道:"我又不是老鼠,被猫爪子抓一下怎么会死得了?"

小公子咬牙道:"你不是老鼠,简直也不是人,我遇上了你,算我倒了八辈子楣,好,你有本事就下来杀了我吧!"

她抱起手,闭上眼睛,居然真的像是已不想反抗了。

萧十一郎反倒觉得有些奇怪了,眨着眼道:"你连逃都不想逃?"

小公子叹道:"我全身上下都有法宝时,也被你逼得团团转,现在我所有的法宝全都用光了,还有什么法子能逃得了?"

萧十一郎道:"你为什么不用沈璧君来要挟我?我若要杀

你，你就先杀她。"

小公子道："沈璧君既不是你老婆，也不是你情人，我就算将她大卸八块，你也不会心疼的，我怎么能用她来要挟你？"

萧十一郎笑道："你至少总该试试。"

小公子苦笑道："既然没有用，又何必试？"

萧十一郎道："你难道真的已认命了？"

小公子苦笑道："遇上了萧十一郎，不认命又能怎么样？"

萧十一郎笑了，摇着头笑道："不对不对不对，我无论怎么看你，都不像是个会认命的人，我知道你一定又想玩什么花样！"

小公子道："现在我还有什么花样好玩？"

萧十一郎笑道："无论你想玩什么花样，却再也休想要我上当了。"

小公子道："你难道不敢下来杀我？"

萧十一郎道："我用不着下去杀你。"

小公子道："那么你到底想怎么样呢？"

萧十一郎道："你先叫马车停下来。"

小公子敲了敲车壁，马车就缓缓停下，小公子道："现在你还想要我怎么样？"

萧十一郎道："抱沈璧君下车。"

小公子倒也真听话，打开车门，抱着沈璧君下了车，道："现在呢？"

萧十一郎道："一直向前，莫要回头，走到前面那棵树下，将沈璧君放下来……我就在你后面，你最好少玩花样。"

小公子道："遵命！"

她居然真的连头也不敢回，一步步地往前走，萧十一郎在后面盯着她，实在想不通她怎会忽然变得如此听话。

就在这时，小公子的花样已来了。

小公子已走到树下，突然一翻身，将沈璧君的人向萧十一郎怀里抛了过来，萧十一郎根本还未来得及思索，已先伸手接住。

只见小公子人已掠起，凌空一个翻身，手里已有三道寒光飞出，直打萧十一郎怀中的沈璧君。

方才小公子若以沈璧君的性命来要挟萧十一郎，萧十一郎也许真的不会动心；但现在沈璧君就在他怀里，他怎能不救？

等他避开这三件暗器，想先放下沈璧君再去追时，小公子已逃得连人影都不见了。

只听她那银铃般的笑声远远传来，道："我将这烫手山芋抛给你了，你瞧着办吧！"

萧十一郎望着怀里的沈璧君，只有苦笑——这"烫山芋"实在不小，他既不能抛下来不管，也不知该传给谁才好。

沈璧君第二次由昏迷中醒来的时候，发现自己的人已到了个破庙里，这庙非但特别破，而且特别小。

小而破的神龛里，供着的好像是山神，外面的风吹得呼呼直响，若不是神案前已生起了火堆，沈璧君只怕已冻僵了。

风，从四面八方漏进来，火焰一直在闪动；有个人正伸着双手在烤火，嘴里低低地哼着一首歌。

这人身上穿的衣服也很破旧，脚上的破靴子底已穿了两个大洞。但就算穿着皮裘，坐在暖阁中烤火的人，看起来也不会比他更舒服了，沈璧君想不通一个人在他这种情况中，怎么还会觉得这么舒服。

但他嘴里在哼着的那首歌，曲调却是说不出的苍凉，说不出的萧索，说不出的寂寞，和他这个人完全不相称。

沈璧君一张开眼睛，就不由自主地被这个人吸引住了。过了很久，她才发觉自己本不该对别人如此留意的。

她本该先想想自己的处境才是。

破庙里自然没有床，她的人就睡在神案上，神案上还铺着厚厚的稻草。这个人看来虽粗野，其实倒也很细心。

但这个人究竟是友，还是敌呢？

沈璧君挣扎着爬起来，尽量不发出一丝声音。

但烤火的这个人耳朵却像是特别灵，沈璧君的身子刚动了动，他就听到了。

他并没有抬头，只是冷冷道："躺下去，不许乱动!"

沈璧君这一生中，从来也没有听过人对她说如此无理的话；她虽然很温柔，但这一生中从来也没有听过别人的命令。

她几乎忍不住立刻就要跳下去。

烤火的人还是没有抬头，又道："你若一定要动，不妨先看看你自己的腿。无论多美的人，若是缺了一条腿，也不会很好看了。"

沈璧君这才发现自己的右腿已肿了起来，肿得很大。

她的人立刻倒了下去。

任何女人看到自己的腿肿得像她那么大，都会被吓软的。

烤火的人似乎在发笑。

沈璧君等自己的心定下来，才问道："你是谁？"

烤火的人用一根棍子拨着火，淡淡道："我是我，你是你，我不想知道你是谁，你也用不着知道我是谁。"

沈璧君道："我——我怎么会到这里来的？"

烤火的人道："有些话你还是不问的好，问了反而徒增麻烦。"

沈璧君沉默了半晌，嗫嚅道："莫非是你救了我？"

烤火的人笑了笑，道："像我这样的人，怎么配救你？"

沈璧君不说话了，因为她已经不知道该说什么才好。

烤火的人也不再说话，两个人好像都变成了哑巴。

外面的风还在"呼呼"地吹着，除了风声，就再也听不到别的声音，天地间仿佛就只剩下他们两个人。

除了连城璧之外，沈璧君从来也没有和任何男人单独相处过。尤其是这呼啸的风声，这闪动的火焰，这粗野的男人……

她觉得不安极了。

她忍不住又挣扎着爬起来。

但她刚一动，烤火的人已站在她面前，冷冷地瞪着她，道："我也知道像你这样的千金小姐，在这种地方一定待不住的，可是现在你的腿受了伤，也只好先委屈些，在这里养好伤再说。"

他的眼睛又大、又黑、又深、又亮。

沈璧君被这双眼睛瞪着，全身都好像发起热来。也不知为什么，她只觉得突然有股怒火自心底升起，竟忍不住大声道："多谢你的好意，但我的腿是好是断，都和你无关，你既没有救我，也不认得我，又何必多管我的闲事？"

她终于还是挣扎着跳了下来，一瘸一拐地走了出去。她当然走得很慢，但却绝没有停下来的意思。

烤火的人望着她，也不阻拦，目光中似乎还带着笑意。

其实他现在若是拦上一拦，沈璧君也许会留下来的。

因为她的腿实在疼得要命。

萧十一郎这一生中，从来也没有勉强过任何人做任何事。

望着沈璧君走出去，他只是觉得有些好笑。

别人都说沈璧君不但最美丽，而且最贤淑、最温柔、最有礼，从来也不会对人发脾气。

但他却看到沈璧君发脾气了。

能看到从来也不发脾气的人发脾气，也是件很有趣的事。

沈璧君自己也觉得很奇怪，为什么会对这不相识的人发脾气？这人纵然没有救她，至少也没有乘她昏迷时对她无礼。

她本该感激他才是。

但也不知为了什么，她就是觉得这人要惹她生气，尤其是被他那双眼睛瞪着时，她更控制不住自己。

她一向最会控制自己，但那双眼睛实在太粗野、太放肆……

外面的风好大、好冷。

夜色又暗得可怕，天上连一点星光都没有。

这哪里还像秋天，简直已是寒冬。

沈璧君的一条腿由极疼而麻木，此刻又疼了起来。一阵阵剧痛，就好像一根根的针，由她的腿刺入她的心。

她虽然咬紧了牙关，却再也走不动半步。

何况，前途是那么黑暗，就算她能走，也不知走到哪里去。

她虽然咬紧了牙关，眼泪却已忍不住流了下来。

她从来也不知道孤独竟是如此可怕，因为她从来也没有孤独过。她虽然是一朵幽兰，但却并非出于淤泥，而是在暖室中养大的。

伏在树干上，她几乎忍不住要失声痛哭起来。

就在这时，她忽然感觉到有一双手在轻轻拍着她的肩头。

她转过头，就又瞧见了那双又大又亮的眼睛。

萧十一郎将一碗热气腾腾的浓汤捧到她面前，缓缓道："喝下去，我保证这碗汤绝对没有毒药。"

他望着她，眼睛虽然还是同样黑、同样亮，但已变得说不出的温柔。他说的话虽然还是那么尖锐，但其中已没有讥消，只有同情。

沈璧君不由自主地捧过这碗汤，用手捧着。

汤里的热气，似已将天地间的寒意全都驱散；她只觉得自己手里捧着的并不是一碗汤，而是一碗温馨，一碗同情……

她的眼泪一滴滴落入汤里。

小庙仍是那么小、那么脏、那么破旧。

但刚从外面无边的黑暗与寒冷中走进来，这破庙似乎一下子就改变了，变得充满了温暖与光明。

沈璧君一直垂着头，没有抬起。

她从来也想不到自己竟会在一个陌生的男人面前流泪。

甚至在连城璧面前，她也从未落泪。

幸好，萧十一郎好像根本没有留意到她，一进来，就躺到角落里的一堆稻草上，道："快睡，就算要走，也得等到天亮……"

这句话他好像并未说完，就已睡着了。

那堆草又脏、又冷、又湿，但就算睡在世上最软最暖的床上的人，也不会有他睡得这么香、这么甜。

这实在是个怪人。

沈璧君从来也没有见过这样的男人，但也不知为了什么，她只觉得在这个男人身旁，是绝对安全的。

在醒着的时候，他看来虽然那么粗、那么强，但在睡着的时候，他看来却像是个孩子。

一个受了委屈的孩子。

在他那两道深锁的浓眉中，也不知隐藏了多少无法向人诉说的愁苦、冤屈、悲伤、忧郁……

沈璧君轻轻叹了口气，闭上眼睛。

她本来以为自己绝不可能在一个陌生男人的旁边睡着的，但却不知不觉睡着了……

萧十一郎

第一一章　淑女与强盗

沈璧君醒来得很早。

风已住，火仍在燃烧着，显然又添了柴；这四面漏风的破庙里，居然充满了温暖之意。

但火堆旁那奇怪的男人已不在了。

难道他已不辞而别？

沈璧君望着这闪动的火焰，心里忽然觉得很空虚、很寂寞、很孤独，就像是忽然间失去了什么。

她甚至有种被人欺骗、被人抛弃了的感觉。

她自己也不知道自己怎会有这种感觉，他们本就是陌生人，她连他的名字都不知道，他也没有对她做任何允诺。

他要走，自然随时都可以走，也根本不必告诉她。但就连她的丈夫离开她的时候，她都没有现在这种感觉。

这是为了什么？

"一个人在遭受到了不幸，有了病痛的时候，心灵就会变得特别脆弱，特别需别人的同情和安慰，特别不能忍受寂寞。"

她试着替自己解释，但自己对这样的解释也并不十分满意。

她只觉心乱得很，一时间竟不知该如何是好。就在这时，

144

那苍凉而萧索的歌声已自门外传了进来。

听到这歌声，沈璧君的心情立刻就改变了，甚至连那堆火都忽然变得更明亮、更温暖了。

萧十一郎已走了进来。

他嘴里哼着歌，左手提着桶水，右手挟着一捆不知名的药草。他的步履是那么轻快，全身都充满了野兽般的活力。

这男人看起来就像是一头雄狮、一只猛虎，却没有狮虎那么凶暴可怕。看来他不但自己很快乐，也能令每个看到他的人都感染到这份快乐。

沈璧君面上竟不由自主地露出了笑容。

萧十一郎的眼睛也正好自她面上扫过。

沈璧君带着笑道："早。"

萧十一郎淡淡道："现在已不早了。"

他只看了她一眼，目光就移向别处。虽只看了一眼，但他看着她的时候，目光也忽然变得很温柔。

沈璧君道："昨天晚上……"

想到昨天晚上的那碗汤，汤中的眼泪，她的脸就不觉有些发红，垂下了头，才低低地接着道："昨天晚上真麻烦你了，以后我一定会……"

萧十一郎不等她说完，就已打断了她的话，冷冷道："我最喜欢别人报答我，无论用什么报答我都接受。但现在你说了也没有用，所以还不如不说的好。"

沈璧君愣住了。

她发现这个人每次跟她说话，都好像准备要吵架似的。

在她的记忆中，男人们对她总是文质彬彬、殷勤有礼，平时很粗鲁的男人，一见到她也会装得一表斯文；平时很轻佻的男人，见到她也会装得一本正经，她从来也未见到一个看不起她的男人。

现在她才总算见到了。

这人简直看都不看她一眼。

这人到底有什么毛病，竟会看不出她的美丽？

火堆上支着铁架，铁架上吊着个大锅；昨天晚上那碗汤，就是用这个铁锅熬出来的。现在锅里的汤也不知是被熬干了，还是被喝光了，铁锅已被烤得发红，萧十一郎将一桶水全都倒入锅里。

只听"滋"的一声，锅里冒出一股青烟。

然后萧十一郎就又坐到火堆旁，等着水沸。

"这人究竟是个怎么样的人？这破庙就是他的家？他为何连姓名都不肯说出？难道他有什么不可告人的秘密？"

沈璧君对这个人越来越好奇了，却又不好意思问他，只希望他能自己说说自己的身世，就算不全说出来，随便说两句也好。

但萧十一郎嘴里又开始哼那首歌，眼睛又开始闭了起来，似乎根本已忘了有她这么一个人存在。

"他既然不愿理我，我为什么还要留在这里？"

沈璧君忽然对自己生起气来，大声道："我姓沈，无论什么时候你到大明湖畔的'沈家庄'去，我都会令人重重地酬谢你，绝不会让你失望。"

萧十一郎连看都没有看她一眼，道："你现在就要回去？"

沈璧君道："是。"

萧十一郎道："你走得回去么？"

沈璧君不由自主望了望自己的腿，才发觉腿已肿得比昨天更厉害了。最可怕的是，肿的地方已完全麻木，连一点感觉都没有。

146

莫说走路，她这条腿简直已连抬都无法抬起。

锅里的水沸了。

萧十一郎慢慢地将那捆草药解开，仔细选出了几样，投入水里，用一根树枝慢慢地搅动着。

沈璧君望着自己的腿，眼泪又忍不住要流了出来。她是个很好强的人，从来也不愿求人。

可是现在她却别无选择的余地。

这是无可奈何的事，每个人一生中都难免会遇到这种事，她只有忍耐，否则就只好发疯。

沈璧君长长地吐出口气，嗫嚅着道：“我——我还想麻烦你一件事。”

萧十一郎道：“嗯。”

沈璧君道：“不知道你能不能替我雇辆车子，载我回去？”

萧十一郎道：“不能。”

他回答得实在干脆极了，沈璧君愣了愣，忍住气道：“为什么不能？”

萧十一郎道：“因为这地方是在半山上，因为拉车的马没有一匹会飞的。”

沈璧君道：“可是——我来的时候……”

萧十一郎道：“那是我抱你上来的。”

沈璧君的脸立刻绯红了起来，连话都说不出了。

萧十一郎悠然道：“现在你自然不肯再让我抱你下去，是不是？”

沈璧君忍耐了很久，终于还是忍不住道：“你——你为何要——要带我到这里来？”

萧十一郎道：“不带你到这里来，带你到哪里去？你若在路上捡着一只受了伤的小猫小狗，是不是也会将它带回家呢？”

沈璧君绯红的脸一下子又气白了。

她从来也没有想到去打男人的耳光，但现在她若有了力气，也许真会重重地给这人几个耳刮子。

萧十一郎慢慢地站了起来，从锅里打了半桶水，慢慢地走到神案前，盯着她的腿。

沈璧君的脸又红了，真恨不得将这条腿锯掉。她拼命将这条腿往里缩，但萧十一郎的眼睛连一刻也不肯放松。

沈璧君又羞又怒，道："你——你想干什么？"

萧十一郎淡淡道："你的脚已肿得像个粽子，我正在想，要用什么法子才能将你的鞋袜脱掉。"

沈璧君几乎忍不住要大叫起来，这男人居然想脱她的鞋袜，她的脚就连她的丈夫都没有真正看到过。

只听萧十一郎喃喃道："看样子脱是没法子脱掉的了，只有用刀割破……"

他嘴里说着说着，竟真的自腰畔拔出了一把刀。

沈璧君颤声道："我本来还以为你是个君子，谁知你——你……"

萧十一郎道："我并不是君子，却也没有替女人脱鞋的习惯。"

他忽然将刀插在神案上，又将那桶水提了过来，冷冷道："你若想快点走回去，就赶快脱下鞋袜，放在这桶水里泡着，否则你说不定只有一辈子住在这里。"

在那个时候，你若想要一位淑女脱下她的鞋袜，简直就好像要她脱衣服差不多困难。

因为在那个时候，一个女人若肯在男人面前脱下自己的鞋袜，那么别的东西她也就差不多可以脱下来了。

沈璧君现在却连一点选择也没有。

她只希望这人能像个君子，把头转过去。

萧十一郎的眼睛却偏偏睁得很大，连一点转头的意思也没有。

沈璧君咬着嘴唇，道："你——你能不能到外面去走走？"

萧十一郎道："不能。"

沈璧君连耳根都红了，呆在那里，真恨不得死了算了。

萧十一郎道："你不要以为我想看你的脚，你这只脚现在已没有什么好看的，我只不过想看看你中的究竟是什么毒而已。"

他冷冷地接着道："毒性若再蔓延上去，你说不定连别的地方也要让人看了。"

这句话真的比什么都有效。

沈璧君慢慢地，终于将一双脚都泡入水里。

一个人若是能将自己的脚舒舒服服地泡在热水里，他对许多事的想法和看法就多多少少会改变些的。

脱鞋子的时候，沈璧君全身都在发抖，但现在她的心已渐渐平静了下来，觉得一切事并不如自己方才想像中的那么糟。

萧十一郎已没有再盯着她的脚。

他已看得很清楚了。

这时他已经选出了几种药草，摘下了最嫩的一部分，放在嘴里慢慢地咀嚼着，仿佛在品尝着它们的滋味。

沈璧君垂头看着自己的脚，却分不清自己心里是什么滋味。

她居然会在一个陌生的男人面前洗脚——她只希望这是场噩梦，能快些过去，快些忘掉。

突听萧十一郎道："把你受伤的脚抬起来。"

这次沈璧君并没有反抗，她好像已认命了。

这就是女人最大的长处——女人都有认命的时候。

有许多又聪明、又美丽的女人，嫁给一个又丑又笨的丈夫，还是照样能活下去，就因为她们能够"认命"。

有很多人都有种很"奇妙"的观念，觉得男人若不认命，能反抗命运，那他就是英雄好汉。

但女人若不认命，若也想反抗，就是大逆不道。

沈璧君足踝上的伤口并不大，只有红红的一点，就好像刚被蚊子叮了一口时的那种样子。但红肿却已蔓延到膝盖以上。

想起了那可怕的"孩子"，沈璧君到现在手脚还难免要发冷。她足踝被那"孩子"踢中时，绝未想到后果竟是如此严重。

萧十一郎已将嘴里咀嚼的药草吐了出来，敷在她的伤口上。她心里也不知是着恼，还是感激。

她只觉这药冰冰凉的，舒服极了。

萧十一郎又在衣服上撕下一块布条，放到水里煮了煮，再将水拧干，用树枝挑着送给沈璧君，道："你也许从来没有包扎过伤口，幸好这还不是什么困难的事，你总该做得到。"

这次他话未说完，头已转了过去。

沈璧君望着他高大的背影，她实在越来越不了解这奇怪的人了。

这人看来是那么粗野，但做事却又如此细心；这人说话虽然又尖锐、又刻薄，但她也知道他绝没有伤害她的意思。

他明明是个好人。

奇怪的是，他为什么偏偏要让人觉得他不是个好人呢？

萧十一郎又哼起了那首歌，歌声仍是那么苍凉、那么寂寞。你若看到他那张充满了热情与魔力的脸，就会觉得他实在是个很寂寞的人。

沈璧君暗中叹了口气，柔声道："谢谢你，我现在已觉得好多了。"

萧十一郎道："哦?"

沈璧君笑道："想不到你的医术也如此高明，我幸亏遇见了你。"

萧十一郎道："我根本不懂什么医术，只不过懂得怎么才能活下去。每个人都要活下去的，是不是?"

沈璧君慢慢地点了点头，叹道："我现在才知道，除非在万不得已的时候，否则没有人会想死的。"

萧十一郎道："非但人要活下去，野兽也要活下去。野兽虽不懂什么医道，但它们受了伤的时候，也会去找些药草来治伤，再找个地方躲起来。"

沈璧君道："真有这种事?"

萧十一郎道："我曾经看到过一匹狼，被山猫咬伤后，竟逃到一个沼泽中去，那时我还以为它是在找自己的坟墓。"

沈璧君道："它难道不是?"

萧十一郎笑了笑，道："它在那沼泽中躲了两天，就又活了。原来它早已知道有许多药草腐烂在那沼泽里，它早已知道该如何照顾自己。"

沈璧君第一次看到了他的笑容，似乎只有在谈到野兽时，他才会笑。他甚至根本不愿意谈起人。

萧十一郎还在笑着，笑容却已有些凄凉，慢慢地接着道："其实人和野兽也一样，若没有别人照顾，就只好自己照顾自己了。"

人真的和野兽一样么?

若是在一两天之前，沈璧君听到这种话，一定会认为说话的人是个疯子；但现在，她却已忽然能体会这句话中的凄凉辛酸之意。

她这一生中，时时刻刻都有人在陪伴着她、照顾着她，直到现在她才知道寂寞与孤独竟是如此的可怕。

沈璧君渐渐已觉得这人一点也不可怕了，非但不可怕，甚至还有些可怜，她忍不住想对这人知道得更多些。

人们对他们不了解的人，总是会生出一种特别强烈的好奇心，这份好奇心往往又会引起许多种别的感情。

沈璧君试探着问到："这地方就是你的家?"

萧十一郎道："最近我常常住在这里。"

沈璧君道："以前呢?"

萧十一郎道："以前的事我全都忘了，以后的事我从不去想它。"

沈璧君道："你……你难道没有家?"

萧十一郎道："一个人为什么要有家? 流浪天下，四海为家，岂非更愉快得多?"

当一个人说自己宁愿没有家时，往往就表示他想要个家了；只不过"家"并不只是间屋子，并不是很容易就可以建立的——要毁掉却很容易。

沈璧君忍不住轻轻叹了口气，道："每个人迟早都要有个家的。你若是有什么困难，我也许可以帮助你……"

萧十一郎冷冷道："我也没有什么别的困难，只要你肯闭上嘴，就算是帮我个大忙了。"

沈璧君又愣住了。

像萧十一郎这样不通情理的人，倒也的确少见得很。

就在这时，突听一阵脚步声响，两个人匆匆走了进来。

这破庙里居然还会有人来，更是令人想不到的事。

只见这两人都是相貌堂堂、衣衫华丽，气派都不小。佩刀的人年纪较长，佩剑的人看来只有三十左右。

这种人会到这种地方来，就令人奇怪了。

更令人奇怪的是，这两人见到沈璧君，面上都露出欣喜之色。其中一个年纪较大的立刻抢步向前，躬身道："这位可就是连夫人么？"

沈璧君愣了愣，道："不敢，阁下是……"

那人面带微笑，道："在下彭鹏飞，与连公子本是故交。那日夫人与连公子大喜之日，在下还曾去叨扰过一杯喜酒。"

沈璧君道："可是人称'万胜金刀'的彭大侠么？"

彭鹏飞笑得更得意了，道："贱名何足挂齿，这'万胜金刀'四字，更是万万不敢当的。"

另一人锦衣佩剑，长身玉立，看来像是风采翩翩的贵公子，武林中，这样的人材倒也不多。

此时此地，沈璧君能见到自己丈夫的朋友，自然是开心得很，面上已露出了微笑，道："却不知这位公子高姓大名？"

彭鹏飞抢着道："这位就是'芙蓉剑客'柳三爷的长公子柳永南，江湖人称'玉面剑客'，与连公子也曾有过数面之欢。"

沈璧君嫣然道："原来是柳公子，多日未曾去问三爷的安，不知他老人家气喘的旧疾已大好了吗？"

柳永南躬身道："托夫人的福，近来已好多了。"

沈璧君道："两位恕我伤病在身，不能全礼。"

柳永南道："不敢。"

彭鹏飞道："此间非谈话之处，在下等已在外面准备好一顶软轿，就请夫人移驾回庄吧！"

两人俱是言语斯文、彬彬有礼；沈璧君见到他们，好像忽然又回到自己的世界，再也用不着受别人欺负，受别人的气。

她似乎已忘了萧十一郎的存在了。

彭鹏飞招了招手，门外立刻就有两个很健壮的青衣妇人，抬着顶很干净的软兜小轿走了进来。

沈璧君嫣然道："两位准备得真周到，真麻烦你们了。"

柳永南躬身道："连公子终日为武林同道奔走，在下等为夫人略效微劳，也是应该的。"

彭鹏飞道："如此就请夫人上轿。"

突听萧十一郎道："等一等。"

彭鹏飞瞪了他一眼，冷冷道："你是什么人？也敢在这里多嘴!"

萧十一郎道："我说我是'中州大侠'欧阳九，你信不信？"

彭鹏飞冷笑道："凭你只怕还不配。"

萧十一郎道："你若不信我是欧阳九，我为何要相信你是彭鹏飞？"

柳永南淡淡道："只要连夫人相信在下等也就是了，阁下信不信都无妨。"

萧十一郎道："哦？她真的相信了两位么？"

三个人的眼睛都望着沈璧君，沈璧君轻轻咳了两声，道："各位对我都是一番好意，我——"

萧十一郎打断了她的话，冷笑道："像连夫人这样的端庄淑女，纵然已对你们起了怀疑之心，嘴里也是万万不肯说出来的。"

柳永南笑了笑，道："不错，也只有像阁下这样的人，才会以小人之心，度君子之腹……"

说到这里，只听"呛"的一声，他腰畔的长剑已出鞘；剑光一闪，凌空三曲，萧十一郎手里的一根树枝已断成了四截。

萧十一郎神色不动，淡淡道："这倒果然是'芙蓉剑法'。"

彭鹏飞大声道："你既识货，就该知道这一招'芙蓉三拆'，普天之下除了柳三爷和柳公子之外，再也没有第三个人使得出来。"

沈璧君展颜一笑，道："柳公子这一招'芙蓉三拆'，只怕已青出于蓝。"

萧十一郎道："你不问问他们怎会知道你在这里的?"

沈璧君道："他们无论怎么会知道我在这里都没关系，就凭彭大侠与柳公子的侠名，我就信得过他们。"

萧十一郎默然良久，才缓缓道："不错，有名有姓的人说出来的话，自然比我这种人说出来的可靠得多，我实在是多管闲事。"

沈璧君也沉默了半晌，才柔声道："但我知道你对我也是一番好意……"

彭鹏飞冷笑道："好意? 只怕不见得。"

柳永南道："他三番两次地阻拦，想将夫人留在这里，显然是别有居心。"

彭鹏飞叱道："不错，先废了他，再带去严刑拷问，看看幕后是否还有主使的人!"

叱声中，他的金刀已出鞘。

萧十一郎站在那里，动也不动，就像是突然间变得麻木了。

柳永南反倒来做好人了，道："且慢，这人说不定是连夫人的朋友，我们岂可为难他?"

彭鹏飞道："夫人可认得他么?"

沈璧君垂下了头，道："不——不认得。"

萧十一郎突然仰面大笑起来，狂笑着道："像连夫人这样的名门贵妇，又怎会认得我这种不三不四的人。连夫人若有我这种朋友，岂非把自己的脸都要丢光了吗?"

柳永南叱道："正是如此。"

这四个字说完，长剑已化为一片光幕，卷向萧十一郎；刹那之间，已攻出了四剑，剑如抽丝，连绵不绝。

当代"芙蓉剑"的名家虽是男子，但"芙蓉剑法"却是女子所创，是以这剑法轻灵有余，刚劲不足，未免失之柔弱。

而且女子总是难免胆气稍逊，不愿和对手硬拼硬拆，攻敌之前，总要先将自己保护好再说。

所以这剑法攻势只占了三成，守势却有七成。

柳永南这四剑看来虽然绚丽夺目，其实却都是虚招，为的只不过是先探探对方的虚实而已。

萧十一郎狂笑未绝，身形根本连动都没有动。

彭鹏飞喝道："连夫人既不认得他，你我手下何必留情?"

他掌中一柄金背砍山刀，重达二十七斤，一刀攻出，刀风激荡。那两个抬轿的青衣妇人早已吓得躲入了角落中。

只见刀光与剑影交错，金背刀的刚劲却恰巧弥补了"芙蓉剑"的不足；萧十一郎似已连还手之力都没有，也被迫入了角落中。

彭鹏飞得势不让人，攻势更猛，沉声道："不必再留下此人的活口!"

柳永南道："是。"

他剑法一变，攻势俱出，招招都是杀手。

萧十一郎目中突然露出杀机，冷笑道："既是如此，我又何必再留下你们的活口？"

他身形一转，一双肉掌竟硬生生逼入了刀光剑影中。

"芙蓉剑"剑法绵密，素称"滴水不漏"，此刻也不知怎地，竟被对方的一只肉掌抢攻了进来。

柳永南的出手竟在刹那间就已被封住，他大骇之下，脚下一个踉跄，也不知踢倒了什么。

只听"骨碌碌"一声，一只铁碗被他踢得直滚了出去。

看到了这只碗，想到了昨夜碗中的温情，沈璧君骤然觉得心弦一阵激动，再也顾不得别的，失声大呼道："他是我的朋友，你们放他走吧!"

萧十一郎的铁掌已将刀与剑的出路全都封死，他的下一招就是致人死命的杀手，柳永南与彭鹏飞的生死已只是呼吸间事。

可是，听到了沈璧君这句话，萧十一郎胸中也有一阵热血上涌，杀机尽失，这一着杀手竟是再也无法攻出。

彭鹏飞与柳永南的声名也是从刀锋剑刃上搏来的，与人交手的经验何等丰富，此刻怎肯让这机会平白错过。

两人不约而同抢攻一步，刀剑齐飞，竟想趁这机会将萧十一郎置之于死地。"嗤"的一声，萧十一郎肩间已被划破一条血口!

彭鹏飞大喜之下，刀锋反转，横砍胸腹。

突听萧十一郎大喝一声，彭鹏飞与柳永南只觉一股大力撞了过来，手腕一麻，手里的刀剑也不知怎地就突然到了对方手里。

但听"格"的一声，刀剑俱都断成两截，又接着"轰"的一声巨响，破庙的墙已被撞破一个大洞。

飞扬的灰尘中，萧十一郎的身形在洞外一闪，只觉掌心的

冷汗一丝丝在往外冒，身子再也动弹不得。

　　也不知过了多久，彭鹏飞才长长叹了口气，道："好厉害！"

　　柳永南也长长叹了口气，道："好厉害！"

　　彭鹏飞擦了擦汗，道："如此高手，我怎会不认得？"

　　柳永南擦了擦汗，道："此人出手之快，实在是我生平未见。"

　　彭鹏飞转过身，嗫嚅道："连夫人可知道他是谁吗？"

　　沈璧君望着墙上的破洞，也不知在想什么，竟未听到他的话。

　　柳永南咳嗽两声，道："不知他是否真是连夫人的朋友？"

　　沈璧君这才轻轻叹一声，道："但愿他真是我夫妻的朋友，无论谁能交到这样的朋友，都是幸事。"

　　她不说"我的朋友"，而说"我夫妻的朋友"，正是她说话的分寸，因为她知道以她的地位，莫说做不得错事，就连一句话也说错不得。

　　柳永南道："如此说来，夫人也不知道他的姓名？"

　　沈璧君叹道："此人身世似有绝大的隐秘，所以不肯轻易将姓名示人。"

　　彭鹏飞沉吟着，突然道："以我看，此人只怕是萧十一郎！"

　　"萧十一郎！"

　　柳永南苍白的脸上更无一丝血色，失声道："萧十一郎？何以见得他就是萧十一郎？"

　　彭鹏飞叹道："萧十一郎虽是个杀人不眨眼的恶徒，但武功之高，天下皆知，而且行踪飘忽，身世隐秘，很少有人看到过他的真面目。"

他眼角的肌肉不觉已在抽动着，嗄声接道："这几点岂非都和方才那人一样？"

柳永南连嘴唇都已失却血色，只是不停地擦汗。

沈璧君摇了摇头，缓缓道："我知道他绝不是萧十一郎。"

彭鹏飞道："夫人何以见得？"

沈璧君道："萧十一郎横行江湖，作恶多端，但我知道他……他绝不是坏人。"

彭鹏飞道："知人知面不知心，越是大奸大恶之徒，别人越是难以看出。"

沈璧君笑了笑，道："萧十一郎杀人不眨眼，他若是萧十一郎，两位岂非……"

她"话到嘴边留半句"，说到这里，就住了嘴。

但她言下之意，彭鹏飞与柳永南自然明白得很，两人的脸都红了，过了半晌，柳永南才勉强笑了笑，道："无论那人是不是萧十一郎，我们总该先将连夫人护送回庄才是。"

彭鹏飞道："不错，夫人请上轿。"

第一二章　要命的婚事

虽然是行走在崎岖的山路上，但轿子仍然走得很快，抬轿的青衣妇人脚力并不在男子之下。

就快回到家了。

只要一回到家，所有的灾难和不幸就会都过去了。沈璧君本来应该很开心才对，但却不知为了什么，她此刻心里竟有些闷闷的；彭鹏飞与柳永南跟在轿子旁，她也提不起精神来跟他们说话。

想起那眼睛大大的年轻人，她就会觉得有些惭愧："我为什么一直不肯承认他是我的朋友？难道我真的这么高贵？他又有什么地方不如人？我凭什么要看不起他？"

她想自己曾经说过，要想法子帮助他，但到了他最困难、最危险的时候，她却退缩了。

有时他看来是那么孤独、那么寂寞，也许就因为他受到的这种伤害太多了，使他觉得这世上没有一个值得他信赖的人。

"一个人为了保全自己的名誉和地位，就不惜牺牲别人和伤害别人，我岂非也正和大多数人一样!"

沈璧君长长叹了口气，觉得自己并不如想像的那么高贵。

山脚下，停着辆马车。

赶车的头戴竹笠，紧压着眉际，仿佛不愿被别人看到他的面孔。

沈璧君一行人，刚走下山脚，这赶车的就迎了上来，深深盯了沈璧君一眼，才躬身道："连夫人受惊了!"

这虽是句普通的话，但却不是一个车夫应该说出来的；而且沈璧君觉得他的眼睛盯着自己时，眼神看来也有些不对。

她心里虽有些奇怪，却还是含笑道："多谢你关心，这次要劳你的驾了。"

赶车的垂首道："不敢。"

他转过身之后，头才抬起来，吩咐着抬轿的青衣妇人道："快扶夫人上车，今天咱们还要赶好长的路呢!"

沈璧君沉吟着道："既然没有备别的车马，就请彭大侠和柳公子一齐上车吧!"

彭鹏飞盯了柳永南一眼，讷讷道："这……"

他还未说出第二个字，赶车的已抢着道："有小人等护送夫人回庄已经足够了，用不着再劳动他们两位了。"

彭鹏飞居然立刻应声道："是是是，在下也正想告辞。"

赶车的道："这次劳动了两位，我家公子日后一定不会忘了两位的好处。"

一个赶车的，派头居然好像比"万胜金刀"还大。

沈璧君越听越不对了，立刻问道："你家公子是谁?"

赶车的似乎愣了愣，才慢慢地道："我家公子……自然是连公子。"

沈璧君皱眉道："连公子? 你是连家的人?"

赶车的道："是。"

沈璧君道："你若是连家的人，我怎会没有见过你?"

赶车的沉默着，忽然回过头，冷冷道："有些话夫人还是不问的好，问多了反而自找麻烦。"

沈璧君虽然是看不到他的面目，却已看到他嘴角带着的一丝狞笑。她心里骤然升起一阵寒意，大声道："彭大侠、柳公子，这人究竟是谁？这究竟是怎么回事？"

彭鹏飞干咳了两声，垂首道："这……"

赶车的冷冷截口道："夫人最好也莫问他们，纵然问了他们，他们也说不出来的。"

他沉下了脸，厉声道："你们还不快扶夫人上车，还在等什么？"

青衣妇人立刻抓住了沈璧君的手臂，面上带着假笑，道："夫人还是请安心上车吧！"

这两人不但脚力健，手力也大得很，沈璧君的双手都被抓住，挣了一挣，竟未挣脱，怒道："你们竟敢对我无礼？快放手，彭鹏飞，你既是连城璧的朋友，怎能眼看她们如此对待我？"

彭鹏飞低着头，就像是已忽然变得又聋又哑。

沈璧君下半身已完全麻木，身子更虚弱不堪，空有一身武功，却半分也使不出来，竟被人拖拖拉拉塞入了马车。

赶车的冷笑着，道："只要夫人见到我们公子，一切事就都明白了。"

沈璧君嗄声道："你家公子莫非就是那——那——"

想到那可怕的"孩子"，她全身都凉了，连声音都在发抖。

赶车的不再理她，微一抱拳，道："彭大侠、柳公子，两位请便吧！"

他嘴里说着话，人已转身登车。

柳永南脸色一直有些发青，此刻突然一旋身，左手发出两道乌光，击向青衣妇们的咽喉；右手抽出一柄匕首，闪电般刺向那车夫的后背。

那车夫绝未想到他会有此一着，哪里还闪避得开？柳永南的匕首已刺入了他的后心，直没至柄。

青衣妇人们连一声惨呼都未发出，人已倒了下去。

沈璧君又惊又喜，只见那车夫头上的笠帽已经掉了下来，沈璧君还记得这张脸孔，正是那"孩子"的属下之一。

现在这张脸已扭曲得完全变了形，双睛怒凸，嘶声道："好，你——你好大的胆子……"

这句话说出，他身子向前一倒，倒在车辕上，后心鲜血急射而出。拉车的马也被惊得长嘶一声，四蹄陡起，带动马车向前行出。车轮自那车夫身上辗过，他一个人竟被辗成了两截。

柳永南已飞身而起，躲开了自车夫身上射出来的那股鲜血，落在马背上，勒住了受惊狂奔的马。

彭鹏飞似已被吓呆了，此刻才回过身来，立刻跺脚道："永南，你——你这祸可真的闯大了。"

柳永南道："哦？"

彭鹏飞道："我真不知你这么做是何居心？小公子的手段，你又不是不知道。"

柳永南道："我知道。"

彭鹏飞道："那么你——你为什么还要这样做？"

柳永南慢慢地下了车，眼睛望着沈璧君，缓缓道："无论如何，我也不能将连夫人送到那帮恶魔手上。"

沈璧君的喘息直到此时才停下来，心里真是说不出的感激，感激得几乎连眼泪都快要流了下来，低低道："多谢你，柳公子，我——我总算还没有看错你。"

彭鹏飞长长叹息了一声，道："夫人的意思，自然是说看错了我了？"

沈璧君咬着牙，总算勉强忍住没有说出恶毒的话。

彭鹏飞叹道："其实我又何尝不想救你，但救了你又有什么用呢？你我三人加起来也绝非是小公子的敌手，迟早还是要落入他的掌握中的！"

说到这里，他忍不住激灵灵地打了个寒颤，显然对那小公子的手段之畏惧，已经到了极点。

沈璧君恨恨道："原来是他要你们来找我的。"

彭鹏飞道："否则我们怎会知道夫人在那山神庙里？"

沈璧君叹了口气，黯然道："如此说来，他对你们的疑心并没有错，我反而错怪他了。"

这次他说的"他"，自然是指萧十一郎。

柳永南忽然冷笑了一声，道："那人也绝不是好东西，对夫人也绝不会存着什么好心眼。"

彭鹏飞沉下了脸，道："只有你存的是好心，是么？"

柳永南道："当然。"

彭鹏飞冷笑道："只可惜你存的这番好心，我早已看透了。"

柳永南道："哦？"

彭鹏飞厉声道："我虽然知道你素来好色，却没想到你的色胆竟有这么大，主意竟打到连夫身上来了，但你也不想想，这样的天鹅肉，就凭你也能吃得到嘴么？"

沈璧君怒道："这只是你以小人之心度君子之腹，柳公子绝不是这样的人。"

彭鹏飞冷笑道："你以为他是好人？告诉你，这些年来，每个月坏在他手上的黄花闺女，没有十个，也有八个；只不过谁也不会想到那无恶不作的采花盗，竟会是'芙蓉剑'柳三爷的大少爷而已。"

沈璧君呆住了。

彭鹏飞道："就是因为他有这些被小公子捏在手上，所以他只有乖乖地听话……"

柳永南突然大喝一声，狂吼道："你呢？你又是什么好东西？你若没有把柄被小公子捏在手上，他也就不会找到你了!"

彭鹏飞也怒吼道："我有什么把柄？你说!"

柳永南道："现在你固然是大财主了，但你的家财是哪里来的？你以为我不知道？你明里是在开镖局，其实却比强盗还狠，谁托你保镖，那真是倒了八辈子楣，御任的张知府要你护送回乡，你在半路上把人家一家大小十八口杀得干干净净，你以为你做的这些事情没人知道？"

彭鹏飞跳了起来，大吼道："放你妈的屁，你这个小畜生……"

这两人本来一个相貌堂堂，威严沉着；一个文质彬彬，温柔有礼，此刻一下子就好像变成了两条疯狗。

看到这两人你咬我，我咬你，沈璧君全身都凉了。

彭鹏飞道："这小子杂种色胆包天，我可犯不上陪你送死!"

柳永南道："你想怎么样？"

彭鹏飞道："你若肯乖乖地随我去见小公子，我也许还会替你说两句好话，饶你不死!"

柳永南喝道："你这是在做梦!"

他本想抢先出手，谁知彭鹏飞一拳已打了过来。

彭鹏飞虽以金刀成名，一套"大洪拳"竟也已练到八九成的火候，此刻一拳击出，但闻拳风虎虎，声势也颇为惊人。

柳永南身子一旋，滑开三步，掌缘反切彭鹏飞的肩胛。

他掌法也和剑法一样，以轻灵流动见长；彭鹏飞的武功火候虽深些，但柔能克刚，"芙蓉掌"正是"大洪拳"的克星。

两人一交上手，倒也正是旗鼓相当；看样子若没有三五百招，是万万分不出胜负高下的。

沈璧君咬着牙，慢慢地爬上车座，打开车厢前的小窗子，只见拉车的马被拳风所惊，正轻嘶着在往道旁退。

车座上铺着锦墩。

沈璧君拿起个锦墩，用尽全力从窗口抛出去，抛在马屁股上。

健马一声惊嘶，再次狂奔而出。

一匹发了狂的马，拉着无人驾驭的马车狂奔，其危险的程度，和"盲人骑瞎马，夜半临深池"也已差不了许多。

沈璧君却不在乎。

她宁可被撞死，也不愿落在柳永南手上。

车子颠得很厉害，她麻木的腿开始感觉到一阵刺骨的疼痛。

她也不在乎。

她一直认为肉体上的痛苦比精神上的痛苦要容易忍受得多。

有人说：一个人在临死之前，常常会想起许多奇奇怪怪的事，但人们却永远不知道自己在临死前会想到些什么。

沈璧君也永远想不到自己在这种时候，第一个想起的不是她母亲，也不是连城璧，而是那个眼睛大大的年轻人。

她若肯信任他，此刻又怎会在这马车上？

然后，她才想起连城璧。

连城璧若没有离开她，她又怎会有这些不幸的遭遇？她还是叫自己莫要怨他，但是她心里却不能不难受。

她不由自主要想："我若嫁给一个平凡的男人，只要他是全心全意地对待我，将我放在其他任何事之上，那种日子是否会比现在过得快乐？"

于是她又不禁想起了那眼睛大大的年轻人："我若是嫁给了他，他会不会对我……"

她禁止自己再想下去。

她也不敢再想下去!

就在这时，她听到天崩地裂般一声大震。

车门也被撞开了，她的人从车座上弹了起来，恰巧从车门中弹了出去，落在外面的草地上。

这一下自然跌得很重，她的四肢百骸都像是已被跌散了。

只见马车正撞在一棵大树上，车厢被撞得四分五裂，拉车的马却已奔出去很远；车辕显然已断了，所以马车才会撞到树上去。

沈璧君若还在车厢里，至少也要被撞掉半条命。

她不知道这是她的幸运，还是她的不幸，她甚至宁愿被撞死。

因为这时她已瞧见了柳永南。柳永南就像是个呆子似的站在那里，左面半边脸已被打得又青又肿，全身不停地在发抖，像是害怕得要死。

应该害怕的本该是沈璧君，他怕什么？

他的眼睛似乎也变得不灵了，过了很久，才看到沈璧君。

于是他就向沈璧君走了过来。

奇怪的是，他脸上连一点欢喜的样子都没有，而且走得也很慢，脚下就像是拖了根七八百斤重的铁链子。

这人莫非忽然有了什么毛病？

沈璧君挣扎着想爬起来，又跌倒，颤声道："站住! 你若敢再往前走一步，我就死在这里!"

柳永南居然很听话，立刻就停住了脚。

沈璧君刚松了口气，忽然听到柳永南身后有个人笑道："你放心，只管往前走就是，我敢担保她绝不会死的，她若真的想死，也就不会活到现在了。"

这声音又温柔、又动听。

但沈璧君一听这声音，全身都凉了。

这声音她并没有听过多少次，但却永远也不会忘记!

难怪柳永南怕得要死，原来"小公子"就跟在他身后，他身材虽不高大，但小公子却实在太"小"，所以沈璧君一直没有看到。

沈璧君的确不想死，她有很多理由不能死，可是现在她一听到小公子的声音，就只恨自己为什么没有早些死掉。

现在她想死也已来不及了。

人影一闪，小公子已到了她面前，笑嘻嘻地望着她，她柔声道："好姑娘，你想死也死不了，还是好好地活着吧! 你若觉得一个人太孤单，我就找个人来陪你。"

她身上披着件鲜红的斗篷，漆黑的头发上束着金冠，还有朵红缨随风摇动；衬着她那雪白粉嫩的一张脸，看来真是说不出的活泼可爱。

但沈璧君看到了他，却像是看到毒蛇一样，颤声道："我跟你有什么冤仇? 你为何连死都不让我死?"

小公子笑道："就因为我们一点冤仇都没有，所以我才舍不得让你死。"

她笑嘻嘻地向柳永南招了招手，道："过来啊! 站在那里干什么? 这么大的人，难道还害臊么?"

柳永南垂下了头，一步一挨地走了过来。

萧十一郎

许明康·许黎黎／绘

人影一闪，小公子已到了
她面前……

小公子居然没有杀他，但他却宁愿死了算了。

他实在猜不透小公子究竟在打什么主意，他只知道小公子若是想折磨一个人，那人就不如还是趁早死了的好。

直等他走到沈璧君面前，小公子才摇着头道："看你多不小心，好好的一张脸竟被人打肿了。"

她掏出一块雪白的丝巾，轻轻地擦着柳永南脸上的淤血，动作又温柔、又体贴，就像是慈母在照顾着儿子似的。

柳永南似乎想笑一笑，但那表情却比哭还难看。

擦完了脸，小公子又替他拍了拍衣服上的泥土，才笑道："嗯，这样才总算勉强可以见人了。但下次还是要小心些，宁可被人打屁股，也莫要被人打到脸，知道么？"

柳永南只有点头，看来就像是个被线牵着的木头人似的。

小公子目光这才回到沈璧君身上，笑道："这位柳家的大少爷，认得么？"

沈璧君咬着牙，闭着眼睛，她不知道小公子究竟在玩什么花样，只希望能找个机会自杀。

小公子板起了脸，道："张开眼睛来，听我说话，我问一句，你就答一句，知道么？你若不听话，我就只好剥光你的衣服……"

这句话还未说完，沈璧君的眼睛就张了开来。

小公子展颜笑道："对了，这才是乖孩子。"

她拍了拍柳永南的肩头，道："这位柳家的大少爷，方才杀了四个人，连他的好朋友彭鹏飞都被他杀了，你知道他是为了什么吗？"

沈璧君摇了摇头。

小公子瞪眼道："摇头不可以，要说话。"

沈璧君整个人都快爆炸了，但遇着小公子这种人，她又有

什么法子，她只有忍住眼泪道："我——我不知道。"

小公子道："不对不对，你明明知道的，他这样做，全是为了你，是不是?"

沈璧君道："是!"

她实在不愿在这种人面前流泪，但眼泪还是忍不住流了下来。

小公子笑了笑，道："他这样对你，也可算是情深义重了，是不是?"

沈璧君道："我——我——我不知道。"

小公子道："你怎会不知道呢? 我问你，连城璧会不会为了你将他朋友杀死?"

沈璧君道："不——不会。"

小公子道："由此可见，他对你实在比连城璧还好，是不是?"

沈璧君再也忍不住了，嘶声道："你究竟是不是人? 为什么要如此折磨我?"

小公子叹了口气，嘴里喃喃道："风已渐渐大了，若是脱光了衣服，一定会着凉的……"

沈璧君狠了狠心，暗中伸出舌头，她听说过一个人若是咬断了舌根，就必死无疑；她虽不愿死，现在却已到了非死不可的时候。

可是她还没有咬下去，小公子的手已捏住了她的下颚，另一只手已开始在解她的衣带，柔声道："一个人要活着固然很困难，但有时想死却更不容易，是不是?"

沈璧君嘴被捏住，连话都已说不出来，只有点了点头。

小公子道："那么，我问你的话，你现在愿意回答了么?"

沈璧君又点了点头。

世上永远没有任何一个人能描述她此刻的心情，几乎也从来没有一个人忍受过她此刻的痛苦。

她简直已不是"痛苦"两个字所能形容。

小公子这才笑了笑，慢慢地放开了手，道："我知道你是个很聪明的人，绝不会再做这种笨事的，是不是?"

沈璧君道："是。"

小公子道："人家若是对你很好，你是不是应该报答他?"

沈璧君道："是。"

她整个人似已完全麻木。

小公子道："那么，你想你应该如何报答他呢?"

沈璧君目光茫然地凝注着远方，一字字道："我一定会报答他的。"

小公子道："女人想报答男人，通常只有一个法子，你也是女人，这法子你总该懂得。"

沈璧君目中一片空白，似已不再有思想，什么都已看不到、听不到，她的人似乎只剩下一副躯壳。

小公子笑道："我知道你一定懂的，很好……"

她拍了拍柳永南的肩头，道："你既然对她这么好，可愿意娶她做老婆么?"

柳永南一下子愣住了，也不知是惊是喜，吃吃道："我——我——"

小公子笑道："愿意就是愿意，不愿意就是不愿意，这有什么好紧张的。"

柳永南擦了擦汗，道："可是——沈姑娘——"

小公子道："你怕她不愿意?"

她笑了笑，摇着头道："你真是个呆子，她既已答应报答你了，又怎会不愿意? 何况，生米若是煮成熟饭，不愿意也得

第十一郎

愿意了。"

柳永南的喉结上下滚动，脸已涨得通红，一双眼睛却死盯在沈璧君脸上，似乎再也移不开。

小公子道："常言道：打铁趁热。只要你点点头，我就替你们做主，让你们就在这里成亲。"

柳永南道："这——这里？"

小公子冷冷道："这里有什么不好？这么好的地方，不但可以做洞房，还可以做坟墓，就全看你的意思如何了。"

柳永南立刻不停地点起头道："我愿意，只要公子做主，无论要我做什么，我都愿意。"

小公子笑道："这就对了，我现在就去替你们准备洞房花烛。你要好好地看着新娘子，她只有一根舌头，若被她自己咬断了，等会儿你咬什么？"

小公子折了两根树枝插在地上，笑道："这就是你们的龙凤花烛。"

她指了指那已被拆得七零八落的马车，又笑道："那就是你们的洞房，你们进洞房的时候，我可以在外面替你们把风。"

柳永南望了望那马车，又瞧了瞧沈璧君，忽然跪了下来，道："公子——我——我——"

小公子道："你虽然对我不起，我反而替你做媒，找了这么样个如花似玉的新娘子，你还有什么不满意的？"

柳永南道："可是——以后——"

小公子笑道："以后就是你们两个人的事，难道还要我教你什么？"

柳永南道："公子难道真的已饶了我？"

小公子道："若不饶了你，我何不一刀将你宰了，何必还要费这么大的事?"

柳永南这才松了口气，道："多谢公子。"

小公子道："只不过……有件事你却得多加注意。"

柳永南道："公子请吩咐。"

小公子悠然道："你们两位都是大大有名的人，这婚事不久想必就会传遍江湖，若是被连城璧知道……他只怕就不会像我这么样好说话了。"

柳永南脸色立刻又变了，满头冷汗涔涔而落。

小公子道："所以我劝你，成亲之后，赶快找个地方躲起来，最好一辈子再也莫要见人。连城璧的朋友不少，耳目一向灵通得很。"

她笑了笑，又道："还有，你还得小心你这位新娘子，千万莫要让她跑了，半夜时候也得多加小心，否则她说不定会给你一刀。"

柳永南愣在那里，再也说不出话来。

他这才明白小公子的心意，小公子折磨人的法子实在绝透了! 除了她之外，只怕谁也想不出这么样绝的主意。

柳永南想到以后日子的难过，满嘴都是苦水，却吐不出来。

小公子背负着双手，悠然道："不过我还可以教你个法子。"

柳永南道："公——公子请指教。"

小公子道："你若对新娘子不放心，不妨先废掉她的武功，再锁上她的腿，若能不给她衣服穿，就更保险了。"

她笑嘻嘻接着道："一个女人若是没有衣服穿，哪里也去不了的。"

柳永南只觉掌心发湿，全身发凉。

这小公子手段之狠，心肠之毒，实在是天下少见，名不虚传! 若是谁得罪了她，真是生不如死。

但她却偏偏有法子让人来活受罪——沈璧君根本就无法死，而柳永南却是舍不得死。

她留着柳永南来折磨沈璧君，留着沈璧君却是为了要柳永南再也过不了一天太平的日子。

小公子看到他们两人的痛苦之态，忍不住大笑道："春宵一刻值千金，两位还是快入洞房吧!"

柳永南望着沈璧君那花一般的娇艳脸庞，虽然明知这是个无底大洞，也只有硬着头皮跳下去了。

沈璧君眼睛还是空空洞洞地凝注着远方；柳永南的手已拉住她的手，准备抱起她，她竟似连一点感觉都没有。

小公子抬头望着已逐渐暗下来的天色，微笑着曼声长吟道："今宵良辰美景，花红叶绿柳成荫，他日……"

她声音突然停顿，笑容也冻结在脸上。

她已感觉出有个人已到了她身后。

这人就像是鬼魅般突然出现，直到了她身后，她才察觉。而谁都知道小公子绝不是个反应迟钝的人。

她长长地吸了口气，慢慢地吐了出来，轻轻问道："萧十一郎?"

只听身后一人沉声道："好好地站着，不要动，也不要回头。"

这正是萧十一郎的声音。

除了萧十一郎外，还有谁的轻功如此可怕?!

小公子眼珠直转，柔声道："你放心，我一向最听人的话了，你叫我不要动，我绝不敢动的。"

萧十一郎叫道："柳家的大少爷，你也过来吧!"

柳永南见到小公子竟对这人如此畏惧，本就觉得奇怪；再听到"萧十一郎"的名字，魂都吓飞了。

色胆包天的人，对别的事的胆子并不一定也同样大的。

萧十一郎道："这位小公子，你认得吗?"

柳永南道："认——认得。"

萧十一郎道："其实你该叫她小姑娘才是。"

柳永南愣了愣，道："小姑娘?"

萧十一郎笑了笑，道："你难道看不出她是个女的?"

柳永南的眼睛又发直了。

萧十一郎道："你看她长得比那位连夫人怎样?"

柳永南舔了舔嘴唇，道："差——差不多。"

萧十一郎笑了，道："好色的人，毕竟还是有眼光。"

他拍了拍小公子肩头，道："你看这位柳家的大少爷长得怎样?"

小公子眼波流动，嫣然笑道："年少英俊，又是名家之子，谁能嫁给他可真是福气。"

萧十一郎道："你愿意嫁给他吗?"

小公子道："我愿意极了!"

萧十一郎道："既是如此，我就替你们做主，让你们在这里成亲吧! 反正洞房花烛，都是现成的。"

柳永南又愣住了。

他也不知道自己是走了大运，还是倒了大楣，好像一下子变成了香宝贝，人人都抢着要将如花似玉的美人儿嫁给他。

萧十一郎道："柳家的大少爷，你愿意吗?"

柳永南垂下了头，又忍不住偷偷瞟了小公子一眼，吃吃道："我——我——"

萧十一郎道："你用不着害怕，这位新娘子人虽凶些，但你只要先废掉她的武功，再剥光她的衣服，她就凶不起来了。"

小公子抢着娇笑道："我若能嫁给柳公子，就算变成残废，心里也是欢喜的。"

她忽然"嘤咛"一声，人已投入柳永南怀里，用手勾住他的脖子，腻声道："好人，还不快抱我进洞房，我已等不及了。"

柳永南温香满怀，正觉得有点发晕。

突听萧十一郎轻叱道："小心！"

叱声中，柳永南只觉得脖子被人用力一拧，不由自主跟着转了个身，就变得背对着萧十一郎，反而将小公子隔开了。

接着，他肚子上又被人重重打了一拳，整个人向萧十一郎倒了过去。

小公子一拳击出，人已凌空飞起，挥手发出了几点寒星，向呆坐在那边的沈璧君射了过去。

萧十一郎这次虽然早已知道她又要玩花样了，却还是迟了一步。

他虽然及时震飞了击向沈璧君的暗器，却又追不上小公子了。

只听小公子银铃般的声音远远传来，道："萧十一郎，你用不着替我做媒，将来我想嫁人的时候，一定要嫁给你，我早就看上你了。"

柳永南已倒了下去。

他的内脏已被小公子一拳震碎，显然是活不成了。

沈璧君眼中还是一片空白，竟似已被骇得变成了一个白痴。

萧十一郎叹了口气，他实在不懂小公子这种人是怎么生出来的！她的心之黑、手之辣、应变之快，就连萧十一郎也不能不佩服。

他方才一见她的面，就应该将她杀了的，奇怪的是，他虽然明知她毒如蛇蝎，却又偏偏有些不忍心下得了辣手！

她看来是那么美丽、那么活泼、那么天真，总教人无法相信她会是个杀人不眨眼的恶魔。

第一三章　秋　灯

这屋里只有一张床、一条凳、一张桌。

萧十一郎在这屋子里已躺了三天，几乎没有踏出门一步。

沈璧君也已昏迷了三天。

这三天中，她不断挣扎、呼喊、哭泣……似乎正在和什么无形的恶魔搏斗，有时全身冷得发抖，有时又烧得发烫。

现在她才总算渐渐安静下来。

萧十一郎望着她，心里真是说不出的同情，说不出的怜惜。

可是等她醒了的时候，他却绝不会将这种感情流露出来。

她虽美丽，却不骄傲；虽聪明，却不狡黠；虽温柔，却又很坚强。无论受了多大的委屈，也绝不肯向人诉苦。

这正是萧十一郎梦想中的女人。

可是，等她醒了的时候，他还是会对她冷冰冰地不理不睬。

因为她已是别人的妻子。

就算她还不是别人的妻子，"金针沈家"的千金小姐，也绝不能和"大盗"萧十一郎有任何牵连。

萧十一郎很明白这种道理，他一向很会控制自己的感情。

因为他必须如此。

"像我这样的人，也许命中注定了要孤独一辈子！"

萧十一郎轻轻地叹息了一声，点着了灯。

灯光温柔地照在沈璧君美丽的脸上，她的眼睛终于张了开来……

沈璧君也看到了萧十一郎。

这眼睛大大的年轻人就坐在她身旁，静静地望着她。

这难道又是个梦？这些天来，梦实在太多，也太可怕了。

她闭上眼睛，只希望现在这个梦莫要醒来；可是等她再张开眼睛的时候，那眼睛大大的年轻人还是静静地坐在那里，望着她。

她嘴角终于露出了一丝的微笑，目中充满了无限的感激，柔声道："这次又是你救了我。"

萧十一郎道："我自顾不暇，哪里还有救人的本事？"

沈璧君叹了口气，道："你又何必再瞒我，我知道上次也是你从他手中将我救出来的。"

萧十一郎道："他？他是谁？"

沈璧君道："你自然知道，就是那——可怕的小公子。"

萧十一郎道："大大小小的公子，我一个也不认得。"

沈璧君道："但他却一定认得你，而且还很怕你，所以他虽然知道我在那山神庙里，自己却不敢去。"

萧十一郎道："他为什么要怕我？我这人难道很可怕吗？"

沈璧君叹道："可怕的只是那些伪君子，我实在看错人了，也错怪了你。"

萧十一郎冷冷道："像你这种人，本就不该出来走江湖的。"

他站了起来，打开窗子，冷冷接着道："你懂的事太少，说的话却太多。"

窗外静得很。

周围几百里之内，只怕再也找不出生意比这里更冷清的客栈了——严格说来，这地方根本还不够资格称为"客栈"。

小院里连灯火都没有。

幸好天上还有星星，衬着窗外的夜色与星光，站在窗口的萧十一郎就显得更孤独、更寂寞。

他嘴里又在低低地哼着那首歌。

沈璧君望着他高大的背影，就好像一只失了群的孤雁，在风雨中忽然看到一棵大树似的，心里觉得忽然安定了下来。

现在他无论说什么话，她都不会生气了。

过了很久，她才低低地问道："你哼的是什么歌？"

萧十一郎没有说话。

又过了很久，沈璧君忽然自己笑了，道："你说奇怪不奇怪，有人居然认为你是萧十一郎。"

萧十一郎道："哦？"

沈璧君道："但我却知道你绝不是萧十一郎，因为你不像是个凶恶的人。"

萧十一郎没有回头，淡淡道："萧十一郎是个很凶恶的人吗？"

沈璧君道："你难道从未听说过他做的那些事吗？"

萧十一郎沉默了半晌，道："你对他做的事难道知道得很多？"

沈璧君恨恨道："我只要知道一件就够了，他做的事无论哪一件都该砍头！"

萧十一郎又沉默了很久，才缓缓道："你想砍他的头？"

沈璧君道："我若能遇见他，绝不会让他活下去害人！"

萧十一郎冷笑了一声，道："你若遇见他，活不下去的只怕是你自己吧!"

沈璧君的脸红了。

就在这时，突听一阵脚步响，手提灯笼的店小二，领着个青衣皂帽、家丁打扮的老人走了过来。

两人走到小院中央就停住了脚步，店小二往窗子这边指了指。青衣老人打量着站在窗口的萧十一郎，陪着笑道："借问大哥，连家的少夫人可是住在这里么?"

一听到这声音，沈璧君的眼睛忽然亮了，高声道："是沈义吗? 我就在这里，快进来。"

这青衣人正是沈家庄的庄丁沈义，他家世世代代在沈家为奴; 沈璧君还未出生的时候，他就已经在沈家了。

他听到沈璧君的声音，再也不理会萧十一郎，三脚两步就奔了过来，推门而入，急忙拜倒在床前，黯然道："老奴不知小姐在这里受苦，迎接来迟，还望小姐恕罪。"

沈璧君又惊又喜，道："你来了就好，太夫人呢? 她老人家可好?"

沈义道："小姐遇难的消息，早已传遍江湖，太夫人知道后，立刻令老奴等四处打听。今日才偶然听到这里的店伙说，他们这里有位女客人，病重得很，可是长得却如同天仙一样，老奴立刻就猜到他说的可能就是小姐了。"

他长长地叹了口气，道："好在苍天有眼，总算让老奴找到小姐了，太夫人若是知道，也必定欢喜得很……"

说着说着，他自己也似欢喜得流下泪来。

沈璧君更是欢喜得连话都已说不出来。

沈义揉了揉眼睛，道："小姐的伤势不要紧吧?"

沈璧君点了点头，道："现在已好多了。"

沈义道："既然如此，就请小姐快回去吧！也免得太夫人担心。"

沈璧君眼睛望着一直冷冷站在那边的萧十一郎，迟疑着道："现在——不会太晚了么？"

沈义笑道："秋天的日子较短，其实此刻刚到戌时，何况老奴早已为小姐备好了车马。"

沈璧君又望了萧十一郎一眼。

沈义似乎这才发现屋子里还有个人，陪着笑问道："这位公子大爷……"

沈璧君道："这位就是我的救命恩人，你快去为我叩谢他的大恩。"

沈义立刻走过去，伏地拜倒，道："多谢公子相救之恩，沈家庄上上下下感同身受。"

萧十一郎冷冷地望着他，道："你是沈家庄的人？"

沈义笑道："老奴侍候太夫人已有四十多年了，公子……"

他话还未说完，萧十一郎突然一把将他从地上揪了起来，左右开弓，正正反反给了他十几个耳光。

沈义满嘴的牙都被打落，连叫都叫不出。

沈璧君大惊道："你这是干什么？他的确是我们家的人，你为什么要如此对他？"

萧十一郎也不理她，提着沈义就从窗口抛了出去，冷冷道："回去告诉要你来的人，叫他要来就自己来，我等着他！"

沈义捂着嘴，含含糊糊地大叫："是太夫人要我来的，你凭什么打人？"

萧十一郎厉声道："你这种人杀了也不过分，何况打？你若还不快滚，我就真的宰了你。"

沈义这才连滚带爬地逃了出去，逃到院外又大骂起来。

沈璧君脸上阵阵青白，显然也已气极了，勉强忍耐着道："沈义在我们家服侍了四十多年，始终忠心耿耿，你难道认为他也是别人派来害我的吗？"

萧十一郎没有说话。

沈璧君道："你救了我，我终生都感激，但你为什么一定要留我在这里呢？"

萧十一郎冷冷道："我并没这个意思。"

他语声虽冷淡，但目中却已露出一种凄凉痛苦之色。

沈璧君道："那么，你这是什么意思？"

他虽极力控制，不愿失态，语气还是难免变得尖刻起来。

萧十一郎握起双手，道："你难道认为我对你有恶意？"

沈璧君道："你若对我没有恶意，就请你现在送我回去。"

萧十一郎沉默了很久，长长吐出口气道："现在还不行！"

他似乎还想说什么，却又忍住。

沈璧君咬着嘴唇，道："你究竟要等到什么时候才肯送我回去？"

萧十一郎道："也许再等三五天吧……"

他忽然推开门走了出去。

沈璧君大声道："等一等，话还没有说完，你不能走。"

但萧十一郎头也不回，已走得很远了。

沈璧君气得手直抖。

她心里本对萧十一郎有些歉疚，自己觉得自己实在应该好好补偿他、报答他，绝不能再伤害他了。

但这人做的事却太奇怪、太令人怀疑。最气人的是，他心里似乎隐藏着许多事，却连一句也不肯说出来。

桌子上还有萧十一郎喝剩下的大半壶酒。

沈璧君只觉满心气恼，无可宣泄，拿起酒壶，一口气喝了下去。

沈璧君并不常喝酒。

像她这样的淑女，就算是喝酒，也是浅尝即止；她平生喝的酒加起来只怕也没有这一次喝得多。

此刻这大半壶酒喝下去，她只觉一股热气由喉头涌下，肚子里就好像有一团火在燃烧着。

但过不了多久，这团火就由肚子里移上头顶。

没有喝过酒的人，永远不知道这种"移动"有多么奇妙。她的头脑，一下子就变得空空洞洞，昏昏迷迷的。

她的思想似乎忽然变得敏锐起来，其实却什么也没有想。

她平时一直在尽量控制着自己，尽量约束着自己，不要失态、不要失礼、不要做错事、不要说错话、不要得罪人……

但现在所有的束缚像是一下子全都解开了。

平时她认为不重要的事，现在反而忽然变得非常重要起来。

她昏昏迷迷地躺了一会儿，就想起了萧十一郎。

"这人做的事实在太奇怪了，态度又暧昧，他为什么要将沈义赶走？为什么不肯送我回去？"

她越想火气越大，简直片刻也忍耐不得。

她越想越觉得自己非快些回去不可，越快越好。

"他不肯送我回去，我难道不能让别人送我回去么？"

她觉得自己这想法简直正确极了，简直连一时半刻都等不得，当下挣扎着从床上爬起来，用尽全身力气，大呼道："店家……店小二……快来，快来……"

她自己也想不到自己竟能发出这么大的呼声。

那店伙好像忽然间就在她面前出现了，正在问道："姑娘

186

有什么吩咐?"

沈璧君道："快去替我雇辆车，我要回去，快，快……"

店伙迟疑着，道："现在只怕雇不到车子。"

沈璧君道："你去替我想法子，随你要多少钱我都出。"

店伙还是在迟疑着，转过身道："客官，真的要雇车吗?"

沈璧君这才发觉萧十一郎就在他身后，火气一下子又冲了上来，大声道："我要回去是我的事，和他有什么关系? 你为何要问他?"

萧十一郎摇了摇头，道："你喝醉了。"

沈璧君道："谁说我喝醉了，我喝这么点酒就会醉么?"

她向那店伙挥了挥手，又道："快去替我雇车，莫要理他，他自己才喝醉了。"

店伙望了望她，又望了望萧十一郎。

萧十一郎摇了摇头。

沈璧君叫了起来，道："你不肯送我回去，为什么也不让我自己回去? 你是我的什么人? 凭什么要管我的事?"

萧十一郎叹了口气，道："你真的醉了，好好歇着吧! 有什么话明天再说好不好?"

沈璧君道："不行，我现在就要走。"

萧十一郎道："你现在不能走。"

沈璧君大怒，道："你凭什么强迫我? 你救过我，就想把我看成你的人么? 你再也休想，我根本不要你救，你若不放我走，不如杀了我吧!"

她挣扎着，竟想向萧十一郎扑过去。

只听"扑通"一声，她的人已从床上跌了下来。

萧十一郎自然不得不去扶她，但他的手刚碰到她，沈璧君就又放声大叫起来，大叫道："救命啊! 这人是强盗，快去叫官兵来抓他……"

萧十一郎脸都气青了，正想放手，谁知沈璧君忽然重重一口咬在他的手背上，血都被咬了出来。

沈璧君居然会咬人，这真是谁也想不到的事。

这一口虽是咬在萧十一郎手上，却无异咬在他心上。

沈璧君喘息着道："我本还以为你是个好人，原来你也和那些人一样，救我也是有企图的，原来你比他们还可恶！"

萧十一郎慢慢地闭上眼睛，忽然转身走了出去。

沈璧君只觉得自己这几句话说得精彩极了，居然能将这人骂走。平时她当然说不出这种话，但一喝了酒，"灵感"就来了，口才也来了。

她决定以后一定要常常喝酒。

她自然认为自己说的话一点也没有错，喝醉了的人总认为自己是天下最讲理的人，无论做什么事都对极了，错的一定是别人。

那店伙已看得呆了，还站在那里发愣。

沈璧君喘息了半晌，忽然对他笑了笑。

这一笑自然是表示她多么清醒，多么有理智。

店伙也莫名其妙地陪她笑了笑。

沈璧君道："那人可真不讲理，是不是？"

店伙干咳了两，道："是，是是是。"

沈璧君叹了口气，道："我本不愿和这种人争吵的，但他实在太可恶了。"

店伙拼命点头，道："是是是。"

沈璧君慢慢地点了点头，心里觉得很安慰，因为别人还是站在她这边的，这世上不讲理的人毕竟还不算太多。

店伙却已悄悄移动脚步，准备开溜了。

沈璧君忽然又道："你知不知大明湖旁边有个沈家庄?"

店伙陪着笑道："这周围几百里的人，谁不知道沈家庄。"

沈璧君道："你知道我是谁么?"

店伙摇了摇头，还是陪着笑道："姑娘还是第一次照顾小店的生意，下次再来小人就认得了。"

喝醉了的人，是人人都害怕的；这店伙虽早已就想溜之大吉了，却又不敢不敷衍着应付几句。

沈璧君笑了，道："告诉你，我就是沈家的沈姑娘，你若能在今天晚上送我回沈家庄，必定重重有赏。"

店伙忽然呆住了，不住偷偷打量着沈璧君。

沈璧君道："你不相信?"

店伙迟疑着，讷讷道："姑娘若真是沈家庄的人，只怕是回不去了。"

沈璧君道："为什么?"

店伙道："沈家庄已被烧成了一片平地，庄子里的人有的死、有的伤、有的走得不知去向，现在连一个留下来的都没有了。"

沈璧君的心好像忽然裂开来了，呆了半晌，大呼道："我不信，你说的话我一个字也不相信。"

店伙陪着笑道："小人怎敢骗姑娘?"

沈璧君以手捶床，嘶声道："你和他串通好了来骗我的，你们都不是好人!"

店伙摇了摇头，喃喃道："姑娘若不相信，我也没法子……"

沈璧君已伏在床上，痛哭了起来。

店伙想走，听到她的哭声，又不禁停下了脚。

女人的哭，本就能令男人心动，何况沈璧君又那么美丽。

店伙忽然长长叹了口气，道："好! 姑娘若是定要到沈家庄去瞧瞧，小人就陪姑娘走一趟吧!"

萧十一郎正独自在喝闷酒。

他也想喝醉算了，奇怪的是，他偏偏总是喝不醉。

这几天来，他只觉得自己好像已变了一个人了。

变得很可笑。

他本来是个很豪爽、很风趣、很洒脱的人；但这几天连他自己也觉得自己变得有些婆婆妈妈、别别扭扭。

"我为什么不爽爽快快地告诉她，沈家庄已成一片瓦砾! 我为什么定要瞒住她，她受不受刺激，与我又有何关系?"

萧十一郎冷笑着，又喝下一杯酒。

"我与她非亲非故，为什么要多管她的闲事，自讨没趣?"

沈义一来，萧十一郎就知道他一定已被小公子收买了；沈家庄既已被焚，他怎么还能接沈璧君"回去"呢?

萧十一郎没有解释，是因为生怕沈璧君再也受不了这打击! 这几天来，她所受的打击确已非常人所能担当得了的。

他怕沈璧君会发疯。

"我如此对她，她至少也该稍微信任些才是……她既然一点也不信任我，我又何必关心她?"

萧十一郎觉得自己实在犯不着，他决定以后再也不管她的事，也免得被人冤枉，也免得怄气。

听到外面的马车声，他知道店伙毕竟还是将沈璧君送走了。

他立刻又担心起来："小公子必定还在暗中窥伺，知道她一个人走，绝对放不过她的!"

萧十一郎忍不住站了起来，却又慢慢地坐了下去!

"我说过再也不管她的事，为何替她担心？连她的丈夫都不关心她，我又何必多事？我算什么东西？"

"只不过，她的确醉了，说的话也许连她自己都不知道，醉人说的话，醒来时必定会后悔的，也该原谅她才是。"

"我就算再救她一次，她也许还是认为我另有企图，另有目的，等她知道我就是萧十一郎时，我的好心更要全变为恶意了。"

"可是，救人救到底！我既已救了她两次，为何不能再救她一次？我怎能眼看着她落到小公子那种人的手上？"

萧十一郎一杯杯喝着闷酒，心里充满了矛盾。

他的心从来也没有这么乱过。

到最后，他才下了决心！

"无论她对我怎样，我都不能不救她！"

他站起来，大步走了出去。

迎面一阵冷风吹过，他只觉心中一阵热意上涌，忍不住引吭高歌起来，嘹亮的歌声，震得四面的窗子都"格格"发响。

一扇扇窗子都打开了，露出一张张既惊奇、又愤怒的脸，用惺忪的睡眼，瞪着萧十一郎。

有的人甚至已在大骂。

"这人一定是个酒鬼！疯子！"

萧十一郎不但不在乎，反而觉得很可笑。

因为他知道自己既不是酒鬼，更不是疯子。

"只要我胸中坦荡，别人就算将我当疯子又如何；只要我做得对，又何必管别人心里的想法？"

马车走得很急。

破旧的马车，走在崎岖不平的石子路上，颠动得就像是艘

暴风雨中的船。沈璧君却在车厢中睡着了。

她梦见那眼睛大大的年轻人正在对着她哭，又对着她笑；笑得那么可恨，她恨透了，恨不得一刀刺入他的胸膛。

等她一刀刺进之后，这人竟忽然变成了连城璧！

血，泉水般的血，不停地从连城璧身上流了出来；流得那么多，将他自己的人都淹没了，只露出一个头，一双眼睛。

这双眼睛瞪着沈璧君，看来是那么悲伤、那么痛苦……

沈璧君也分不清这究竟是连城璧的眼睛，还是那年轻人的眼睛。

她怕极了，想叫又叫不出。

她的人似也渐渐要被血水淹没。

血很冷，冷极了。

沈璧君全身都在发抖，不停地发抖……

她仿佛听到有个人在说话，声音本来很遥远，然后渐渐近了……很近，就像有个人在她耳边大叫。

她忽然醒了过来。

马车不知何时已停下。

车门已开了，风吹在她身上，冷得很，冷得正像是血。

她身子还在不停地发着抖。

那店伙正站在车门旁，带着同情的神色望着她，大声道："姑娘醒醒，沈家庄已经到了。"

沈璧君茫然望着他，仿佛还不能了解他这句话的意思，她只觉得自己的头似乎灌满了铅，沉重得连抬都抬不起来。

"沈家庄已到了……家已到了……"

她简直不敢相信是真的。

那店伙嗫嚅着道："这里就是沈家庄，姑娘是不是要下车

192

……"

沈璧君笑了，大声道："我当然要下车，既然已到家了，为什么不下车？"

一说到这"家"字，她简直连片刻都等不及了，立刻挣扎着往车门外移动，几乎重重一跤跌在地上。

那店伙赶紧扶住了她，叹道："其实——姑娘还是莫要下车的好。"

沈璧君笑道："为什么？难道想将我连着车子一齐抬进去……"

她声音突然冻结，笑声也冻结。

她整个人忽然僵木。

第一四章　雷电双神

淡淡的迷雾，笼罩着大明湖。

大明湖的秋色永远是那么美，无论是白天，还是在晚上，尤其是有雾的时候，美得就像是孩子们梦中的图画。

沈璧君的梳妆楼就在湖畔，只要一推开窗子，满湖秋色就已入怀，甚至当她还是个孩子的时候，她也懂得领略这总是带着萧瑟凄凉的湖上秋色，这是她无论在什么地方都忘不了的。

所以她出嫁之后，还是常常回到这里来。

她每次回来，快到家的时候，都会忍不住从车窗中探出头去，只要一望见那小小的梳妆楼，她心里就会泛起一阵温馨之感。

但现在，梳妆楼已没有了。

梳妆楼旁那一片整齐的屋脊也没有了。

什么都没有了！

古老的、巨大的、美丽的，仿佛永远不会毁灭的沈家庄，现在竟已真的变成了瓦砾！

那两扇用橡木做成的、今年刚新漆的大门，已变成了两块焦木，似乎还在冒着一缕缕残烟。

沈璧君觉得自己忽然变得就像这烟、这雾，轻飘飘的，全没有依靠，仿佛随时都可能在风中消失。

这是谁放的火？

庄子里的人呢？难道已全遭了毒手？这是谁下的毒手？

沈璧君没有哭号，甚至连泪都没有。

她似已完全麻木。

然后，她眼前渐渐泛起了一张苍老而慈祥的脸，那满头苍苍白发，那带着三分威严和七分慈爱的笑容……

"难道连老人家都已不在了么？"

沈璧君忽然向前冲了出去。

她已忘了她受伤的脚，忘了疼痛，也不知从哪里来的力气，那店伙想拉住她，却没有拉住。

她的人已冲过去，倒在瓦砾中。

直到她身子触及这些冰冷的瓦砾，她才真的接受了这残酷而可怕的事实。

她终于放声痛哭了起来。

那店伙走过去，站在她身旁，满怀同情，却又不知该如何安慰她，过了很久，才嗫嚅着道："事已如此，我看姑娘不如还是先回小店去吧！无论怎么样，先和那位相公商量商量也好。"

他叹了口气，接着又道："其实，那位相公并不是个坏人，他不肯送姑娘回来，也许就是怕姑娘见到这情况伤心。"

这些话他不说还好，说了沈璧君哭得更伤心。

不想起那眼睛大大的年轻人，她已经够痛苦了，一想起他，她恨不得将自己的心抛在地上，用力踩得粉碎。

"连店伙都相信他，都能了解他的苦心，而我……我受了他那么多好处，反而不信任他，反而骂他。"

她只希望自己永远没有说过那些恶毒的话。

现在萧十一郎当然不会来。

现在来的人不是萧十一郎。

黑暗中，忽然有人咳嗽了几声。

那店伙只觉一阵寒意自背脊升起，忍不住激灵灵打了个寒噤。

这几声咳嗽就在他背后发出来的，但他却绝未听到有人过来的脚步声，咳嗽的人，仿佛忽然间就从迷雾中出现了。

夜深雾重，怎会有人到这种地方来？

他忍不住想回头去瞧瞧，却又实在不敢，他生怕一回头，瞧见的是个已被烧得焦头烂额的火窟新鬼。

只听沈璧君道："两位是什么人？"

她哭声不知何时已停止，而且已站了起来，一双发亮的眼睛正眨也不眨地瞪着那店伙的背后。

他再也想不到这位娇滴滴的美人儿竟有这么大的胆子。此刻非但全无惧色，而且神色平静，谁也看不出她方才痛哭过一场。

却不知沈璧君本极自持，从不愿在旁人面前流泪，方才她痛哭失声，一来固然因为悲痛欲绝，二来也是因为根本未将这店伙当个人——店伙、车夫、丫头……虽也都是人，却常常会被别人忽略他们的存在，所以他们往往会在无心中听到许多别人听不到的秘密。

聪明人要打听秘密，首先会找他们。

对他们说来，"秘密"这两个字的意思就是"外快"。

只听那人又低低咳嗽了两声，才缓缓道："瞧姑娘在此凭吊，莫非是和'金针沈家'有什么关系？"

这人说话轻言细语，平心静气，显见得是个涵养极好的人。

沈璧君迟疑着，点了点头，道："不错，我姓沈。"

那人道："姑娘和沈太君是怎么样个称呼？"

沈璧君道："她老人家是我……"

说到这里，她忽然停住了嘴。

经过这几天的事后，她多少已经懂得些江湖人心之险恶，也学会了"逢人只说三分话"，话到嘴边留几句。

这两个来历不明，行踪诡异，她又重伤未愈，武功十成中只剩下的还不到两成，怎能不多加小心。

那人等了半晌，没有听到下文，才缓缓接着道："姑娘莫非就是连夫人？"

沈璧君沉吟着，道："我方才已请教过两位的名姓，两位为何不肯说呢？"

她自觉这句说得已十分机敏得体，却不知这样一问，就已无异承认了自己的身份。

那人笑了笑，道："果然是连夫人，请恕在下失礼。"

这句话未说完，那店伙已看到两个人从他身后走了出来。

这两人一高一矮，一壮一瘦。

高的一人身体雄壮，面如锅底，手里倒提着柄比他身子还长三尺的大铁枪，枪头红缨闪动，看来当真是威风凛凛。

矮的一人瘦小枯干，面色蜡黄，不病时也带着三分病容，用的是一双极少见的兵刃，连沈璧君都叫不出名字。

这两人衣着本极讲究，但此刻衣服已起了皱，而且沾着点点污泥水渍，像是已有好几天未曾脱下来过了。

两人一走出来，就向沈璧君恭身一揖，礼数甚是恭敬。

沈璧君也立刻敛衽还礼，但眼睛却盯在他们身上，道："两位是……"

矮小的一个抢先道："在下雷满堂，是太湖来的。"

他未开口时，任何人都以为方才说话的人一定不是他，谁知他开口竟是声如洪钟，仿佛将别人都当做聋子。

高大的一人接道："在下姓龙名光，草字一闪，夫人多指教。"

这人身材虽然魁伟，面貌虽然粗暴，说起话来反而温文尔雅，完全和他的人是两回事。

那店伙看得眼睛发直，只觉"人不可貌相"这句话说得实在是对极了。

沈璧君展颜道："原来是雷大侠和龙二侠……"

原来这雷满堂和龙一闪情逾骨肉，一向焦不离孟，孟不离焦，江湖人称他俩为"雷电双神"。

"太湖雷神"雷满堂善使一双"雷公凿"，招式精奇，无论水里陆上，都可运转如意，而且天生神力惊人，可说有万夫不当之勇。

龙光号称一闪，自然是轻功绝高。两人雄踞太湖，侠名远播，雷满堂虽然性如烈火，但急公仗义，在江湖中更是一等一的好汉。

沈璧君虽未见过他们，却也久已耳闻，如今听到这两人的名字，心神稍定，面上也不觉露出了笑容。

但这笑容一闪即隐，那彭鹏飞和柳永南不是也有侠义之名，但做的事却连禽兽都还不如。

想到这里，她哪里还笑得出来。

龙一闪躬身道："在下等贱名何足挂齿，'侠'之一字，更是万万担当不起。"

沈璧君勉强笑了笑，道："两位远从太湖而来，却不知有何要务？"

龙一闪叹了口气，道："在下本是专程来给太夫人拜寿的，却不料……竟来迟了一步。"

"来迟了一步"这五个字听到沈璧君耳里，当真宛如半空中打下个霹雳，震散了她的魂魄。

她本来想问问他们，沈太夫人是否也遇难？

可是她又怎敢问出口来。

雷满堂道："我等是两天前来的。"

这句话好像并没有说完，他却已停住了嘴，只因他自己也知道自己说话的声音太大，不必要的话，他一向很少说。

沈璧君强忍住悲痛，问道："两天前……那时这里莫非已经……"

龙一闪黯然点头道："我兄弟来的时候，此间已起火，而且死伤满地，只恨我兄弟来迟一步，纵然用尽全力，也未能将这场火扑灭。"

他垂首望着自己衣服上的水痕污渍，显见得就是在救火时沾染的，而且已有两日不眠不休，所以连衣服都未曾更换。

那"死伤满地"四个字，实在令沈璧君听得又是愤怒，又是心酸，但既然有"伤者"，就必定还有活口。

她心里仍然存着万一的希望，抢先问道："却不知受伤的是哪些人？"

龙一闪道："当时'鲁东四义'恰巧都在府上做客，大侠、三侠已不幸遇难，二侠和四侠也已身负重伤。"

"鲁东四义"也姓沈，本是金针沈家的远亲，每年沈太君的寿辰，这兄弟四人必备重礼准时而来，这一次不知为什么也迟了，竟赶上了这一场大难，武功最强的的大侠沈天松竟遭了毒手。

这兄弟四人，沈璧君非但认得，而且很熟。

她咬了咬嘴唇，再追问道："除了沈二侠和沈四侠外，还龙一闪缓缓摇了摇头,叹道:"除了他两位外,就再也没有别人了。"

他说得虽然好像是"再也没别人负伤",其实意思却很明显地是说"再也没有别人活着"。

沈璧君再也忍不住了,嗄声道:"我那祖……祖……"

话未说完,一跤跌在地上。

龙一闪道:"沈天菊与沈天竹就在那边船上,夫人何妨也到那边船上去歇着,再从长计议。"

湖岩边,果然可以隐约望见一艘船影。

沈璧君眼瞧着远方,缓缓点了点头。

龙一闪道:"夫人自己是否还能行走?"

沈璧君望着自己的腿,长长叹息了一声。

雷满堂忽然道:"在下今年已近六十了,夫人若不嫌冒昧,就由在下携夫人前往如何?"

沈璧君忽然道:"且慢。"

她声音虽弱,但却自有一种威严。

雷满堂不由自主停住了脚,瞪着眼睛,像是觉得很奇怪。

沈璧君咬着嘴唇,慢慢道:"沈二侠和沈四侠真的在那船上?"

雷满堂蜡黄的脸,一下子涨得通红,怒道:"夫人莫非信不过我兄弟?"

沈璧君讷讷道:"我……我只是……"

她自己的脸也有些红了,对别人的不信任,实在是件很无礼的事,若非连遭惨变,她是死也不肯做出这种事来的。

龙一闪淡淡一笑,道:"夫人身遭惨变,小心谨慎些,也本是应该的,何况,夫人从来就不认得我兄弟俩。"

他这几句话说得虽客气，话中却已有刺。

沈璧君红着脸，叹道："我……我绝不是这个意思，只是……不知道沈二侠和沈四侠的伤重不重？是否可以说话？"

雷满堂沉着脸，道："既然还未死，怎会不能开口说话？"

龙一闪叹道："沈四侠两天来一直未曾合过眼，也一直未曾闭过眼，他嘴里一直翻来覆去地念着一个人的名字？"

沈璧君忍不住问道："谁的名字？"

龙一闪道："自然是那凶手的名字。"

沈璧君全身都颤抖起来，一字字问道："凶……手……是……谁？"

凶手是谁？

这四个字说得虽然那么、那么慢，但语声中却充满了怨毒之意，那店伙听得不由自主地打了个寒噤。

雷满堂冷冷道："夫人既不信任我兄弟，在下纵然说出那凶手是谁，夫人也未必相信，不如还是自己去看看的好。"

龙一闪笑了笑，接着道："此间四下无人，夫人到了船上，也许还可以放心些。"

他的人看来虽粗鲁，说话却极厉害。

这句话的意思正是在说："这里四下无人，我们若对你有什么恶意，在这里也是一样，根本不必等到那船上去。"

沈璧君就算再不懂事，这句话她总是懂的，莫说她现在已对这二人没有怀疑之心，就算有，也无法再拒绝这番好心。

她叹了口气，望着自己的脚，讷讷道："可是……可是我又怎敢劳动两位呢？"

雷满堂"哼"了一声，将"雷公凿"往腰上一插，忽然转身走到那马车前，只见他双手轻轻一扳，已将整个车厢都拆开了。

拉车的马惊嘶一声，就向前奔出。

雷满堂一只手抓起一块木板，一只手挽住了车轮，那匹马空自乱踢挣扎，却再也奔不出半步。

那店伙瞧得吐出了舌头，哪里还能缩得回去，他做梦也想不到这矮小枯瘦、其貌不扬的小个子，竟有那么惊人的神力！

沈璧君也瞧得暗暗吃惊，只见雷满堂已提着那块木板走过来，往她面前一放，板着脸道："夫人就以这木板为轿，让我兄弟抬去如何？"

这人如此神力，此刻只怕用一根手指就可以将沈璧君打倒，但他却还是忍住了气，为沈璧君设想得如此周到。

沈璧君此刻非但再无丝毫怀疑之意，反而觉得方才实在对他们太无礼，心里真是说不出的不好意思。

她觉得这世上好人毕竟还是很多的。

船并不大，本是游湖用的。

船舱中的布置自然也很干净，左右两边，都有张很舒服的软榻，此刻软榻上各躺着一个人。

左面的一个脸色灰白，正闭着眼不住呻吟，身上盖着床丝被，沈璧君也看不出他伤在哪里。

但这人正是"鲁东四义"中的二义沈天竹，却是再无疑问的。

右面的一人，脸上更无血色，一双眼睛空空洞洞地瞪着舱顶，嘴里翻来覆去地说着七个字："萧十一郎，你好狠……萧十一郎，你好狠……"

语声中充满了怨毒，也充满了惊惧之意。

沈璧君坐在那里，一遍遍地听着，她温柔而美丽的容颜，竟忽然变得说不出的可怕。

她咬着牙，一字字缓缓道："萧十一郎，我绝不会放过你，我绝不会放过你……"

这声音与沈天菊的呓语，互相呼应，听来更是令人毛骨悚然。

雷满堂恨恨道："萧十一郎竟敢做出这种伤天害理的事，正是人人得而诛之，莫说夫人不会放过，咱们也绝不容他逍遥法外!"

他说话的声音响亮，但沈璧君却似连一个字都未听到。

她目光茫然直视着远方，嘴里不住在反反复复地说着那句话："萧十一郎，我绝不会放过你的!"

龙一闪忽然间向雷满堂打了个眼色，身形一闪，人已到了船舱外，此人身材虽高大，但轻功之高，的确不愧"一闪"两字。

过了半晌，就听到湖岩上传来一声惨呼。

惨呼声竟似那店伙发出来的，呼声尖锐而短促，显然他刚呼出来，就已被扼住了咽喉。

雷满堂皱了皱眉，缓缓站了起来，推开船舱。

但见人影一闪，龙一闪已掠上船头。

雷满堂轻叱道："跟你来的是什么人?"

龙一闪道："哪有什么人? 你莫非眼花了吗?"

他嘴里这么说，但还是忍不住回头瞧了一眼。

他一回头，就瞧见了一双发亮的眼睛!

这双眼睛就在他身后，距离他还不及三尺，正冷冷盯着他。

龙一闪轻功极高，已是江湖一等一的身手，但这人跟他身后，他竟连一点影子都不知道。

雷满堂面上也变了颜色，一甩腰，已将一双击打人穴位的精钢雷公凿抄在手里，大声喝道："你是谁？干什么来的？"

这一声大喝更是声如霹雳，震得桌上的茶盅里的茶水都泼了出来。

沈璧君也不禁被这喝声所动，缓缓转过了目光。

只见龙一闪一步步退入了船舱，面上充满了惊骇之意，右手虽已抄住了腰带上软剑的剑柄，却始终未敢拔出来。

一个人就像是影子般贴住了他，他退了一步，这人跟着进一步，一双利刃般锐利的眼睛，始终冷冷地盯着他的脸。

只见这人年纪并不大，却已有了胡子，腰带上斜插着一柄短刀，手里还捧着一个人的尸体。

雷满堂怒道："老二，你还不出手！"

龙一闪牙齿打战，一柄剑竟还是不敢拔出来。

这人手里捧着死人，还能像影子般紧跟在他身后，令他全不察觉，轻功之高，实在已到了骇人听闻的地步。

别人身在局外，也还罢了，只有龙一闪自己才能体会到这人轻功的可怕，此刻掌心早已被汗湿透，哪里还能拔出剑来。

雷满堂跺了跺脚，欺身而上。

突听沈璧君大声道："且慢，这人是我的朋友……"

她本想不到，跟着龙一闪进来的，竟是那个眼睛大大的人，此刻骤然见到他，当真好像见到了亲人一样。

雷满堂怔了怔，身形终于还是停住。

龙一闪又后退了几步，"噗"地坐到椅上。

萧十一郎再也不瞧他一眼，缓缓走过来，将手里捧着的尸体放下，一双眼睛竟似再也舍不得离开沈璧君的脸。

沈璧君又惊又喜，忍不住站了起来，道："你……你怎么会来的？"

她身子刚站起，又要跌倒。

萧十一郎扶住了她，凄然一笑，道："我也不知道我怎会来的。"

这句话说得虽冷冷淡淡，但其中的真意，沈璧君自然知道。

"我虽然冤枉了他，虽然骂了他，但他对我还是放心不下……

沈璧君不敢再想下去。

虽然不敢再想下去，心里还是忍不住泛起一阵温馨之意，方才已变得可怕的一张脸，此刻又变得温柔起来。

在柔和的灯光映照下，她脸上带着薄薄的一层红晕，看起来更是说不出的动人，说不出的美丽。

雷满堂和龙一闪面面相觑，似已都看得呆了。

这小子究竟是什么人？

连夫人素来贞淑端庄，怎会对他如此亲密？

沈璧君终于慢慢地垂下了头，过了半晌，她忽然又发出一声惊呼，道："是他？……是谁杀了他？"

她这才发现萧十一郎捧进来的尸体，竟是陪她来的店伙。

这人只不过是善良而平凡的小人物，绝不会牵涉到江湖仇杀中，是谁杀了他？为什么要杀他？

萧十一郎没有说话，只是缓缓转过了目光。

沈璧君随着他的目光瞧了过去，就见到了龙一闪苍白的脸。

沈璧君失声道："你杀了他？为什么？"

龙一闪干咳了两声，道："这位兄台既是夫人的朋友，在下也不便说什么了！只不过杀他的人，绝不是我。"

他武功虽不见高明，说话却真厉害得很。

沈璧君果然不由自主瞧了萧十一郎一眼，道："究竟是谁杀了他？"

雷满堂厉声道："我二弟既然说没有杀他，就是没有杀他，'雷电双神'虽不是什么了不得的人物，却从来不说假话。"

龙一闪淡淡道："我兄弟是否说谎的人，江湖中人人都知道，大哥又何必再说。"

雷满堂道："我二弟既未杀他，杀他的人是谁，夫人还不明白么？"

沈璧君眼睛盯着萧十一郎，道："难道是你杀了他？为什么？"

萧十一郎脸色苍白，缓缓道："你认为我会杀他？你认为我会说谎？"

沈璧君道："你……我……我不知道。"

萧十一郎苍白的脸上忽然露出一丝凄凉的微笑，道："你当然不知道，你根本不认得我，为何要信任我，我只不过是个……"

突听一人嘶声叫道："我认得你……我认得你……"

沈天菊忽然挣扎着坐起来，眼睛里充满惊怖欲绝之色，就仿佛忽然见到了个吃人的厉鬼一样。

雷满堂动容道："你认得他？他是谁？"

沈天菊颤抖着伸出手，指着萧十一郎道："他就是凶手！他就是萧十一郎！"

原来这眼睛大大的青年就是萧十一郎，就是杀人的凶手！沈璧君仿佛忽然被人抽了一鞭子，瞪着眼，道："你……你真的是萧十一郎？"

萧十一郎长长叹了口气，道："不错，我就是萧十一郎！"

沈璧君连指尖都已冰冷，颤声道："你……你……你就是杀人的凶手？"

萧十一郎沉默了很久，缓缓道："我当然也杀过人，可是我并没有……"

他话未说完，沈天菊就叫了起来，嘶声道："我身上这一刀就是被他砍的，沈太夫人也死在他手上，他身上这把刀，就是杀人的凶器!"

沈璧君突然狂吼一声，拔出萧十一郎腰带上的刀，一刀刺了过去!

一刀刺向萧十一郎的胸膛。

萧十一郎也不知是不能闪避，还是不愿闪避，竟是动也不动地站在那里，眼看着刀锋刺入。

刀锋冰冷。

他几乎能感觉到冰冷的刀锋刺入他的皮肉，擦过他的肋骨。

这一刀就像是刺进了他的心!

他还是动也不动地站在那里，整个人似已全都麻木。

沈璧君也呆住了。

她也想不到自己这一刀，竟真的能刺伤萧十一郎。

她看过萧十一郎的武功，她知道只要他手指一弹，这一柄刀就得脱手飞出，她知道自己纵然不受伤，也休想伤得了他一根毫发!

但他为什么不招架？为什么不闪避？

萧十一郎还是静静地站着，静静地望着她。

他目中并没有愤怒之意，却充满了悲伤，充满了痛苦。

沈璧君从未想到一个人竟会有如此悲痛的目光。

她一刀伤了"大盗"萧十一郎，心里本该快慰才是，但不知为了什么，她心里竟也充满了痛苦。

她竟不知道自己是否杀错了人！

刀，还留在萧十一郎胸膛上。

沈天菊狂笑着道："好，萧十一郎想不到你也有今天，……快，快，再给他一刀，我要看着他死在你的手上。"

沈璧君的手在发抖。

沈天菊狂呼道："他就是杀死太夫人的凶手，你还等什么？"

沈璧君咬了咬牙，拔出了刀。

鲜血，箭一般射在她身上。

萧十一郎全身的肌肉似已全都抽搐，但他还是动也不动。

他目光中不仅充满了悲痛，也充满了绝望。

他难道情愿死在她手上？

沈璧君的手在发抖，泪已流下，这第二刀竟是无论如何再也刺不出去。

雷满堂大喝一声，道："夫人不愿出手，我来杀他也是一样！"

喝声中，他已冲了过来，雷公凿直打萧十一郎胸肋。

这一招之威，果然有雷霆之势！

萧十一郎还是凝注着沈璧君，根本连瞧都未瞧他一眼，反手一掌向他脸上掴了过去。

这一掌看不出有何奇妙之处，但不知怎的，雷满堂竟偏偏闪避不开，他的雷公凿明明是先击出的，但还未沾着对方衣袂，自己脸上已着了一掌！

只听"啪"的一声，接着"砰"的一响。

雷满堂竟被打得飞了起来，"砰"的撞破窗户飞出，又过了半晌，才听到"扑通"一声，显见已落入水中。

龙一闪脸色发青，竟吓呆了。

沈天菊张开了嘴，却再也喊不出来。

萧十一郎的厉害，固然是人人都知道的，但谁也想不到他随随便便一巴掌，就能将名满武林的"太湖雷神"打飞出去。

沈璧君的心更乱。

"他现在身受重伤，一掌之威犹令人招架都无法招架，方才他好好的时候，为什么不躲开我那一刀呢？"

"他若真是凶手，为什么不杀了我？"

想到这里，沈璧君全身都渗出了冷汗。

一直躺在床上昏迷不醒的沈天竹，此刻忽然如鱼一般从床上溜了下来，行动之轻捷，哪里像受过一点伤的样子。

只见他目中凶光闪动，恨恨地瞪着萧十一郎。

沈璧君一眼瞧见了他，骇极大呼道："小心……"

她已发觉这件事不对了，却还是迟了一步。

"小心"这两字刚刚出口，沈天菊已自被中抽出了一把软剑，身子凌空跃出，一剑向萧十一郎头顶劈下。

龙一闪左手抄起了倚在角落里的长枪，右手拔出了腰上的软剑，枪中夹剑，正是龙一闪独门传授的成名绝技。

他手里两种兵器一长一短，一刚一柔，本来简直无法配合，只见他左手枪尖一抖，红缨闪动，直到萧十一郎肋下，右手软剑直舞，护住了自己胸腹，原来他两种兵刃一攻一守，能立于不败之地。

一个人用的兵器，往往和他的性格有关，龙一闪人虽高大魁伟，胆子却最小，又最怕死。

他所以苦练轻功，为的就是要跑得快些，用的兵器招式也以保护自己为先，左手长枪一丈四尺，一枪刺出，他的人还在一丈开外，就先以右手将自己防护得风雨不透，连一点险都不冒。

那边沈天竹滑到地上，就势一滚，扬手发出了七八点寒星，带着尖锐的风声直打萧十一郎的后背。

萧十一郎前胸血流如注，沈璧君手里的刀尖距离他不到半尺，左面有龙一闪的长枪，右面有沈天菊的软剑，后面又有沈天竹的暗器。

一眨眼间，他前后左右的退路都已被封死，但他还是动也不动地站在那里，痴痴地望着沈璧君。

沈璧君忽然反手一刀，向沈天菊的剑上迎了过去。

她自己也不知道为何要替"大盗"萧十一郎挡这一剑。

但她身子毕竟太虚弱，一刀挥出，人已跌倒。

就在这刹那间，萧十一郎绝望的眼睛忽然露出一线光亮——

沈璧君的人刚跌在地上，就听到"格喳"一声，"噗"的一响，三声凄厉的惨呼，沈天竹、沈天菊、龙一闪三个都已非死即伤!

原来就在这刹那间，萧十一郎右手突然闪电般伸出，抓住了沈天菊的手腕，"格喳"一声，他手腕已被生生折断。

龙一闪长枪眼见已刺入萧十一郎肋下，枪尖突然被抓住，只觉一股不可抗拒的力量涌来，身子不由自主向前冲出。

萧十一郎反手一带长枪，已将龙一闪带到背后，竟将龙一闪当做了活盾牌，沈天竹发出的七点寒星，全都打在他背上。

沈天竹大骇之下，无暇再变招，只听"噗"的一声，萧十一郎一招手，就已将龙一闪的长枪刺入他的下腹。

三声惨叫过后，龙一闪和沈天竹都已没命了，只有沈天菊左手捧着右腕，倒在地上呻吟。

萧十一郎甚至连脚步都未移动过。

但他毕竟也是个人，沈璧君那一刀虽无力，虽未刺中他的要害，但刀锋入肉，已达半尺。

没有人的血肉之躯能挨这么一刀。

方才他凭着胸中一口冤气，还能支撑不倒，此刻眼见对头都已倒下，他哪里还能支持得住。

他似乎想伸手去扶沈璧君，但自己已先倒在桌上。

就在这时，只听一人大笑道："好功夫，果然好功夫，若能再接我一凿，我也服了你!?

这竟似雷满堂的声音。

笑声中，只听"呼"的一声，雷满堂果然又从窗外飞了起来，全身湿淋淋的，手里两只雷公凿没头没脑地向萧十一郎击下!

沈璧君惊呼一声，将掌中的刀向萧十一郎抛了过去。

萧十一郎接过了刀，用尽全身力气，反手一刀刺出。

雷满堂竟似在情急拼命，居然不避不闪，"嗤"的一声，那柄刀已刺入他的前胸，直没至柄。

谁知他竟连一点反应都没有，甚至连惨呼未发出，还是张牙舞爪地扑向萧十一郎。

这人难道杀不死的么?

萧十一郎大骇之下，肩头一个大穴已被雷公凿扫过，他只觉身子一麻，人已自桌上滑到地下。

就算他是铁打的金刚，也站不起来了。

只见雷满堂站在他面前，竟然格格笑道："你要我的命，我也要你的命，我去见阎王，好歹也得要你陪着。"

他飘飘荡荡地站在那里，似乎连脚尖都不沾地，全身湿透，一柄刀插在他心口，一张脸都已扭曲。

船舱中的灯已打翻了三盏，只剩下角落里的一盏孤灯，灯光闪烁，照着他狰狞扭曲的脸。

这哪里是个人，正像是个阴魂不散的厉鬼。

萧十一郎纵然还能沉得住气，沈璧君却简直已快疯了。

雷满堂阴森森道："萧十一郎你为何还不死，我正在等着你……你快死啊!"

人的脸已僵硬，眼珠子如死鱼般地凸出，嘴唇也未动，语声也不知从哪里发出的。

萧十一郎忽然笑了笑，道："你用不着等我，我死不了的。"

雷满堂忽然银铃般尖笑了起来。

笑声清脆而娇媚。

厉鬼般的雷满堂，竟忽然发出了这样的笑声，更令人毛骨悚然。

萧十一郎却只是长长叹了口气，苦笑道："又是你，果然又是你!"

这句话未说完，雷满堂忽然扑地倒下。

他身子一倒下，沈璧君才发现他身后还有个人。

银铃般的娇笑，正是这人发出来的。

只见她锦衣金冠，一张又白又嫩的脸，似乎能吹弹得破，脸上带着说不出有多么动人的甜笑，她不是小公子是谁!

见到了这个人，沈璧君真比看到鬼还害怕。

原来雷满堂早已奄奄一息，被小公子拎着飞了进来，正像是个被人提着绳子操纵的傀儡。

只听小公子银铃般娇笑道："不错，又是我，我阴魂不散，缠定你了。"

她笑盈盈走过来，轻轻摸了摸沈璧君的脸，娇笑着道："我一天不见你，就想得要命，叫我不见你，那怎么行？叫我躲开你，除非杀了我……唉！杀了我也行，我死了也缠定了你这个人。"

她声音又清脆又娇媚，说起话来简直比唱的还好听。

沈璧君失声道："你……难道你也是个女人？"

小公子笑道："你现在才知道么？我若是男人，又怎舍得对你那么狠心？只有女人才会对女人狠得下心来，这道理你都不明白？"

沈璧君怔住了。

小公子叹了口气，摇着头道："这沈姑娘虽长得不错，其实半点也不解风情，有哪点能比得上我，萧郎呀萧郎，你为什么偏偏要喜欢她，不喜欢我呢？"

萧十一郎笑了笑，道："我……"

他一个字还未说出，只觉胸肋间一阵剧痛，满头冷汗涔涔而落，第二个字竟再也无法说出口来。

小公子道："哎呀！原来你受了伤，是谁刺伤了你？是谁这么狠心？"

沈璧君心里也不知从哪里来的一股怒气，忍不住大声道："是我刺伤了他，你杀了我吧！"

小公子眨着眼道："是你，不会吧？他对你这么好，你却要杀他……我看你并不像没有良心的女人呀！"

沈璧君咬着牙道："若是再有机会，我还是要杀他的。"

小公子道："为什么？"

沈璧君眼睛已红了，颤声道："我和他仇深似海，我……"

小公子道："他和你有仇？谁说的？"

沈璧君道："'鲁东四义'，'雷电双神'，他们都是人证。"

小公子叹了口气，道："他救了你好几次命，你却不信任他，反而要去相信那些人的话。"

沈璧君道："可是……可是他自己也亲口告诉过我，他就是萧十一郎。"

小公子叹道："不错，他就是萧十一郎，但放火烧了你家屋子，杀了你祖母的人，却不是萧十一郎呀！"

沈璧君又怔住了，颤声道："不是他是谁?"

小公子笑了笑，道："当然是我，除了我还有谁做得出那些事?"

浓璧君全身都颤抖了起来。

小公子道："'鲁东四义'、'雷电双神'，都是被我收买了故意来骗你的，我以为他们一定骗不过你，因为萧十一郎对你那么好，你怎会相信他们这些混账王八蛋的话，谁知你看起来还不太笨，其实却偏偏是个不知好歹的呆子!"

这些话每个字都像是一根针，一针针刺入了沈璧君的心。

她本来虽已觉得这些事有些不对了，却还是不肯承认自己杀错了人，她实在没有这种勇气。

但现在，这话亲口从小公子嘴里说出来，那是绝不会假了，她就算不敢承认，也不能不承认。

原谅我又冤枉了他……原谅我又冤枉了他……我明明已发誓要相信他的，到头来为什么又冤枉他?

想到萧十一郎眼中方才流露出的那种痛苦与绝望之色，想到他对她的种种恩情、种种好处……

沈璧君只恨不得半空中忽然打下个霹雳，将她打得粉碎。

小公子道："你现在又想死了，是不是? 但你就算死了，又怎能补偿他对你的好处？若不是他，你早已不知死过多少次了。"

沈璧君早已忍不住泪流满面，嘎声道："你既然要杀我，现在为什么不动手？"

小公子道："我本来的确是想杀你的，现在却改变了主意。"

沈璧君道："为……为什么？"

小公子道："因为我还要你多看看他，多想想你自己做的事……"

萧十一郎忽然道："但我却不想看她了，这种不知好歹的人，我看着就生气，你若真的喜欢我，就赶快将她赶走，赶得越远越好。"

他勉强说完了这几句话，已疼得汗如雨下。

沈璧君听了更是心如刀割。

她当然很明白萧十一郎的意思是想叫小公子赶快放自己离开："我虽然这么样对他，他还是要想尽办法来救我，我虽然害了他，冤枉了他，甚至几乎将他给杀死，他却一点也不怨我。"

她实在想不到"大盗"萧十一郎竟是这么样的一个人。

小公子当然也不会不明白萧十一郎的意思，柔声道："为了你，我本来也想放她走的，只可惜我没有这么大的胆子。"

萧十一郎道："为什么？"

小公子道："你知道，她是我师父想要的人，我就算不愿将她活生生地带回去，至少也得将她的尸体带回去才能交差。"

萧十一郎道："你难道还想回去？"

小公子道："我本来也想跟你一齐逃走，逃得远远的，找个地方躲起来，恩恩爱爱过一辈子，可是……"

　　她叹了口气，接着道："我实在不敢不回去，你不知道我那师父有多厉害，我就算躲到天涯海角，他也一定会找到我的。"

　　萧十一郎勉强支持着，道："你师父是谁？他真的有这么大的本事？"

　　小公子叹道："他本事之大，说出来你也不会相信。"

　　萧十一郎笑道："我的本事也不小呀！"

　　小公子道："以你的武功，也许能挡得住他三十招，但在他四十招之内，一定可以要你的命！"

　　萧十一郎苦笑道："你未免也将我看得太不中用了吧！"

　　小公子道："普天之下，没有哪一个能挡住他二十招的，你若真能在二十招内不落败，已经算很不错的了。"

　　萧十一郎道："我不信。"

　　小公子笑嘻嘻地道："不管你信不信，我也不会告诉你他的名字，你越想知道，我就越不告诉你……我越不告诉你，你就越想知道，就只好每天缠着我打听，你越缠得我紧，我便越高兴。"

　　萧十一郎沉默了半晌，闭上了眼睛，不说话了。

　　他每说一句话，胸肋间的创口就疼得似将裂开，但他却一直勉强忍耐道，为的就是想打听出她的师父的名字。这小公子机智百出，毒如蛇蝎，赵无极、"飞鹰王"、"鲁东四义"、"雷电双神"，这些人无一不是武林中一等一的高手，但对她却是惟命是从，服服帖帖，算得是萧十一郎平生所见过最厉害的人物了。

　　徒弟如此，师父更可想而知。

　　萧十一郎表面虽很平静，心里确是说不出有多么着急。

　　在他眼中，世上本没有"难"字，但现在，他却实在想不出有任何法子能将沈璧君救出去。

第一五章　萧十一郎的家

将近黄昏。

西方只淡淡地染着一抹红霞，阳光还是黄金色的。

金黄色的阳光，照在山谷里的菊花上。

千千万万朵菊花，有黄的，有白的，有浅色的，甚至还有墨菊，在这秋日的夕阳下，世上还有什么花能开得比菊花更艳丽？

秋天本来就是属于菊花的。

沈璧君一生中从来也没有瞧见过这么多菊花，这么美丽的菊花，到了这里，她才知道以前见过的菊花，简直就不能算是菊花。

四面的山峰挡住了北方的寒气，虽然已近深秋，但山谷中的风吹在人身上，仍然是那样温柔。

天地间充满了醉人的香气。

绿草如茵的山坡上，铺着条出自波斯名手的毯子，毯子上摆满了各式各样的鲜果，还有一大盘已蒸得比胭脂还红的螃蟹。

沈璧君身上穿着比风还柔软的丝袍，倚在三四个织锦垫子上，面对着漫天夕阳，无边秋景，嘴里啜着杯已被泉水冻得凉沁心肺的甜酒，全身都被风吹得懒洋洋的，但是她的心，却乱得可怕。

她越来越不懂得小公子这个人了。

这些日子，小公子给她吃的是山珍海味，给她喝的是葡萄美酒，给她穿的是最华丽、最舒服的衣裳，用最平稳的车、最快的马，载她到景色最美丽的地方，让她享尽人世间最奢侈的生活。

但是她的心里，却只有恐惧，她简直无法猜透这人对她是何居心，她越来越觉得这人可怕。

尤其令她担心的，是萧十一郎。

她每次见到他的时候，他看来仿佛很快乐，但她却看得出他那双发亮的眼睛已渐渐黯淡，那种野兽般的活力也在慢慢消失。

他究竟在受着怎么样的折磨？

他的伤势是否已痊愈？沈璧君有时也在埋怨自己，为什么现在想到萧十一郎的时候越来越多，想到连城璧的时候反而少了？

她只有替自己解释！

"这只不过是因为我对他有内疚，我害了他，他对我的好处，我这一生中只怕永远也无法报答。"

萧十一郎终于出现了。

他从山坡上的菊花丛中，慢慢地走了出来，漆黑的头发披散着，只束着根布带，身上披着件宽大的、猩红色的长袍，当胸绣着条栩栩如生的墨龙，衣袂被风吹动，这条龙就仿佛在张牙舞爪，要破云飞出。

他两颊虽已消瘦，胡子也更长，但远远望去，仍是那么魁

萧十一郎

许明康　许黎黎／绘

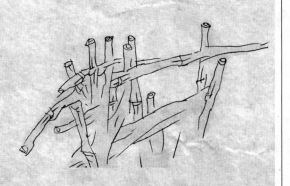

萧十一郎终于出现了。

小公子倚在他身旁，扶着他，显得更娇小，更美丽。

伟，那么高贵，就像是位上古时君临天下的帝王。

小公子倚在他身旁，扶着他，显得更娇小，更美丽。

有时甚至连沈璧君都会觉得，她的女性娇柔，和萧十一郎的男性粗犷，真是天生的一对。

"可惜她只不过是看来像个女人而已，其实却是条毒蛇，是条野狼，无论谁遇见她，都要被她连皮带骨一齐吞下去！"

沈璧君咬着牙，心里充满了怨恨。

但等她看到萧十一郎正在对她微笑时，她的怨恨竟忽然消失了，这是为了什么？她自己也不知道。

小公子也笑了，娇笑着道："你瞧你，我叫你快点换衣服，你偏不肯，偏要缠着我，害得人家在这里等我们，多不好意思。"

这些话就像是一根根针，在刺着沈璧君。

萧十一郎真的在缠她？

他难道真的已被她迷住了，已拜倒在她裙下？

"但这也许只不过是她在故意气我的，我为什么要上她的当？何况，他又不是我的什么人，我根本就没有理由生气的。"

沈璧君垂下头，尽力使自己看来平静些。

他们已在她对面坐下。

小公子又在娇笑着道："你看这里的菊花美不美？有人说，花是属于女人的，因为花有女人的妩媚，但菊花却不同。"

她用一把银锤，敲开了一只蟹壳，用银勺挑出了蟹肉，温柔地送入萧十一郎嘴里，才接着道："只有菊花是男性化的，它的清高如同诗人隐士，它不在春天和百花争艳，表示它的不同流俗，它不畏秋风，正象征着它的倔强……"

她又倒了杯酒，喂萧十一郎喝了，柔声道："我带你到这里来，就因为知道你一定喜欢菊花的，因为你的脾气也正如同

萧十一郎

菊花一样。"

萧十一郎淡淡道："我惟一喜欢菊花的地方，就是将它一瓣瓣剥下来，和生鱼片、生鸡片一齐放在水里煮，然后再配着'竹叶青'吃下去。"

他笑了笑，接着道："别人赏花用眼睛，我却宁可用嘴。"

小公子笑道："这人真煞风景。"

她吃吃地笑着，倒在萧十一郎怀里，又道："但我喜欢你的地方，也就在这里，你无论做什么都和别人完全不同的，世上也许会有第二个李白，第二个项羽，但不会有第二个萧十一郎。像你这样的男人，若还有女孩子不喜欢你，那女孩子就一定是个白痴。"

她忽然转过脸，笑眯眯地瞧着沈璧君，道："连夫人，你说我的话对不对？"

沈璧君冷冷道："我已经不是女孩子了，对男人也没有研究，我不知道。"

小公子非但一点也不生气，反而笑得更甜了，道："一个女人若是不懂得男人，男人又怎么会喜欢她呢？我本来正在奇怪，连公子有这么样一个美丽的夫人，怎会舍得一个人走呢？现在我才明白，原来是因为……"

她这话虽然没有说完，但意思却已很明白。

沈璧君虽然不想生气，却也不禁气得脸色苍白。

小公子又倒了杯酒，笑道："这酒倒不错，是西凉国来的葡萄酒，连夫人何不尝尝？连夫人总不至于酒都不喝吧？否则这辈子岂非完全白活了！"

沈璧君闭着嘴，闭得很紧。

她生怕自己一开口就会说出难听的话来。

小公子道："连夫人莫非生气了？我想不会吧？"

她眼波流动瞟着萧十一郎，接着道："我若坐在连公子身上，连夫人生气还有些道理，但是他……连夫人总不会为他生我的气，吃我的醋吧？"

沈璧君气得指尖都已冰冷，忍不住抬起头——

她本来连瞧都不敢瞧萧十一郎一眼的，但这一抬起头，目光就不由自主瞟到萧十一郎的脸上。

她这才发现萧十一郎不但脸色苍白得可怕，目中也充满了痛苦之色，甚至连眼角的肌肉都在不停地抽搐着。

他显然正在忍受着极大的痛苦。

萧十一郎本不是个会将痛苦轻易流露出来的人。

沈璧君立刻就忘了小公子的尖刻的讥讽，颤声问道："你的伤，是不是……"

萧十一郎笑了，大声道："什么？那点伤我早已忘了。"

沈璧君迟疑着，突然冲了过去。

她的脚还是疼得很——有时虽然麻木得全无知觉，有时却又往往会在睡梦中将她疼醒。

她全身的力气，都似已从这脚上的伤中流了出去，每次她想自己站起来，都会立刻跌倒。

但现在，她什么都忘了。

她冲过去，一把拉开了萧十一郎的衣襟。

她立刻忍不住惊呼出声来。

很少有人会听到如此惊惧、如此凄厉、如此悲哀的呼声——

萧十一郎的胸膛，几乎完全溃烂，伤口四周的肉，已烂成了死黑色，还散发着一阵阵恶臭，令人作呕。

现在沈璧君才知道他身上为什么总是穿着宽大袍子，为什么总是带着很浓烈的香气。

原来他就是为了要掩盖这伤势，这臭气。

就算心肠再硬的人，看到他的伤势，也绝不忍再看第二眼的。

沈璧君的心都碎了。

沈璧君虽然不懂得医道，却也知道这情况多么严重，这种痛苦只要是血肉之躯就无法忍受。

但萧十一郎每次见到她的时候，却还是谈笑自若。

他难道真是铁打的人么？

又有谁能想像他笑的时候是在忍受着多么可怕的痛苦？

他这样做是为了谁？为了什么？

小公子摇着头道："好好的怎么哭了？这么大的人，都快生孩子了，动不动就哭，也不怕人家瞧见笑话么？"

沈璧君用力咬着嘴唇，嘴唇已咬得出血，瞪着小公子颤声道："你……你好狠的心呀！"

小公子又笑了，道："我好狠的心？你难道忘了是谁伤了他的吗？是你狠心？还是我狠心？"

沈璧君全身都颤抖起来，道："你眼看他的伤口在溃烂，为什么不为他医治？……"

小公子叹道："他处处为你着想，为了救你，连自己的性命都不要了，但他对我呢？一瞧见我，就恨不得要我的命。"

她叹了口气，道："他对我只要对你一半那么好，我就算自己挨一千刀、一万刀，也舍不得伤他一根毫发，可是现在，杀他的人却是你，你还有脸要我为他医治？我真不懂这句话你是怎么好意思说出口的？"

沈璧君嘶声道："你不肯救他也罢，为什么还要他喝酒？要他吃这些海味鱼虾？"

小公子道："那又有什么不好？我就是因为对他好，知道他喜欢喝酒，就去找最好的酒来，知道他好吃，就为他准备最新鲜的海味，就算是世上最体贴的妻子，对她的丈夫也不过如此了，是不是？"

沈璧君道："但你明明知道酒和鱼虾都是发的，受伤的最沾不得这些东西，否则伤口一定会溃烂，你明明是在害他！"

小公子淡淡道："我只知道我并没有伤他，只知道给他吃最好的东西，喝最好的酒，别的事，我什么都不知道。"

沈璧君牙齿打战，连话都说不出了。

萧十一郎一直在凝注着她，那双久已失却神采的眼睛，也不知为了什么突然又明亮了起来。

直到这时，他才笑了，柔声道："一个人活着，只要活得开心，少活几天又有何妨？长命的人难道就比短命的快活？有的人活得越久越痛苦，这种人岂非生不如死？只要能快快乐乐地活一天，岂非也比在痛苦中活一千年有意义得多。"

小公子拍手笑道："不错，这才是男子汉大丈夫的气概！萧十一郎果然不愧为萧十一郎！若为了一点伤口，就连一点酒都不敢喝了，那他就不是萧十一郎了！"

她轻抚着萧十一郎的脸，柔声道："只要你活着一天，我就会好好地待你，尽力想法子令你快乐，无论你要什么，无论你想到哪里去，我都答应你。"

萧十一郎微笑着，道："你真对我这么好？"

小公子道："当然是真的，只要瞧见你快乐，我也就开心了。"

她遥望着西方的晚霞，柔声接着道："我只希望你能多活些日子，能多活几天也好……"

晚霞绚丽。

但这也只不过是说：黑暗已经不远了。

沈璧君望着夕阳下的无边美景，又不禁泪落如雨。

萧十一郎神思也似飞到了远方，缓缓道："我既不是诗人，也不是名士，只不过是个在荒野中长大的野孩子，在我眼中看来，世上最美丽的地方，就是那无边无际的旷野，寸草不生的荒山，就连那漫山遍野的沼气毒瘴，也比世上的所有的花朵都可爱得多。"

小公子失笑道："你真是个与众不同的人，连想法也和别人完全不同。"

萧十一郎笑道："就因为我是个怪人，所以你才会喜欢我，是么？"

小公子伏在他膝上，柔声道："一点也不错，所以我无论什么事都依你。你若真想到那种地方去，我们现在就走。"

萧十一郎长长吐出口气，道："只要我能再回到那里，就算立刻死了，也没什么关系。"

小公子道："好，我答应你，我一定让你活着回到那里，然后……"

萧十一郎打断了她的话，悠悠道："然后再死在那里，是么？"

穷山，恶谷。
山谷间弥漫着杀人的瘴气。
谎言必定动听，毒如蛇蝎的女人必是人间绝色，致命的毒药往往甜如蜜，杀人的桃花瘴，也正是奇幻绚丽、令人目眩神迷。

但忠言必逆耳，良药也是苦口的。

这是什么道理？

难道这就是"造化弄人"？还是上天有意在试探人类的良知？

沈璧君想不通这道理。

若说天道是最公平的，为什么往往令好人都坎坷终生，受尽折磨，坏人却往往能享尽荣华富贵？

若说，"善恶到头终有报"，为什么小公子这种人却能逍遥自在活下去，萧十一郎反得死！

后面是寸草不生的峭壁，前面是深不可测的绝壑。

萧十一郎嘴里又在低低哼着那首歌，在这种时候，这种地方听来，曲调显得更凄凉、更悲壮、也更寂寞。

但他的神色却是平静的，就仿佛流浪天涯的游子，终于又回到了家乡。

小公子一直在凝视着他，忍不住问道："你真是在这地方长大的么？"

萧十一郎道："嗯！"

小公子叹了口气，道："一个人要在这种地方活下去，可真不容易。"

萧十一郎嘴里忽然露出一丝凄凉的微笑，悠悠道："活着本就比死困难得多。"

小公子眼波流动，道："但千古艰难惟一死，死，有时也不如你想像中那么容易。"

萧十一郎道："只有那些不想死的人，才会觉得死很苦。"

小公子眨着眼，笑道："你难道真想死？我倒不信。"

萧十一郎淡淡道："老实说，我根本没有仔细去想过，根本就不知道自己是想死，还是想活。"

小公子缓缓道："但死既然是那么方便的事，你若真想

死，又怎会活到现在?"

萧十一郎不说话了。

小公子笑了笑，道："你还想再往上面走么?看来这里已经像是路的尽头，再也走不上去了。"

萧十一郎沉默了很久，喃喃道："不错，这里明明已到了尽头，我为什么还要想往上走?……真的，我为什么还要想往上走……"

他忽然向小公子笑了笑，道："我想一个人在这里站一会儿，想想小时候的事。"

小公子道："你站不站得很稳?"

萧十郎道："你为何不让我试试?"

小公子眼珠子转了转，终于放开了扶着他的手，笑道："小心些呀!莫要掉下去了，连尸首都找不着，活着的萧十一郎我虽然见过了，但死了的萧十一郎是什么样子，我也想瞧瞧的。"

萧十一郎笑道："死人虽比活人听话，但却一定没有活人好看，你若瞧见，只怕会变得讨厌我了，我何必让你讨厌呢?"

他又回过头向沈璧君笑了笑，忽然跃身向那深不可测的绝壑中跳了下去……

沈璧君全身都凉透了。

萧十一郎果然是存心来这里死的!

"是我害了他!是我害了他……"

这声音就像是霹雳，一声声在她耳边响着!

"他死了，我却还有脸活着……我怎么对得起他?我又能活多久?还有谁会来救我……"

想到小公子的手段，沈璧君再也不想别的，用尽全身力气，推开了扶着她的人，也纵身跳入了那万丈绝壑中。

奇怪的是，在她临死的时候，竟没有想到连城璧。

她也不想想自己死了后，连城璧会怎么样？

难道连城璧就不会为她悲伤？

小公子站在峭壁边，垂首望着那迷漫在绝壑中的沼气和毒瘴，面上连一点表情都没有。

也不知过了多久，她忽然拾起一块很大的石头，抛了下去。

又过了很久，才听到下面传上来"扑通"一响。

小公子面上这才露一丝微笑。

她笑得仍然是那么天真，那么可爱，就像是个小孩子……

死，有时的确也并不是件很容易的事。

沈璧君居然还是没有死。她跳下来的时候，很快就晕了过去，并没有觉得痛苦。

她醒来时才痛苦。

绝壑下，是一片无边无际的沼泽，没有树木、没有花草、没有生命；有的只是湿泥、臭水和迷雾般的沼气。

沈璧君整个人都已被浸入泥水中。

但她却没有沉下去，因为这沼泽简直就像是一大盆糨糊，也因为这个缘故，所以她从那么高的地方跳了下来也没有摔死。

最奇怪的是，她整个人泡在这种湿泥臭水中，非但一点也不难受，反而觉得很舒服，就连足踝上的伤口都似已不疼了。

这沼泽中的泥水竟似有种神奇的力量，能减轻人的痛苦。

沈璧君惊异着，忽然想起了萧十一郎对她说的故事！

"我曾经看到过一匹狼，被山猫咬得重伤之后，竟跃入一个沼泽中去，那时我还以为它是在找自己的坟墓，谁知它在那沼泽中躺了两天，反而活了，原来它早已知道有许多种药草是腐烂在那沼泽里，能治好它的伤势；它早已知道该如何照顾自己。"

沈璧君的心跳了起来。

她耳旁似又响起了萧十一郎那低沉的语声，在慢慢地告诉她："其实人也和野兽一样，若没有别人照顾，就只好自己照顾自己了……"

难道这沼泽就是那匹狼逃来治伤的地方？

这沼泽既能治好那狼的伤，是否也能治好萧十一郎的伤？

虽然这里是上不着天，下不着地的穷山绝壑，虽然四面都瞧不到一样有生命之物，虽然她的人还浸在又脏又臭的泥水中，虽然她还不知道自己是否能活下去，虽然她就算能活下去，也未必能走出这绝壑，但沈璧君这一生中从来也没有如此开心、如此兴奋过。

因为她知道萧十一郎必定也还没有死!

她本来几乎已忍不住要大声呼唤起来，但一想到小公子可能还在上面听着，就只有闭住了嘴。

她只有在心里呼唤着："萧十一郎，萧十一郎，你在哪里?"

只要还能看到萧十一郎，所有的牺牲都值得，所有的痛苦也都能忍受了。

她挣扎着，划动手脚，想将头抬高些。

她确信萧十一郎必定也在附近，她希望能看到他。

只要能看到他，她就不会再觉得寂寞、绝望、无助……

谁知她不动还好些，这一动她身子反而更向下沉陷。

泥沼浓而粘，表面有种张力，所以她虽然从那么高的地方跌下去，也并没有完全陷入泥沼中。

现在她一挣扎，泥沼中就仿佛有种可怕的力量在将她往下拖，她挣扎得越厉害，陷落得越快。

忽然间，她全身都已陷入泥沼中，呼吸也立刻困难起来，浓而粘的泥水就像是一双魔手，已扼住了她的咽喉。

她只要再往下陷落一两寸，口鼻就要陷入泥沼中。

现在她就算还想呼喊，也喊不出声音了。

她不知道自己还能支持多久，只知道那最多也只是片刻间的事了。

她本已决心想死的，现在却全心全意地希望能再多活片刻。

若能再多活片刻，说不定就能再见萧十一郎一面。

"但见不见面又有什么关系呢？只要我知道并没有害死他，只要他还能好好地活下去，我就算立刻死，也死得心安了。我能平平静静、问心无愧地死在这里，上天已算对我不薄，我还求什么？"

到现在，她才想起连城璧。

但她知道连城璧一定会照顾自己的，有没有她，连城璧都会同样活下去，而且活得很光荣，活得很好。

她当然也想到了腹中的孩子。

大多数灵敏的女人都会将孩子看得比自己还重要，这是母性，也正是女性的荣光，人类的生命也正因为这缘故才能永远延续。

但孩子若还没有出世，就完全不同了。

女人对自己还没有出世的孩子，绝不会有很深的感情、很大的爱心。

因为这时她的母性还未完全被引发。

这是人性。

母性是完美的，至高无上的，完全不自私、不计利害、不顾一切、也绝不要求任何代价。

但人性却是有弱点的。

沈璧君闭上了眼睛……

一个人若真能安安心心、平平静静地死，有时的确比活着还幸运，这世界上，真能死而无憾的人并不多。

沈璧君也并不是不想活了，只不过她知道已没法子再活下去。

这是绝地，她已陷入绝境，已完全绝望。

但就在这时，她忽然听到了一个很熟悉的声音。

是萧十一郎的声音。

这声音竟似就在她的耳畔。

沈璧君狂喜着，忍不住想扭过头去瞧他一眼。

但萧十一郎已接着道："你千万不要转头来看我，尽量将自己放松，全身都放松，就好像你现在正在一张最舒服的床上，躺在你母亲的怀里，完全无忧无虑，什么都不要去想，绝没有任何人能伤害你。"

他说得很慢，每个字都说得很慢，声音中仿佛有股奇异的力量，能令人完全安定下来，完全信任他。

沈璧君轻轻叹了口气，道："我能说话么？"

萧十一郎道："要说得很轻、很慢，我能听到的。"

这声音近了。

沈璧君道："我可以不动，也可以放松自己，但却没法子不想。"

萧十一郎道："想什么？"

沈璧君道："我想假如我们动一动就会陷下去，岂非要永远被困死在这里？你难道也想不出法子脱身？"

萧十一郎道："自然有法子。"

沈璧君柔声道："只要你有法子能脱身，我就安心了，我无论怎么样都没关系。"

她这句话还未说完，就瞧见了萧十一郎那双发亮的眼睛。

这本是双倔强而冷酷的眼睛，有时虽然也会带着些调皮的神色，带着些讥诮的笑意，却从来没有露出过任何一种情感。

现在这双眼睛里却充满了喜悦、欣慰、感激……

沈璧君的脸红了。

她说那句话的时候，并没有瞧见萧十一郎，所以她才情不自禁吐露了真情，若是已瞧见他，她只怕就不会有这种勇气。

但现在萧十一郎距离她这么近。

她几乎已能感觉到萧十一郎的呼吸。

萧十一郎已避开了她的目光，道："你本来看不到我的，现在却看到了，是不是？"

沈璧君道："嗯!"

萧十一郎道："我一直都没有动过，否则早已沉下去了，我既没有动，又怎会移动到这边来了呢？"

沈璧君自然不知道原因。

萧十一郎道："这泥沼看起来是死的，其实却一直在流动着，只不过流动很慢、很慢，所以我们才感觉不出。"

他接着说道："就因为我完全没有动，所以才会随着泥沼的流动漂了过来，若是一挣扎，就只会往下陷落，所以你才一直停留在这里。"

沈璧君没有说话。

但她的心里却在暗自庆幸："若是我也没有挣扎，也随着泥沼在往前流动，我现在怎会看到你？"

萧十一郎道："前面不远，就是陆地，只要我们能忍耐到那里，就得救了……那也用不着多久，我相信你一定能做到的，是不是？"

他目光不由自主转了过来，凝注着沈璧君的眼睛。

沈璧君也不由自主凝注着他的眼睛。

她还是没有说话，但她的眼睛却仿佛在说："为了你，我一定能做到的。"

从眼睛里说出的话，也正是自心底发出的声音，这种声音眼睛既瞧不见，耳朵更无法听到。

能听到这种声音的人不多。

这种声音是用"心"来听的。

萧十一郎却听到了。

过了很久很久，沈璧君才轻轻叹了口气，道："我现在才知道我错了。"

萧十一郎道："什么事错了？"

沈璧君道："我本来以为天道不公，常常会故意作贱世人，现在才知道，老天毕竟是有眼睛的。"

萧十一郎缓缓道："不错，所以一个人无论做什么事，都不能忘记天上有双眼睛随时随地都在瞧着你。"

没有声音，没有动静，没有生命，天地间一切仿佛都是死的。

泥沼也是死的，谁也感觉不出它在流动。

"它真能将我们带到陆地上去么？"

沈璧君并没有问，也不着急。

她的心很平静，此时，此刻，此情，此境，她仿佛就已满足；是死？是活？她似已完全不放在心上。

她只怕萧十一郎这双发亮的眼睛看透她的心。

她只怕萧十一郎感觉出她的心越跳越快，呼吸越来越急促。

她一定要找些话来说。

但说什么呢？

萧十一郎忽然道："你可知道这次是谁救了我们？"

沈璧君道："自然是……是你。"

她忽然发觉萧十一郎的呼吸也很急促。

她的心更慌了。

萧十一郎道："不是我。"

沈璧君道："不是你？是谁？"

萧十一郎道："是狼。"

只在这一瞬间，他目光仿佛是瞧着很远的地方，缓缓接着道："我第一次到这里来，就是狼带我来的。"

沈璧君道："我听你说过那故事。"

萧十一郎道："是狼告诉我，这泥沼中有种神奇的力量可以治疗人的伤势，是狼教会我如何求生，如何忍耐。"

沈璧君轻叹道："要学会这两个字，只怕很不容易。"

萧十一郎道："但一个人若要活下去，就得忍耐……忍受孤独，忍受寂寞，忍受轻视，忍受痛苦，只有从忍耐中去寻得快乐。"

沈璧君沉默了很久，柔声道："你好像从狼那里学会了很多事。"

萧十一郎道："不错，所以我有时非但觉得狼比人懂得多，也比人更值得尊敬。"

沈璧君道："尊敬？"

萧十一郎道："狼是世上最孤独的动物，为了求生，有时虽然会结伴去寻找食物，但吃饱之后，就立刻又分散了。"

沈璧君道："你难道就因为它们喜欢孤独，才尊敬它们？"

萧十一郎道："就因为它们比人能忍受孤独，所以它们也比人忠实。"

沈璧君道："忠实？"

用"忠实"两字来形容狼，她实在闻所未闻。

萧十一郎道："只有狼才是世上最忠实的配偶，一夫一妻，活着时从不分离，公狼若死了，母狼宁可孤独至死，也不会另寻伴侣，母狼若死了，公狼也绝不会另结新欢。"

他目中又露出那种尖锐的讥诮之意，道："但人呢？世上有几个忠于自己妻子的丈夫？抛弃发妻的比比皆是，有了三妻四妾，还沾沾自喜，认为自己了不起。女人固然好些，但也好不了多少，偶尔出现一个能为丈夫守节的寡妇，就要大肆宣扬，却不知每条母狼都有资格立个贞节牌坊的。"

沈璧君不说话了。

萧十一郎又道："世上最亲密的，莫过于夫妻，若对自己的配偶都不忠实，对别人更不必说了，你说狼是不是比人忠实得多？"

沈璧君又沉默了很久，忽然道："但狼有时会吃狼的。"

萧十一郎道："人呢？人难道就不吃人么？"

他冷冷接着道："何况，狼只有饥饿难耐，万不得已时，才会吃自己的同类，但人吃得很饱时，也会自相残杀。"

沈璧君叹了口气，道："你对狼的确知道得很多，但对人却知道得太少了！"

萧十一郎道："哦？"

沈璧君道："人也有忠实的，也有可爱的，而且善良的人永远比恶人多，只要你去接近他们，就会发现每个人都有他可爱的一面，并非像你想像中那么可恶。"

萧十一郎也不说话了。

其实，他自己也不知道自己为何要说这些话。

难道他也和沈璧君一样，生怕被人看破他的心事，所以故意找些话来说？

难道他想用这些话警戒自己？

沈璧君道："你为什么只喜欢说狼？为什么不说说你自己？"

萧十一郎道："我？我有什么好说的？"

沈璧君道："譬如说，你为什么会叫萧十一郎？难道你还有十个哥哥姐姐？"

萧十一郎道："嗯。"

沈璧君道："这么说，你岂非一点也不孤独？"

萧十一郎道："嗯。"

沈璧君道："你的兄弟姊妹们呢？都在哪里？"

萧十一郎道："死了，全都死了！"

他目中忽又充满了悲愤恶毒之意，无论谁瞧见他这种眼色，都可想像出他必有一段悲惨的往事。

沈璧君只觉心里一阵刺痛——

在这一刹那间，她忽然觉得萧十一郎还是个孩子，一个无依无靠、孤苦伶仃的孩子，需要人爱护，需要人照顾……

她也不知道自己怎么会有这种感觉。

泥沼果然是在流动着的。

前面果然是陆地。

但沈璧君却绝未想到这地方竟是如此美丽。

千百年前，这里想必也是一片沼泽，土质自然特别肥沃。

再加上群山合抱，地势又极低，所以寒风不至，四季常春，就像是上天特意要在这苦难的世界中留下一片乐土。

在别的地方早已凋零枯萎的草木，在这里却正欣欣向荣，在别的地方难以生长的奇花异草，在这里却满目皆是。

就连那一道自半山流下来的泉水，都比别的地方分外清冽甜美。

沈璧君本来是最爱干净的，但现在她却忘了满身的污泥，一踏上这块土地，就似已变得痴了。

足足有大半刻的功夫，她就痴痴地站在那里，动也不动，也不知过了多久，她才长长吐出口气，道："我真想不到世上还有这种地方，只怕也惟有你这种人才能找得到。"

萧十一郎道："我也找不到，是……"

沈璧君笑了，打断了他的话，嫣然笑道："是狼找到的，我知道……"

她忽又发现在泉水旁的一片不知名的花树丛中，还有间小小的木屋，一丛浅紫色的花，从屋顶上长了出来。

她仿佛觉得有些失望，轻叹着道："原来这里还有人家？"

萧十一郎凝注着她，缓缓道："除了你和我之外，这里只怕不会再有别的人……你也许就是踏上 这块土地的第二个人。"

沈璧君的脸似又有些发红，轻轻地问道："你没有带别的人来过？"

萧十一郎摇了摇头。

沈璧君道："但那间屋子……"

萧十一郎道："那是我盖的，假如每一个人都一定要有个

238

家，那屋子也许就可算是我的家。"

他淡淡地笑了笑，又道："自从我第一眼看到这个地方，我就爱上它了，以后每当我觉得疲倦，觉得厌烦时，我就会到这里来静静地待上一两个月，每次我离开这里的时候，都会觉得自己像是已换了个人似的。"

沈璧君道："既然如此，你为什么不在这里多住些时候？为什么不永远住下去？"

萧十一郎没有说话。

沈璧君的眼睛发着光，又道："这里有花果，有清泉，还有如此肥沃的土地，你为什么不在这里快快乐乐地过一生，为什么还要到外面去惹那些烦恼？"

萧十一郎沉默了很久，才笑了笑，道："这也许只因为我是个天生贱骨头。"

他笑得是那么凄凉，那么寂寞。

沈璧君忽然明白了。

无论多深的痛苦和烦恼，都比不上"寂寞"那么难以忍受。

这里纵然有最美丽的花朵，最鲜甜的果子，最清凉的泉水，却也填不满一个人心里的空虚和寂寞。

萧十一郎缓缓道："所以我总觉得有很多地方都不如狼，它们能做到的事，我无论如何也做不到。"

沈璧君柔声道："这只因为你根本就不是狼，是人……一条狼若勉强要做人的事，也一定会被它的同伴看成呆子，是么？"

萧十一郎又沉默了很久，喃喃道："不错，人是人，狼是狼，狼不该学人，人为什么要去学狼呢？"

他忽然笑了，道："我已有很久没到这里来，那屋子里的灰尘一定有三寸厚了，我先打扫打扫，你……你能走了么?"

沈璧君嫣然道："看来老天无论对人和对狼都同样公平，我在那泥沼里泡了半天，现在伤势也觉得好多了。"

萧十一郎笑道："好，你若喜欢，不妨到那边泉水下去冲洗冲洗，我就在屋子里等你。"

"我就在屋子里等你。"

这自然只不过是很普通的一句话，萧十一郎说这句话的时候，永远也不会想到这句话对沈璧君的意义是多么重大。

沈璧君这一生中，几乎有大半时间是在等待中度过的。

小的时候，她就常常坐在门口的石阶上，等待她终年游侠在外的父母回来，常常一等就是好几天，好几个月。等着看她父亲严肃中带着慈爱的笑容，等着她母亲温柔的拥抱，亲切的爱抚……

直到有一天，她知道她的父母永远再也不会回来了。

那天她没有等到她的父母，却等到了两口棺材。

然后，她渐渐长大，但每天还是在等待中度过的。

早上，她很早就醒了，却要躺在床上等照顾她的奶妈叫她起来，带她去向她的祖母请安。

请过安之后，她就要等到午饭时才能见到祖母，然后再等着晚饭，每天只有晚饭后那一两个时辰，才是她最快乐的时候。

那时她的祖母会让她坐在脚下的小凳子上，说一些奇奇怪怪的故事给她听，告诉她一些沈家无敌金针的秘诀，有时还会剥一个枇杷、几瓣橘子喂到她嘴里，甚至还会让她摸摸她那日渐稀疏的白发，满是皱纹的脸。

只可惜那段时候永远那么短，她又得等到明天。

她长得越大，就觉得等待的时候越多，但那时她等的已和小时候不同了，也不再那么盼望晚饭的那段短暂的快乐。

她等的究竟是什么呢？连她自己也不知道。

也许她也和世上所有的女孩子一样，是在等待着她心目中的如意郎君，骑着白马来接她上花轿。

她比别的女孩子运气都好，她终于等到了。

连城璧实在是个理想的丈夫，既温柔，又英俊，而且文武双全，年少多金，在江湖中的声望地位更很少有人能比得上。

无论谁做了他的妻子，不但应该觉得满足，而且还应该觉得荣耀。

沈璧君本也很知足了。

但她还是在等，常常倚着窗子，等待她那位名满天下的丈夫回来，常常一等就是好几天、好几个月……

在等待的时候，她心里总是充满了恐惧，生怕等回来的不是她那温柔多情的丈夫，而是一口棺材。

冷冰冰的棺材!

对于"等"的滋味，世上只怕很少有人能比她懂得更多，了解得更深。

她了解得越深，就越怕等。

怎奈她这一生中却偏偏总是在等别人，从来也没有人等她。

直到现在，现在终于有人在等她了。

她知道无论她要在这里停留多久，无论她在这里做什么，只要她回到那边的屋子里，就一定有个人在等着她。

虽然那只不过是间很简陋的小木屋，虽然那人并不是她的什么人，但就这份感觉，已使她心里充满了安全和温暖之意。

因为她知道自己并不是孤独的，并不是寂寞的。

泉水虽然很冷，但她身上却是暖和的。

她很少有如此幸福的感觉。

除了一张木床外，屋子里几乎什么都没有，显得说不出的冷清，说不出的空虚，每次萧十一郎回到这里来，开始时也许会觉得很宁静。但到了后来，他的心反而更乱了。

他当然还可以再做些桌椅和零星的用具，使这屋子看来不像这么冷清，但却并没有这么样做。因为他知道，屋子里的空间虽可以用这些东西填满，但他心里的空虚，却是他自己永远无法填满的。

直到现在——

这屋子虽然还是和以前同样的冷清，但他的心，却已不再空虚寂寞，竟仿佛真的回到了家。

这是他第一次将这地方当做"家"。

他这才知道"回家"的感觉，竟是如此甜蜜，如此幸福。

他虽然也在等着，但心里却很宁静。

因为他知道他等的人很快就会回来，一定会回来……

屋子里只要有个温柔体贴的女人，无论这屋子里是多么简陋都没关系了，世上只有女人才能使一间屋子变成一个"家"。

大多数男人都有这种病——懒病。

能治好男人这种病的，也只有女人，他爱的女人。

也不知为了什么，萧十一郎忽然变得勤快起来了。

木屋里开始有了桌子、椅子，床上也有柔软的草垫，甚至连窗户都挂起了竹帘子。

虽然萧十一郎并不住在这屋子里，每天晚上，他还是睡在外面的石岸上，但他却还是认为这屋子就是他的家，所以他一定要将这个家弄得漂漂亮亮、舒舒服服的。

因为这是他第一次有了个家。

现在桌上已有了花瓶，瓶中已有鲜花。

吃饭的时候已有了杯、盘、碗、盏，除了那四时不断的鲜果外，有时甚至还会有一味煎鱼，一盘烤得很好的兔肉，或是葡萄酿成的酒，虽然没有盐，但他们还是吃得津津有味。

萧十一郎有双很巧的手。

普普通通的一块木头，到了他手里，很快就会变成一只很漂亮的花瓶，一个很漂亮的酒杯。

泉水中的鱼，草丛中的兔，只要他愿意，立刻就会变成他们的晚餐，沈璧君用细草编成的桌布，使得他们的晚餐看来更丰富。

他们的伤，也好得很快。

这固然是因为泥沼中有种神奇的力量，但感情的力量却更神奇、更伟大；世上所有的奇迹，都是这种力量造成的。

有一天早上，萧十一郎张开眼睛的时候，看到沈璧君正将一张细草编成的"被"轻轻盖在他身上。

看到他张开眼睛，她的脸就红了，垂下头道："晚上的露水很重，还是凉得很……"

萧十一郎瞧着她，似已忘了说话。

沈璧君头垂得更低，道："你为什么不再盖间屋子？否则你在外面受着风露，我却住在你的屋子里，又怎么能安心？"

于是萧十一郎就更忙了。

人，其实并不如自己想像中那么聪明，往往会被眼前的幸福所陶醉，忘了去想这种幸福是否能长久。

第一六章 柔肠寸断

有一天，萧十一郎去汲水的时候，忽然发现沈璧君一个人坐在泉水旁，垂头瞧着自己的肚子。

她像是完全没有发觉萧十一郎已走到她身旁。

萧十一郎忍不住问道："你在想什么？"

沈璧君似乎吃了一惊，脸上立刻发生了一种很奇特的变化，过了很久才勉强笑了笑，道："没有，我什么都没有想。"

萧十一郎没有再问下去。

他方才问出了这句话，已在后悔了。

因为他知道女人在说"什么都没有想"的时候，其实心里必定在想着很多事，很多她不愿被别人知道的事。

这些事却又偏偏是别人一定会猜得出来的。

萧十一郎当然知道沈璧君在想什么。

第二天，沈璧君就发现那间已快搭成的屋子又拆平了。

那几罐还没有酿成的酒也空了。

萧十一郎坐在树下，面上还带着酒意，似乎一夜都未睡过。

沈璧君的心忽然跳得快了起来。

她已隐隐感觉到有什么不幸的事将要发生。

她嗫嚅着问道：“你——你为什么要将屋子拆了？”

萧十一郎面上一点表情也没有，甚至瞧也没有瞧她一眼，只是淡淡地道：“既已没有人住了，为什么不拆？”

沈璧君道：“怎——怎么会没有人住？你——”

萧十一郎道：“我已要走了。”

沈璧君全身都似乎凉透了，嘎声道：“走？为什么要走？这里不是你的家吗？”

萧十一郎道：“我早已告诉过你，我没有家，而且是个天生的贱骨头，在这里待不上两个月，就想出去惹惹麻烦了。”

沈璧君的心像是有针在刺着，忍不住道：“你说的这是真话？”

萧十一郎道：“我为什么要说谎，这种日子我本来就过不惯的。”

沈璧君道：“这种日子有什么不好？”

萧十一郎冷冷道：“你认为好的，我未必也认为好，你和我根本就不同，我天生就是个喜欢惹麻烦、找刺激的人。”

沈璧君眼圈儿已湿了，道：“可是我——”

萧十一郎道：“你也该走了，该走的人，迟早总是要走的。”

沈璧君虽然在勉强忍耐着，但眼泪还是忍不住流了下来。她忽然明白萧十一郎的意思。

“他并不是真的想走，只不过知道我要走了。”

“我本来就没法子永远待在这里。”

“我就算想逃避，又能逃避到几时？”

沈璧君咬了咬牙，道：“我们什么时候走？”

萧十一郎道：“现在就走。”

沈璧君道：“好。”

她忽然扭转头，奔回木屋，木屋中立刻就传出了她的哭声。

萧十一郎面上还是一点表情也没有。

风吹在他身上，还是暖洋洋的。

但外面的湖水却已结冰了……

出了这山谷，沈璧君才知道现在已经是冬天！

冬天来得实在太快了。

道路上积满冰雪，行人也很稀少。

萧十一郎将山谷中出产的桃子和梨，拿到城里的大户人家去卖出几两银——在冬天，这种水果的价格自然特别昂贵，他要的价钱虽不太高，却已足够用来做他们这一路上的花费了。

于是他就雇了辆马车，给沈璧君坐。

他自己始终跨在车辕外。

沈璧君这才知道：原来"大盗"萧十一郎所花的每一文钱，都是正正当当、清清白白，用自己劳力换来的。

他纵然出手抢劫过，为的却是别的人、别的事。

沈璧君这才知道萧十一郎原来是这么样的一个人。

若非她亲眼瞧见，简直不信世上会有这种人存在。

她对萧十一郎的了解虽然越来越深，距离却似越来越远。

在那山谷里，他们本是那么接近，接近得甚至可以听到对方的心声。

但一出了山谷，他们的距离立刻就拉远了。

"难道我们真的本来就是生活在两个世界中的人？"

雪，下得很大，已下了好几天。

山下的小客栈中，除了他们，就再也没有别的客人。

沈璧君又在"等"了。

现在她等的是什么？

是离别！只有离别……

忽然间，一辆马车停在门外，萧十一郎一下了马车就冲进来，脸色虽然很苍白，神情却很兴奋。

看到萧十一郎回来，沈璧君心里竟不由自主泛起一阵温暖之意，连忙就迎了出去，嫣然道："想不到今天你也会坐车回来。"

对大多数男人说来，世上也许很少有比他所喜爱的女孩子的笑容更可爱、更能令他愉快的事了。

平常沈璧君在笑的时候，萧十一郎的目光几乎从来也舍不得离开她的脸。这也许只因为他知道他能看到她笑容的机会已不多了。

但今天，他却连瞧都没有瞧她一眼，只是淡淡地道："这辆车是替你叫来的。"

沈璧君怔了怔，道："替我——叫来的——"

女人的确要比男人敏感得多，看到萧十一郎的神情，她立刻就发现不对，脸上的笑容已渐渐凝结。

萧十一郎道："不错，是替你叫来的，因为这附近的路你都不熟悉。"

沈璧君的身子在往后缩，似乎突然感觉到一阵刺骨的寒意，她想说话，但嘴唇却在不停地颤抖。

因为她知道，萧十一郎每天出去，都是为了打探连城璧的消息。

过了很久，她才鼓起勇气，道："你——是不是已找到他了？"

萧十一郎道："是。"

他的回答很简短，简短得像是针，简短得可怕。

沈璧君脸上的表情也正像是被针刺了一下。

她一向是个很有教养的女人，她知道，一个女人听到自己丈夫的消息时，无论如何都应该觉得高兴才对。

但也不知为了什么，她竟无法使自己做出惊喜高兴的样子。

又过了很久，她才轻轻问道："他在哪里？"

萧十一郎道："门口那车夫知道地方，他会带你去的。"

沈璧君面上终于露出了笑容，道："谢谢你。"

她当然知道这三个字是从自己嘴里说出来的，但声音听来却那么生疏，那么遥远，就仿佛是在听一个陌生人说话。

她当然也知道她自己在笑，但她的脸却又如此麻木，这笑容简直就像是在别人的脸上。

萧十一郎道："不必客气，这本是我应该做的事。"

他的声音很冷淡，表情也很冷淡。

但他的心呢？

沈璧君道："你是不是叫车子在外面等着？"

萧十一郎道："是！好在现在时候还早，你还可以赶一大段路，而且——你反正也没有什么行李要收拾。"

他面上忽然露出一种很奇怪的笑容，接着又道："而且我知道你一定很急着要走的。"

沈璧君慢慢地点着头，道："是，我已经有很久没有见过他。"

萧十一郎道："好，你快走吧！以后我们说不定还有见面的机会。"

两个人话都说得很轻、很慢，像是用了很大的力气才能说出来。

这难道真是他们心里想说的话？世上又有几人能有勇气把心里话说出来？

老天既要叫他遇着她，为何又要令他们不能不彼此隐瞒，彼此欺骗，甚至要彼此伤害……

萧十一郎忽然转过身，道："你还有一段路要走，我不再耽误你了，再见吧!"

沈璧君道："不错，我还有很长的一段路要走，你——你是不是也要走了?"

萧十一郎淡淡道："是，一个人只要活着，就得不停地走。"

沈璧君忽然咬了咬嘴唇，大声道："我还想做一件事，不知道你答不答应?"

萧十一郎虽然停下脚步，却没有回头，道："什么事?"

沈璧君道："我——我想请你喝酒。"

她像是鼓足了勇气，接着又道："是我请你，不是你请我。不说别的，只说你天天都在请我，让我回请一次也是应该的。"

萧十一郎道："可是你——"

沈璧君笑了笑，道："我虽然囊空如洗，但这东西至少还可以换几罐酒，是不是?"

她拔下了头上的金钗。这金钗虽非十分贵重，却是她最珍惜之物，因为这是她婚后第一天，连城璧亲手插在她头上的。

她永远也没有想到自己会用这金钗来换几罐酒。

但现在她却绝没有丝毫吝惜，只要能再和萧十一郎喝一次酒，最后的一次，无论用什么代价，都是值得的。

萧十一郎为她牺牲这么多，她觉得自己至少也该为他牺牲一次。

她知道自己这一生是无论如何也无法报答他了。

萧十一郎终于转过身，瞧见了她手里的金钗。

他似乎有许多话要说，但到最后却只是淡淡地笑了笑，道："你知道，只要有酒喝，我从来也没法子拒绝的。"

醉了，醉得真快。一个人若是真想喝醉，他一定会醉得很快。

因为他纵然不醉，也可以装醉。最妙的是，一个人若是一心想装醉，那么到后来往往会连他自己也分不清究竟是装醉，还是真醉了。

萧十一郎又哼着那首歌。酒醉了的人往往不能说话，却能唱歌。因为唱歌实在比说话容易得多。

沈璧君已静静地听了很久。她还很清醒，因为她不敢醉，她知道自己一醉就再也无法控制自己，她生怕自己会做出一些很可怕的事。

不敢死的人，常常反而死得快些。

但不敢醉的人，却绝不会醉，因为他心里已有这种感觉，酒喝到某一程度时，就再也喝不下去，喝下去也会吐出来。

一个人的心若不接受某件事，胃也不会接受的。

歌声仍是那么苍凉、那么萧索。

沈璧君的眼眶渐渐湿了，忍不住问道："这首歌我已听过许多次，却始终不知道这首歌究竟是什么意思。"

歌声忽然停顿，萧十一郎的目光忽然自遥远朦胧的远方收了回来，凝注着沈璧君的脸，道："你真想知道？"

沈璧君道："是的。"

萧十一郎道："你听不懂，只因这本是首关外蒙人唱的牧歌，但你若听懂了这首歌的意思，恐怕以后就永远再也不想听了。"

沈璧君道："为什么？"

萧十一郎面上又露出那种尖刻的讥诮之意，道："因为这首歌的意思，绝不会被你们这种人所能了解，所能欣赏的。"

沈璧君垂下了头，道："也许我和别的人有些不同呢？"

萧十一郎眼睛盯着她，良久良久，忽然大声道："好，我说，你听——"

他摸索着，找着了酒，一饮而尽，缓缓接着道："这首歌的意思是说，世上只知道可怜羊，同情羊，绝少会有人知道狼的痛苦，狼的寂寞；世上只看到狼在吃羊时的残忍，却看不到它忍着孤独和饥饿在冰天雪地中流浪的情况，羊饿了该吃草，狼饿了呢？难道就该饿死吗？"

他语声中充满了悲愤之意，声音也越说越大！

"我问你，你若在寒风刺骨的冰雪荒原上流浪了很多天，滴水未沾，米粒未进，你若看到了一条羊，你会不会吃它？"

沈璧君垂着头，始终未曾抬起。

萧十一郎又喝了杯酒，忽然以筷击杯，放声高歌：

"暮春三月，羊欢草长，天寒地冻，问谁饲狼？

人心怜羊，狼心独怆，天心难测，世情如霜……"

歌声高亢，唱到这里，突然嘶裂。

沈璧君目中已流下泪来。

萧十一郎已伏在桌上，挥手道："我醉欲眠君且去，你走吧——快走吧！既然迟早都要走，不如早些走，免得别人赶你——"

沈璧君的心从来也没有这么乱过。

她知道这一次是必定可以回去了，回到她熟悉的世界，一切事又将回复安定、正常、平静。

这一次她回去了，以后绝不会有任何人、任何事再来扰乱她。

这本是她所企求的，她本应觉得高兴。

但现在——

她拭干了泪痕，暗问道："萧十一郎若是拉着我，要我不走，我会不会为他留下呢？"

"我会不会为他而放弃那安定正常的生活，放弃荣誉和地位，放弃那些关心我的人，放弃一切？"

她不敢再想下去。

她知道自己并不是个坚强的人，她不敢试探自己。

她甚至不敢再想萧十一郎对她的种种恩情，不敢再想他那双明亮的眼睛，眼睛里的情意。

现在，她只想连城璧。

她决心要做连城璧忠实的妻子，因为……

现在马车已停下，她已回到她自己的世界。

这是人的世界，不是狼的。

院子里很静，静得甚至可以听到落叶的声音。

因为现在夜已很深，这里又是家很高贵的客栈，住的都是很高贵的客人，都知道自重自爱，绝不会打扰别人。

连城璧就住在这院子里。

店栈中的伙计以诧异的眼色带着她到这里来，她只挥了挥手，这伙计就走了，连一句多余的话都没有问。

在这种地方做事的人，第一件要学会的事，就是要分清什么是该问的，什么是不该问的。

西面的厢房，灯还亮着。

沈璧君悄悄地走过院子，走上石阶。

石阶只有四五级，但她却似乎永远也走不上去。

也不知为了什么，她心里竟似有种说不出的畏惧之意，竟没有勇气去推开门，没有勇气面对她自己的丈夫。

她所畏惧的是什么？

她是不是怕连城璧问她："这些日子你在哪里？"

屋子里的灯光虽很明亮，但说话的声音却很低，直到这时，才突然有人提高了声音问道："外面是哪一位？"

声音虽提高了，却仍是那么矜持，那么温文有礼。

沈璧君知道这就是连城璧，世上很少有人能像他这样约束自己。

在这一刹那间，连城璧的种种好处又回到她心头，她忽然发现自己原来也是在怀念他的。

在这一刹那间，她恨不得冲进屋里，投入他怀里。

但她却并没有这样做。

她知道连城璧不喜欢感情冲动的人。

她慢慢地走上石阶，门已开了，站在门口的，正是连城璧。

这两个月来，他一直在苦苦寻找他的妻子，一直在担心、焦急、思念，现在，他的妻子竟忽然奇迹般出现在门外。

但甚至就在这一刹那间，他也没有露出兴奋、惊喜之态，甚至没有去拉一拉他妻子的手。

他只是凝注她，温柔地笑了笑，柔声道："你回来了。"

沈璧君也只是轻轻点了点头，柔声道："是，我回来了。"

就这么样的两句话，没有别的。

沈璧君一颗乱糟糟的心，却突然平静了下来。

她本已习惯于这种淡漠而恬静的感情，现在，她才发现所有的一切都并没有改变。

她不愿说的事，连城璧还是永远不会问的。

在他的世界中，人与人之间，无论是父子、是兄弟、是夫妻，都应该适当地保持着一段距离。

这段距离却令人觉得寂寞，却也保护了人的安全、尊严和平静……

屋子里除了连城璧外，还有赵无极、海灵子、屠啸天。南七北六十三省七十二家镖局的总镖头，江湖中人称"稳如泰山"的司徒中平，和武林"六君子"中的"见色不乱真君子"的厉刚。

这五人都是名满天下的侠客，也都是连城璧的朋友，自然全都认得沈璧君，五个人虽也没有说什么，心里都不免奇怪！

"自己的妻子失踪了两个月，做丈夫的居然会不问她这些日子到哪里去了，做些什么事，做妻子的居然也不说。"

他们都觉得这对夫妻实在怪得少见。

桌子上还摆着酒和菜，这却令沈璧君觉得奇怪了。

连城璧不但最能约束自己，对自己的身体也一向很保重，沈璧君很少看到他喝酒；就算喝，也是浅尝即止，喝酒喝到半夜这种事，沈璧君和他成亲以后，简直还未看到过一次。

她当然也不会问。

但连城璧自己却在解释了，他微笑着道："你没有回来之前，我们本来在商量着一件事。"

赵无极接着笑道："嫂夫人总该知道，男人们都是馋嘴，无论商量什么事的时候，都少不了要吃点什么，酒更是万万不可少的。"

沈璧君点了点头，嫣然道："我知道。"

赵无极目光闪动，道："嫂夫人知道我们在商量的是什么事？"

沈璧君摇了摇头，嫣然道："我怎会知道。"

她很小的时候就懂得，一个女人若想做人人称赞的好妻子，那么在自己的丈夫朋友面前，面上就永远得带着微笑。

有时，她甚至笑得两颊都酸了。

赵无极道："十几天以前，这里发生了一件大事，我请连公子他们三位来，为的就是这个。"

沈璧君道："哦？不知道是什么事呢？"

她本不想问的，但有时"不问"也不礼貌；因为"不问"就表示她对丈夫朋友的事漠不关心。

虽然她对赵无极这人的印象一向不太好，因为她总觉得这人的人缘太好，也太会说话了。

会说话的人，难免话多，话多的人，她一向不欣赏。

赵无极道："这地方有位孟三爷，不知道嫂夫人可曾听说过？"

沈璧君微笑道："我认得的人很少。"

赵无极微笑道："这位孟三爷仗义疏财，不下古之孟尝，谁知十多天以前，孟家庄竟被人洗劫一空，家里大大小小一百多口人，不分男女，全都被人杀得干干净净！"

沈璧君皱眉道："不知道这是谁下的毒手？"

赵无极道："自然是'大盗'萧十一郎！"

沈璧君的心骤跳了起来，失声道："你是说萧十一郎？"

赵无极："不错！除了萧十一郎外，还有谁的心这么黑？手这么辣？"

沈璧君勉强控制着自己，道："孟家庄既已没有活口，又怎知下手的必定是他？"

赵无极道："萧十一郎不但心黑手辣，而且目中无人，每

萧十一郎

255

次作案后，都故意留下自己的姓名——"

沈璧君只觉一阵热血上涌，再也控制不住了，大声道："不可能！下这毒手的绝不可能是萧十一郎！你们都冤枉了他，他绝不是你们想像中那样的人！"

赵无极脸色变了变，勉强笑道："嫂夫人心地善良，难免会将坏人也当做好人。"

厉刚的眼睛就像是一把刀，盯着沈璧君，忽然道："但嫂夫人又怎知下这毒手的绝不是他呢？"

沈璧君身子颤抖着，几乎忍不住要冲出去，逃得远远的，再也不要听这些话，见到这些人。

但她知道她绝不能走，她一定要挺起胸来说话，她欠萧十一郎的已太多，现在正是她还债的时候。

她咬着嘴唇，一字字道："我知道他绝不可能在这里杀人，因为这两个月来，我从未离开过他！"

这句话说出，每个人都怔住了。

沈璧君用不着看，也知道他们面上是什么表情；用不着猜，也知道他们心里在想着什么！

但她并不后悔，也不在乎。

她既已说出这句话，就已准备承当一切后果。

也不知过了多久，连城璧才缓缓道："这件事只怕是我们误会了，我相信内人说的话绝不会假。"他声音仍是那么平静，那么温柔。

屠啸天慢慢地点着头，喃喃道："一定是误会了，再说——"

赵无极也在不停地点头，忽然长身而起，笑道："嫂夫人旅途劳顿，在下等先告辞，明日再为夫人接风。"

海灵子一句话也没有说，一揖到地，第一个走了出去。

只有司徒中平还是安坐不动。

此人果然不愧是"稳如泰山"，等赵无极、屠啸天、海灵子三个人都走了出去，他才沉着声道："厉兄且慢走一步。"

厉刚的嘴虽仍闭着，脚步已停下。

司徒中平缓缓说道："这件事若不是萧十一郎做的，别的事也就可能都不是他做的，这次我们冤枉了他，别的事也可能冤枉了他。"

这句话听在沈璧君耳里，心里真是说不出的感激。

她知道司徒中平的出身只不过是镖局中的一个趟子手，能爬上今日的地位，并不容易。

所以他平日一向小心翼翼，很少开口，惟恐多言贾祸，惹祸上身，以他的身份地位，也实在是不能说错一句话的。

这句话居然从他嘴里说出来，那分量自然和别人说的不同。厉刚虽然未必听得入耳，却也只有听着。

司徒中平道："你我既然自命为侠义之辈，做的事就不能违背了这'侠义'二字，宁可放过一千个恶徒，也绝不能冤枉了一个好人。"

他叹了口气，接着道："常言道：千夫所指，无疾而终。一个人若是受了冤枉无法辩白，那滋味实在比死还要难受。"

沈璧君静静地听着，只觉这一生中从来也未曾听过如此令她佩服，令她感动的话。

司徒中平虽是个很平凡的人，面目甚至有些呆板，头顶已微微发秃，仿佛是个已历尽中年的悲欢、对人生再也没有奢望、只是等着入土的小人物。

但此刻在沈璧君眼中，此人却似已变得说不出的崇高伟大，她几乎忍不住想要在她那秃头顶上亲一下。

司徒中平又道："萧十一郎若真的不是传说中的那个恶徒，我们非但不能冤枉他，还得想法子替他辩白，洗刷他的污名，让他可以好好做人。"

他目光忽然转到沈璧君身上，缓缓接着道："但人心难测，一个人究竟是善是恶，也并不是短短三两个月中就可以看得出的。"

沈璧君断然道："但我却可以保证他，他绝不是个坏人。"

她垂下头，慢慢地接着道："这两个月来，我对他了解得很多，尤其是他三番两次地救我，对我还是一无所求，一听到你们的消息，就立刻将我送到这里来——"

说到这里，她语声似已哽咽，连话都说不下去了。

司徒中平道："既然如此，嫂夫人也该设法洗刷他的污名才是。"

沈璧君咬着嘴唇，黯然道："他对我的恩情，我本来以为永远也无法报答，只要能洗清他的污名，让他能重新做人，无论什么事我都愿意做的。"

司徒中平沉吟着，道："不知嫂夫人是什么时候跟他分手的？"

沈璧君道："就在今天戌时以后。"

司徒中平道："那么，他想必还在附近？"

沈璧君道："嗯。"

司徒中平又沉吟了半晌，道："依我之见，嫂夫人最好能将他请到这里来，让我们看看他究竟是个怎样的人，对他多了解一些。"

他笑了笑，又道："萧十一郎的大名，我们已听得多了，但他的人，至今却还没有见过。"

沈璧君展颜道："你们若是看见他，就一定可以看出他是怎么样的一个人，只不过——"

她忽又皱起眉道："今天却不行。"

司徒中平道："为什么？"

沈璧君道："今天——他已经醉了，连话都已说不清楚。"

司徒中平笑道："他常醉吗？"

沈璧君也笑了，道："常醉。"

司徒中平微笑道："常喝醉的人，酒量一定不错，而且一定是个直心肠的人，几时若有机会，我倒想跟他喝几杯。"

沈璧君嫣然笑道："总镖头有河海之量，天下皆知，无论喝了多少，还是'稳如泰山'，只不过，我看他也未必会输给你。"

司徒中平笑道："哦？他今天喝了多少？"

沈璧君道："大概最少也有十来斤。"

司徒中平悠然道："能喝十来斤的，已可算是好酒量了，但还得看他是在什么地方喝的酒，喝的是什么酒。"

他笑了笑，接着道："一个人酒量的强弱，和天时、地利、人和，都有关系。"

沈璧君道："喝酒的地方并不好，就在城外山脚下的一家小客栈，喝的也不是什么好酒，只不过是普通的'烧刀子'。"

司徒中平笑道："如此说来，他酒量果然不错，我倒更想见见他，只不过——"

他缓缓站起，道："今日天时已晚，好在这事也不急，等嫂夫人安歇过了，再去请他来也不迟——此刻在下若还不走，就当真是不知趣了。"

他微微一笑，抱拳一揖，又道："方才那番话，又引动了我的酒兴，不知厉兄可有兴趣陪我再喝两杯去？"

厉刚道："好！"

他自始至终，只说了这一个字。

第一七章　君子的心

人已散了，烛也将残。

闪动的烛光，照着连城璧英俊、温和、平静的脸，使他这张脸看来似乎也有些激动变化。

但等他夹断了烛芯，烛火稳定下来，他的脸也立刻又恢复了平静。

也许太静了。

沈璧君拿起酒杯，又放下，忽然笑了笑，道："我今天喝了酒。"

连城璧微笑着，道："我也喝了一点，夜已渐寒，喝点酒就可以暖和些。"

沈璧君沉默了半晌，道："你——你有没有喝醉过？"

连城璧笑道："只有酒量好的人，才会喝醉，我想醉也不容易。"

沈璧君叹了口气，幽幽道："不错，一醉解千愁，只可惜不是每个人都有福气能喝醉的。"

连城璧也沉默了半晌，才笑道："但你若想喝，我还可陪你喝两杯。"

沈璧君嫣然一笑，道："我知道，无论我要做什么，你总是尽量想法子来陪我的。"

连城璧慢慢地倒了杯酒，放到她面前，忽然叹息了一声，道："只可惜我陪你的时候太少，否则也不会发生这些事了。"

沈璧君又沉默了下来，良久良久，忽然问道："你可知道这两个月来究竟发生了些什么事？"

连城璧道："我——我知道了一切，却不太清楚。"

沈璧君道："你为什么不问？"

连城璧道："你已说了很多。"

沈璧君咬着嘴唇，道："但你为什么不问问我是怎么会遇见萧十一郎的？为什么不问我怎么会天天见到他？"

为什么？她忽然变得很激动，连城璧却只是温柔地凝注着她。

他还是什么都没有说，只说了一句："因为我信任你。"

这句话虽然只有短短六个字，但却包括了一切。

沈璧君整个人似已痴了。

无限的温柔，无限的情意，在这一刹那间，忽然一齐涌上她心头，她的心几乎无法容纳下这么多。

她很快地喝完了杯中的酒，忽然伏在桌上，痛哭了起来。

连城璧若是追问她，甚至责骂她，她心里反觉得好受些。

因为她实在并没有做任何对不起他的事。

但他对她却还是如此温柔、如此信任，处处关心她、处处为她着想，生怕对她有丝毫伤害。

她心里反而觉得有种说不出的歉疚。

因为这两个月来，她并没有像他想她那样想他。

她虽没有真做出对不起他的事，却还是对不起他。

她本来只觉得对萧十一郎有些亏欠，现在她才发现亏欠连城璧的也很多，也是她这一生永远报答不完的。

这种感觉就像是一把刀，将她的心分割成两半。

她简直不知道该怎么样做。

连城璧凝注着她，似也痴了。

这是他的妻子第一次在他面前真情流露，失声痛哭。

他竟不知道该如何安慰她。因为他根本不知道她心里有什么痛苦，他忽然发觉他与妻子的心距离竟是如此遥远。

也不知过了多久，他才慢慢地站了起来，慢慢地伸出手，温柔地轻抚着他妻子的柔发。

他的手刚伸过去，又缩回，静静地木立半晌，柔声道："你累了，需要休息，有什么话，等明天再说吧！——明天想必是个晴朗的好日子。"

沈璧君似已哭累了，伏在桌上，似已睡着。

但她哪里能睡得着。

她听到她的丈夫轻轻走出门，轻轻地关起门，她也感觉到他的手轻轻摸了摸她的头发，一举一动都是那么温柔，那么体贴。

但她心里却只希望她的丈夫对她粗暴一次，用力拉住她的头发，将她拉起来，抱入怀里。

她心里虽有些失望，却又说不出的感激。

因为她知道他以前是如此温柔，现在是如此温柔，将来还是会同样的温柔，绝不会伤害她，勉强她。

现在，已痛哭过一场，她心里忽然觉得好受得多。

"以前的事，都已过去了。"

"只要能将萧十一郎的冤名洗清，让他能抬起头来重新做人，我就总算已对他有了些报答。"

"从今以后，我将全心全意做连城璧忠实的妻子，我要尽我所有的力量，使他快乐。"

她已决心要这么样做。

一个人已下了决心，总会觉得平静些的。

但也不知为了什么，她眼泪却又流下面颊……

夜凉如水。石阶也凉得很。

连城璧坐在石阶上，只觉一阵阵凉意传上来，凉入他的身体，凉入他的背脊，凉入他的心。

他心里却似有股火焰在燃烧。

"她怎么会遇见萧十一郎的？"

"她为什么和萧十一郎天天在一起？"

"这两个月来，他们究竟在做什么？为什么她直到今天才回来？"

这些问题，就像是一条毒蛇，在啃噬着他的心。

他若将这些话问出来，问个清楚，反倒好些。但他却是个有礼的君子，别人不说的话，他绝不追问。

"可是，我虽不问她，她自己也该告诉我的。"

"她为什么不说？她究竟还隐瞒着什么？"

他尽力要使自己心里坦然，信任他的妻子。

可是他不能。

他的心永远也不能像他表面看来那么平静。

看到他妻子提到"萧十一郎"这名字时的表情，看到她的痛苦与悲伤，他忽然觉得萧十一郎和他妻子之间的距离，也许远比他接近得多。

他第一次觉得他对他妻子完全不了解。

这完全是因为他自己没有机会去了解她，还是因为她根本没有给他机会让他了解她？

秋已深了，连梧桐的叶子都在凋落。

他忽然发现赵无极、屠啸天、海灵子和厉刚从东面厢房中走出来，四个人都已除去了长衫，只穿紧身的衣服。

他们看到连城璧一个人坐在石阶上，似乎也觉得有些意外，四个人迟疑着，对望了一眼，终于走了过来。

赵无极走在最前面，勉强笑着，道："连公子还没有睡？"

他们本来是兄弟相称的，现在赵无极却忽然唤他"公子"了，一个人只有在对另一人存有戒心时，才会忽然变得特别客气。

连城璧却只是淡淡笑了笑，道："你们也没有睡。"

赵无极笑得更勉强，道："我们——我们还有点事，想到外面走走。"

连城璧慢慢地点了点头，道："我知道。"

赵无极目光闪动，道："连公子已知道我们要去做什么？"

连城璧默默半晌，缓缓道："我不知道。"

赵无极终于真的笑了，道："有些事连公子的确还是不知道的好。"

外面隐隐有马嘶之声传来。

原来他们早已令人备好了马。

海灵子忽然道："连公子也想和我们一齐去吗？"

连城璧又沉默了半晌，缓缓道："有些事，我还是不要去的好。"

于是四个人都走了。

这四人都是武林中的绝顶高手，行动之间，自然不会发出任何声音。但马不同，奔马的蹄声，很远都可听得见。所以他们出门后又牵着马走了很久，才上马急驰。

这四人的行踪为何如此匆忙？如此诡秘？

东面厢房中的灯还亮着。

连城璧又静静地坐了很久，似乎在等他面上的激动之色平静，然后，他才慢慢地走了过去。

门是开着的，司徒中平正在屋子里洗手。

他洗了一遍又一遍，洗得那么仔细，就好像他手上沾着了永远也洗不干净的血腥。

也许他要洗的不是手，而是心。

连城璧站在门外，静静地瞧着他。

司徒中平并没有回头，忽然道："你看见他们出去了？"

连城璧道："嗯。"

司徒中平道："你当然知道他们出去做什么。"

连城璧闭着嘴，像是拒绝回答这句话。

司徒中平叹了口气，道："你想必也知道，无论萧十一郎是个怎么样的人，他们都绝不会放过他的，萧十一郎不死，他们只怕连觉都睡不着。"

连城璧忽然笑了笑，道："你呢？"

司徒中平道："我——"

连城璧淡淡道："若不是你探了萧十一郎的行踪，他们怎么找得到？"

司徒中平洗手的动作突然停了下来，停顿在半空中，过了很久，才从架子上取下块布巾，慢慢地擦着手，道："但我并没有对他们说什么。"

连城璧道："你当然已用不着再说什么。因为你在探问时，已特意将厉刚留了下来，那已足够了。你当然知道厉刚与萧十一郎之间的仇恨。"

司徒中平道："我也没有和他们一齐去。"

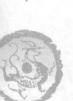

连城璧道："身为七十二家镖局的总镖头，行事自然要特别谨慎，不能轻举妄动。"

司徒中平道："但杀萧十一郎，乃是为江湖除害，非但不是什么见不得人的事，而且光彩得很。"

连城璧道："这也许是因为你不愿得罪璧君，也许是生怕日后有人发现萧十一郎真是含冤而死，所以宁可置身事外，也不愿去分享这份光彩。"

他笑了笑，淡淡接着道："司徒总镖头这'稳如泰山'四字，当真是名下无虚。"

司徒中平忽然转过身，目中带着种奇特的笑意，盯着连城璧道："你呢？"

连城璧道："我——？"

司徒中平道："你明知我方才是故意在探听萧十一郎的行踪，明知他们要去做什么，但你却并没有阻止之意，如今为何要来怪我？"

连城璧不说话了。

司徒中平悠然笑道："你虽未随他们同去，也只不过是因为知道萧十一郎已醉了，他们必可得手，其实你心里又何尝不想将萧十一郎置于死地！而且你的理由比我们都充足多——"说到这里，他脸色突然改变。连城璧也不由自主地转过头，随着他的目光瞧了过去，他立刻发现沈璧君不知何时已站在院子里。

沈璧君全身都在颤抖着，眼泪如断线珍珠般不停地往下流落。

连城璧长长吸了口气，柔声道："你本该已睡了的——"

他一步步走过去，沈璧君一步步往后退。

连城璧柔声接着道："院子里很凉，你要出来，至少也得

266

加件衣服。”

沈璧君忽然叫了起来，嘶声道："不要走近我！"

她流着泪，咬着牙，接着道："我如今才知道，原来你们是这样的英雄，这样的君子——"

她并没有说完这句话，就扭转身，头也不回地冲了出去！

醉了，真的醉了。

真的醉了时，既不痛苦，也不愉快，既无过去，也无将来，甚至连现在都没有，因为脑子里已成了一片空白。

真的醉了时，既不会想到别人，也不会想到自己，甚至连自己所做的事，也像是别人做的，和自己全无丝毫关系。

一个人真的醉了时所做的事，一定是他平时想做，却又不敢去做的。

他做这件事，一定是为了一个人，这人一定是他刻骨铭心、永难忘怀的人，就算他脑子里已成了一片空白，就算他已醉死，这人还是在他心底，还是在他骨髓里，已与他的灵魂纠缠成一体。

他会不顾一切地去做这件事，但他自己却不知道自己在做什么，因为他的心已被那人捏在手里。

只有真正醉过的人，才能了解这种感觉。

萧十一郎忽然跳了起来，冲到柜台边，一把揪住掌柜的衣襟，道："拿来！"

掌柜的逃也逃不了，挣也挣不脱，脸已吓白，颤声道："拿——拿什么？"

萧十一郎道："金钗——那金钗——"

清醒的人，对喝醉了人总是有点害怕的。

萧十一郎一把抢过了金钗，跟跄着走了几步，忽然一跤跌在地上，居然并没有站起来。

他也许根本不知道自己在瞧着的是什么，想着的又是什么。

他只是在反反复复地唤着沈璧君的名字。

因为沈璧君这人并不在他脑里，而在他骨髓里、血液里，在他心底，已与他灵魂纠缠在一起。

他又何必再去想呢？

那掌柜的也明白了，心里也在暗暗叹息："这一男一女本来很相配，又很相爱，为什么偏要分手？"

萧十一郎痴痴地瞧着、反复地低唤……忽然伏在地上，放声痛哭起来，哭得就像是个孩子。

连那掌柜的心都酸了。

"那位姑娘若是瞧见他这模样，不知道还能不能忍心离开他？"

掌柜的心里暗暗庆幸，自己这一生中还没有为情如此颠倒，如此痛苦，现在又幸而过了为情而颠倒的年纪。

他却不知没有经历过这种情感的人，人生中难免有片空白，这片空白正是所有其他任何事情都填不满的。

"道是不相思，相思令人老，几番几思量，还是相思好……"

门外已隐隐传来马蹄声，脚步奔腾声。

忽然间"砰！砰！砰！"三声大震。

三面的窗子都被踢碎，三个人一跃而入，一个站在门口，手持一柄青森森的长剑，脸色却比剑还青、还冷，正是海南第一高手海灵子！

萧十一郎还似乎全无感觉，还是坐在那里，痴痴地瞧着手里的金钗，低低地呼唤着沈璧君的名字。

萧十一郎

许明康 许黎黎 绘

　　萧十一郎还似乎全无感觉，还是坐在那里，痴痴地瞧着手里的金钗，低低地呼唤着沈璧君的名字。

他真的醉了。

从左面窗中跃入的赵无极，眼睛里发着光，笑道："想不到杀人如草的'大盗'萧十一郎，居然还是个多情种子。"

厉刚冷笑道："难怪沈璧君要为他辩白，原来两人已——哼!"

沈璧君，有人在说沈璧君。

萧十一郎忽然抬起头，瞪着厉刚。

其实他也许什么也没有瞧见，但眼睛看来却那么可怕。

厉刚竟不由自主后退一步。

海灵子厉声道："莫等他清醒了，快出手!"

喝声中，他掌中的剑已化为闪电，向萧十一郎咽喉刺出。

萧十一郎也许并不知道这一剑就要他的命，但二十年来未放下的武功，也已融入了灵魂。

他随手一挥。

只听"丁"的一声，他手里的金钗竟不偏不倚迎着了海灵子的剑锋!

这名扬天下的海南第一剑客，竟被他小小的一根金钗震得退出了两步，连掌中的剑都几乎把握不住。

赵无极脸色变了变。

他自从接掌"先天无极"的门户以后，武功虽未精进，气派却大了不少，无论走到哪里，从来也没有人看见他带过兵刃。

但此时他却从腰畔抽出了一柄精钢软剑，斜斜画了个圆弧，不但身法手式，连气度更是从容潇洒。

"先天无极"门的武功，讲究的本是"以静制动，以逸待劳，以守为攻，以快打慢"。

他剑方出手，只听急风一响，一柄旱烟筒已抢在他前面，

萧十一郎

271

向萧十一郎脊椎下"沧海"穴打了过去。

屠啸天的人看来虽然土头土脑，甚至已有些老态龙钟，但出手却当真是又狠、又准、又快！

赵无极自恃身份，故作从容，出手一向好整以暇，不求急进，但瞧见屠啸天这招攻出得手，萧十一郎必将血流如注，至死无救。

那边海灵子还未等喘过气来，就又挥剑扑上。

海南剑法本以辛捷狠见长，海南门下的剑客不出手则已，一出手必定是立刻要取人性命的杀手！

萧十一郎自出道以来，从未败过，无论谁能杀了他，都是件了不起的事，无名的人必将立刻成名，有名的人名声必将更响，所以这三人都在争先出手，像是生怕被人抢去了这份光彩。

只听又是"丁"的一响，火星四溅。

海灵子的剑竟迎上了赵无极的剑锋。

萧十一郎的人却已自剑锋下滚了出去。

双剑相击，海灵子和赵无极的脸上都不禁有些发红，随手抖出个剑花，正待转身追击。

但听"蓬"的一声，萧十一郎的身子突然飞了起来，"砰"地撞上柜台，鼻下嘴角都已沁出了鼻血。

他实在醉得厉害，竟未看到站在角落里的厉刚。

赵无极、海灵子、屠啸天，三个人抢着出手，谁知反而被厉刚捡了便宜，抢了头功。

海灵子板着脸，冷笑道："厉兄的三十六路'大摔碑手'，果然名不虚传，以后若有机会，我少不得要领教领教。"

厉刚的脸上根本从来也瞧不见笑容，冷冷道："机会必定有的，在下随时候教！"

就在这时，又听得"丁"的一响。

原来这两人说话的时候，屠啸天见机会难得，怎肯错过，掌中的旱烟袋已向萧十一郎头顶的"百会"穴击下。

谁知赵无极的剑也跟了过来，也不知是有意、是无意，剑锋划过烟斗，屠啸天这一招就打歪了。

但他的烟管乃精钢所铸，分量极是沉重。

赵无极的剑也被震得斜斜飞了上去，两人目光相遇，虽然都想勉强笑一笑，但那神情却比哭还难看得多。

厉刚冷笑了一声，道："此人中了我一掌，不劳各位出手，他也是活不成了。"

屠啸天勉强笑道："我曾听人说过，若要证明一个人是否真的死了，只有一个法子，就是先割下他的头来瞧瞧。"

赵无极也勉强笑道："不错，这句话我也曾听过，而且从未忘记。"

厉刚冷笑道："这倒简单得很，此刻就算是三尺童子，也能割下他的头颅——"

海灵子也冷笑了一声，道："只怕未必吧!"

厉刚怒道："未必?"

他目光一转，脸色也变了。

萧十一郎正在瞧着他们发笑。

这双眼睛虽还是朦朦胧胧，布满血丝，虽然还带着七分醉意，但不知何时已睁得很大。

一个人若快死了，眼睛绝不是这样子。

赵无极眼珠子一转，淡淡道："姓萧的朋友，你中了厉刚大侠的'大摔碑手'，本该赶快闭上眼睛去死才对，为何还睁着眼睛在这里发笑!"

萧十一郎突然大笑起来，笑得连气都透不出。

厉刚纵然老练，此刻脸也不禁红了，怒喝道："你笑什么？"

萧十一郎笑道："你的'大捭碑手'真像他说的那么厉害吗？"

他不等厉刚回答，突然站了起来，挺着自己的胸膛，大笑道："来，来，来，我不妨再让你在这里打两巴掌试试。"

厉刚脸色已由红转青，铁青着脸，一字字道："这是你自取其辱，怨不得我！"

他肩不动，腰不拧，脚下向前踏出了一步，掌尖前探，刚刚触及萧十一郎的胸膛，掌心才突然向外一吐。

这正是内家"小天星"的掌力。

萧十一郎竟不避不闪，硬碰硬接了这一掌。

只听"蓬"的一声，如击败革。

但这一次萧十一郎竟还是稳稳地站着，动也不动，简直就像是个钉子般钉在地上了。

厉刚脸色发白，再也说不出话来。

他的确已将"大捭碑手"练到九成火候，纵不能真的击石如粉，但一掌击出，只要是血肉之躯，实在不可能挨得住的。

谁知萧十一郎这人竟像是铁打的。

他一掌拍上萧十一郎的胸膛，就觉得有一股潜力反激而出，若不是他下盘拿得稳，只怕已被这一股反激之力震倒。

赵无极、海灵子面面相觑，虽然有些幸灾乐祸，但究竟是同仇敌忾，心里也是惊骇多于欢喜。

只见萧十一郎笑嘻嘻地瞧着厉刚，过了半晌，忽然笑问道："你练的这真是'大捭碑手'吗？"

厉刚道："哼！"

萧十一郎笑道："依我看这绝不会是'大捭碑手'，而是另一门功夫。"

赵无极瞟了厉刚一眼，故意问道："却不知是哪一门功夫？"

萧十一郎目光四转，笑道："这门功夫我恰巧也学过，我练给你们瞧瞧。"

·他吃东西并不太挑嘴，只要是用豆子做的东西，无论是豆腐、豆干、油豆腐、干丝，他都很喜欢吃。

但酒一喝多，无论什么都吃不下了。所以方才他虽然要了盘红烧豆腐，却留下了一大半，还放在那边桌子上。

此刻他竟摇摇摆摆地走了过去，伸手将盘子里的豆腐捞了出来，重重往地上一摔。

豆腐自然立刻被摔得稀烂。

萧十一郎居然一本正经地板着脸，道："这门功夫叫'摔豆腐手'，和'大摔碑手'是同路的功夫，只不过是师娘教出来的。"

别人本来还不知道他究竟在干什么，听了这话，才知道萧十一郎不但武功高明，臭人的本事更是高人一等。

海灵子第一个大笑起来。

此时此刻，他本来是笑不出的，他平生也根本从未这样大笑过，但想到厉刚面上的表情，他笑不出也要笑，而且笑得特别响。

别人一笑，萧十一郎也笑了，笑得弯下了腰。

其实他也笑不出的。

二十年来，死在厉刚"大摔碑手"下的人已不知有多少，萧十一郎挨了两掌，受的内伤实已很重。

但喝醉了的人，往往不计利害、不知轻重，明明不能说话，一醉就会说了出来，明明不能做的事也照样做了。

因为酒一下肚，明明只有五尺高的人，就会忽然觉得自己有八尺高，明明手无缚鸡之力的人，也会觉得自己是个大力士。

所以喝醉了的人常常喜欢找人打架，无论打不打得过，也先打了再说，就算最聪明的人，一喝醉也会变成呆子。

萧十一郎若在清醒时，当然绝不会以自己的血肉之躯去接厉刚的这一掌，只可惜萧十一郎喝醉了时，也和别的人全没两样。

屠啸天虽也在笑，但萧十一郎的一举一动他都很注意。

姜毕竟是老的辣。

屠啸天比别人多活了二三十年，这二三十年并不是白活的，表面上虽然笑着，眼睛里却全无丝毫笑意，突然道："这门功夫我倒也学过的。"

萧十一郎大笑道："哦？你是不是也想来试试？"

屠啸天道："正有此意。"

这四字说了，掌中的旱烟管也已击出。

只觉他手腕震动，一个烟斗似乎变成了三个，分打萧十一郎前胸"玄机""乳泉""将台"三处大穴。

屠啸天号称海内打穴第一名家，就这一着"三潭印月"，一招打三穴，放眼天下，实已很少有人能比得上。

萧十一郎的身子根本没有动，右手如抓苍蝇，向外一抓，这支旱烟管就莫名其妙地到了他手里。

屠啸天的脸一下子就变得比纸还白。

萧十一郎大笑道："我只喝酒，不抽烟，这玩意儿我没用。"

他双手一抖，似乎想将这烟管折断，却不知烟管竟是精钢所铸，他一抖未断，忽然大喝一声，只听得"丁"的一声，烟斗虽被他拗得崩了出去，打在墙上，但他嘴里也喷出了一口鲜血，全都喷在屠啸天的身上。

屠啸天本似已吓呆了，被鲜血一激，突然转身，一个肘拳击上了萧十一郎的胸膛。

这一次萧十一郎再也挨不住了，身子也被撞得飞出，但见剑光一闪，赵无极的剑已闪电般刺入了他肋下。

寻不着马车。

沈璧君力已将竭，一口气已几乎喘不过来。

但她就算力竭而死，也不会停下脚的。

"我绝不能让萧十一郎因我而死，我无论如何也要救他。"

她心里只有这一个念头，别的事她已全不管了。

夜很静。

她认准了方向，全力飞掠，前面有墙，她就掠过墙，前面有屋，她就掠过屋，也不管是谁家的墙院，谁家的屋子。

这种事她以前本不敢做的，但现在她已不在乎。

只要能救得了萧十一郎，无论要她做什么她都不在乎。

一片乌云掩来，掩去了星光月色。

沈璧君忽然发觉自己竟迷失了方向!

萧十一郎倒在墙角下，喘息着。

他眼虽是眯着的，似已张不开，但目光却很清澈。

他的酒终于醒了。

酒不醒反而好些，酒一醒，他忽然觉得全身都痛苦得仿佛要裂开——酒，已代为冷汗流出。

屠啸天仰面大笑道："现在只怕真连三尺童子都能割下他的脑袋。"

赵无极微笑道："既是如此，就让在下来动手吧!"

屠啸天忽然顿住了笑声，道："且慢!"

赵无极皱了眉，道："还等什么?"

屠啸天笑道："是我杀了他，怎敢劳动掌门人去割他的脑袋。"

赵无极仰天大笑了几声，道："想不到屠兄近来也学会用剑。"屠啸天道："好在这旱烟管，也未必就比剑不中用!"

赵无极悠然笑道："这人致命的伤口，明明是剑伤，无论谁都可看得出来，屠兄使的若不是剑，这剑伤是哪里来的呢?"

屠啸天脸色变了变，冷笑道："若非老夫那一拳，这一剑只怕再也休想沾他的衣裳。"

厉刚突然也冷笑了一声，道："若非他早已受了内伤，阁下的头颅，只怕也和这烟斗一样了。"

海灵子冷冷道："人家站在那里不动，他居然还有脸出手，这样的君子，倒也少见得很!"

厉刚怒道："你有何资格说话? 你可曾沾着他的毫发?"

海灵子厉声道："至少我并未乘人之危，捡人便宜。"

突听萧十一郎长长叹了口气，喃喃道："看样子我这脑袋必定值钱得很，否则这些人怎会你抢我夺，就像狗抢骨头似的。"

四个人脸上阵青阵白，谁也说不出话来。

萧十一郎道："我正头疼得要命，有人能将它割下来，我正求之不得，你们有胆子的，就来拿吧!"

……向屠啸天笑了笑，道："但你现在真有把握能割下……为何不来试试?"

……竟不由自主后退了半步。

……到赵无极身上，道："你呢? 你方才抢着动手的，现在为何不来了？"

赵无极的手紧握着剑柄，掌心已沁出了冷汗。

萧十一郎喘息着，道："海南剑派门下，素来心黑无胆，想必是不敢出手的了。"

海灵子气得发抖，但掌中的剑还是不敢刺出。

百足之虫，死而不僵，狮虎垂危，犹有余威。

萧十一郎道："至于你——"

他目光忽然刀一般盯在厉刚脸上，冷笑道："你这'见色不乱'的真君子，我早已看透你了。你现在只要敢再往前一步，我就要你立刻死在我脚下!"

厉刚铁青着脸，满头冷汗涔涔而落，但两只脚却像已被钉在地上，再也无法向前移动半步!

萧十一郎忽又大笑起来。

赵无极忍不住问道："你笑什么？"

萧十一郎道："我笑的是你们这四个无胆的匹夫!"

他大笑着接道："其实我这头颅早已等着你们来割了，你四个无论谁来下手，我都已无力反抗，只可笑你们竟无一人有此胆量!"

四个人面上阵红阵白，竟被骂得抬不起头来。

萧十一郎道："我这头颅虽已等人来取，但凭你们这四人，还不配!"

他忽然抽出腰畔的刀，仰面长笑道："萧十一郎呀萧十一郎呀! 想不到你这颗大好的头颅，竟无人敢来一割，到头来还得要你自己动手!"

赵无极忽然喝道："且慢!"

萧十一郎喘息着，大笑道："你现在想来割，已来不及了! 日后江湖中人总有一日会知道，萧十一郎只不过是死在自己手上的! 你们这四位大英雄、大侠客，竟只能在旁边瞧着。"

赵无极淡淡道："我们本就不是什么英雄豪杰，若非早已知道你已烂醉如泥，也许根本就不敢到这里来。"

萧十一郎道："这话倒不错。"

赵无极笑了笑，道："但我们怎会知道你在这里？又怎会知道你醉了呢？"

萧十一郎脸色突然变了，厉声道："你怎会知道的？"

赵无极悠然道："这是谁告诉我们的，你难道还想不出？"

他冷笑着接道："连夫人早已将你恨之入骨，要我们来将你乱刀分尸，所以才先灌醉你，只可笑你还捧着她的金钗，自我陶醉，你岂非比我们还要可笑得多。"

萧十一郎忽然狂吼一声，扑了上去!

他伤口上的血本已凝结，这一用力，伤口就又崩裂，鲜血一股股射了出来!

但这一刀之威，仍是势不可当。

赵无极挥剑迎了上去，"丁"的一声，他虎口已被震裂，掌中剑竟也把持不住!

他整个人都被这一刀震麻了，两腿一软，跌了下去。

萧十一郎的第二刀又已砍下。

赵无极心胆皆丧，再也顾不得什么身份气派，就地一滚，滚出了七八尺，"砰"地撞在柜台角上，额角立刻被撞出了个大洞。

萧十一郎又已追了过来。

神都吓飞了，只见他刀已扬起，突然"当"地落在也随着倒下。

第一八章 亡 命

萧十一郎毕竟不是铁打的!

他血流个不停,力气也流尽了。

赵无极又一滚,抄起地上的刀,狂笑道: "我迟早还是要你死在我手上!"

霹雳一声,暴雨倾盆。

一阵狂风自窗外扑来,卷倒了屋子里的两只残烛。

赵无极刀已扬起,眼前忽然什么也瞧不见了。

死一般的黑暗,死一般的静寂,甚至连呼吸声也听不见。

赵无极的手紧握着刀柄,他知道萧十一郎就在刀下!

但萧十一郎真的还在那里吗?

赵无极的掌心正淌着冷汗。

突然间,电光一闪。

萧十一郎正挣扎着想站起来,但随着闪电而来的第二声霹雳,又将他震倒,就倒在刀下了。

赵无极的手握得更紧,静等着另一次闪电。

这一刀砍下去,一定要切切实实砍在萧十一郎的脖子上!

这一刀绝不能再有丝毫差错。

隆隆的雷声终于完全消失,正已到了第二次闪电击下的时候。

闪电一击，萧十一郎的头颅就将随着落下。

想到这一刻已近在眼前，赵无极的心也不禁加速了跳动。

他只恨现在烛火已灭，不能看见萧十一郎脸上的表情。

就在这时，屋子里突然多了阵急促的喘息声。

门外雨声如注，这人似乎自暴雨中突然冲了进来，然后就动也不动地站在那里，因为他也必定什么都瞧不见。

这人是谁？

赵无极不由自主向后面瞧了一眼，虽然他也明知道是什么也瞧不见的，但还是忍不住要去瞧瞧。

就在这时，电光又一闪！

一个人披头散发，满身湿透，瞪大了眼睛站在门口，目光中充满了惊惶、悲愤、怨恨、恐惧之意。

是沈璧君！

赵无极一惊，沈璧君也已瞧见了他，手突然一扬。

电光一闪即熄，就在这将熄未熄的一刹那间，赵无极已瞧见沈璧君手中有一蓬金丝暴射而出！

这正是沈璧君家传，名震天下的"夺命金针"！

赵无极已顾不得伤人，抖手晃起一片刀花，护住了面目，身子又就地向外滚出了七八尺，"砰"的一声，也不知撞了什么。

又一声霹雳声过，电光又一闪。

沈璧君已冲了过来，扑倒在萧十一郎身上。

一片黑暗，震耳的霹雳声中，她甚至连萧十一郎……但她的手却已摸到他身上有湿粘粘的一

281

沈璧君嘶声道："你们杀了他——是谁杀了他?"

凄厉的呼声，竟似比雷声更震人心弦。

黑暗中，一只手向沈璧君抓了过来。

雷声减弱，电光又闪。

沈璧君瞧见了这只手，枯瘦、乌黑得如鹰爪。正是海灵子的手。

海灵子另一只手还紧握着剑，似乎想一把抓开沈璧君，接着再一剑刺穿萧十一郎的咽喉!

但他也瞧见了沈璧君的眼睛，比闪电还夺人的眼睛!

火一般燃烧着的眼睛!

直到闪电再亮，他的手还停顿在那里，竟不敢抓下去!

沈璧君道："滚! 滚开! 全部滚开! 无论谁再敢走近一步，我就叫他后悔终生!"

呼声中，她已抱起萧十一郎，乘着黑暗向门外冲出。

只听一人道："且慢!"

电光再闪，正好映在厉刚脸上。

他铁青的脸被这碧森森的电光所映，映得更是说不出的诡秘可怖。

沈璧君怒喝道："闪开! 你有多大的胆子，敢拦住我?"

闪光中，她的手似又扬起!

厉刚也不知是被她的气势所慑，还是畏惧她手里的"夺命金针"，竟不由自主向后退了两步。

沈璧君已向他身旁冲了出去。

屠啸天长长叹了口气，道："纵虎归山，萧十一郎这一走，日后我们只怕就难免要一个个死在他手上了!"

厉刚怒道："你为何不来拦住她?"

屠啸天叹道："你莫忘了，沈璧君毕竟是连城璧的妻子她若受了伤，谁承担得起?"

赵无极忽然笑了笑，道："但你若是连城璧，现在还会认她做妻子吗?"

屠啸天默然半晌，忽也笑了笑，道："无论如何，我们现在再追也不迟，反正她也走不远的。"

厉刚道："不错，追!"

暴雨如注。

雨点打在人身上，就好像一粒粒石子。

无边的黑暗，雨水帘子般挂在沈璧君眼前。

她根本瞧不清去路，也不知道究竟该逃到哪里去。

天地虽大，却似已无一处能容得下他们两个人。幸好后面还没有人追来，沈璧君放慢了脚步，迟疑着道："该走哪条路?"

电光一闪，她忽然发觉一个人痴痴地站在暴雨中，正痴痴地在瞧着她。

是连城璧!，他怎么也到了这里?

沈璧君虽然并没有看清他的面目，但这双眼睛，眼睛里的所包含的这种情意，除了连城璧还有谁?

她的脚步忽然似乎被一种虽然无形、但却巨大的力量托住!

无论如何，连城璧毕竟是她的丈夫。

电光又一闪，这一次，她才看清了他。

□□湿透，雨水从他头上流下来，流过他的眼睛，□□□痴痴地站在那里，动也不动。

□□□，也没有愤怒，只是痴痴地望着她，全□□了她之外，他什么都已瞧不见，什么都不在乎。

连城璧本来永远都是修饰整洁，风度翩翩的，无论任何人，在任何时候瞧见他，他都像是一株临风的玉树，神采照人，一尘不染。

但现在——

沈璧君从来也没有看见他如此消沉，如此狼狈过。

她突然觉得一阵热血上涌，连喉头都似被塞住，情不自禁向他走了过去，嗄声道："你——你一直在跟着我？"

连城璧慢慢地点了点头。

沈璧君道："但你并没有来拦住我。"

连城璧沉默了半晌，缓缓地说道："只因我明白你的心意——"

沈璧君道："你明白吗？真的明白？"

连城璧叹道："若不是你，他不会落得如此地步，你怎么能不救他？"

忽然间，沈璧君整个人似也痴了，心里也不知是悲伤，还是欢喜。

"无论如何，他毕竟还是了解我的。"

在这一刹那间，连城璧若是叫她带着萧十一郎逃走，她也许反而会留下，以后她纵然还是会后悔的。

但在这一刹那间，她绝不忍抛下他一个人孤零零地站在暴雨中。

连城璧柔声道："我们回去吧！无论他受的伤多么重，我都会好好照顾他的，绝不会让任何人再伤他毫发。"

沈璧君突然向后面退了两步，道："你——你相信他不是坏人？"

连城璧道："你说的话，我几时怀疑过？"

萧十一郎

285

沈璧君身子忽然颤抖了起来，颤声道："但他们方才要来杀他时，你并没有拦，你明知他们要来杀他，却连一句话也没有说。"

她一面说，一面向后退，突然转身飞奔而去。

连城璧忍不住喝道："璧君——"

沈璧君大声道："你若真的相信我，现在就该让我走，否则以后我永远也不要见你，因为你也和别人一样，是个伪君子!"

连城璧身形动了动，又停下!

雨更大了。

沈璧君的身形已消失在雨水中。

只听一人叹道："连公子的涵养，果然非人能及，佩服佩服。"

震耳的霹雳声中，这人的语声还是每个字都清清楚楚地传入连城璧耳里，只可惜他的脸色别人却无法瞧见。

一个人手里撑着柄油纸伞，慢慢地自树后走了出来，闪电照上他的脸，正是"稳如泰山"司徒中平。

他脸上带着诡秘的微笑，又道："在下若和连公子易地相处，萧十一郎今日就再也休想逃走了，也正因如此，所以在下最多也不过只是个保镖的，连公子却是名满天下、人人佩服的大侠，日后迟早必将领袖武林。"

连城璧脸上连一点表情都没有，淡淡道："你究竟想说什么?"

司徒中平笑道："我只是说，连公子方才若杀了他，虽只不过是举手之劳而已，但若被人知道连公子也会乘人之危，岂非于侠名有损? 连夫人更难免伤心，如今连公子虽未杀他，他反正也是活不长的。"

连城璧没有说话。

司徒中平道："方才赵无极他们也已追了过来，连夫人虽未瞧见，连公子却自然不会瞧不见，现在他们既已追去，夜雨荒山，以连夫人之力，又还能逃得多远？既然已有人杀他，连公子又何必自己出手？"

连城璧沉默了良久，缓缓道："这些话，你自然不会对别人说的，是吗？"

司徒中平道："连公子也知道在下一向守口如瓶，何况，在下此时正有求于连公子。"

连城璧淡淡道："你若非有求于我，也不会故意在我面前说这些话了。"

司徒中平大笑着道："连公子果然是目光如炬，其实在下所求之事，在连公子也只不过是举手之劳而已。"

连城璧突然笑了笑，道："江湖中人人都知道司徒中平'稳如泰山'，依我看，却未必。"

司徒中平脸色变了变，勉强笑道："在下正也和连公子一样，本就是别人无法看透的。"

连城璧沉下了脸，冷冷道："你看我是个会被人所胁的人吗？"

司徒中平身子不由自主向后缩了缩，再也笑不出来。

连城璧叹了口气，道："其实我也知道，你如此做，也是情非得已，只因你要求我的事，平时我是绝不会答应的。"

司徒中平变色道："连公子已知道我要求的是什么事了？"

连城璧淡淡道："若要人不知，除非己莫为，你们的事，有几件是我不知道的？但你们只知我涵养很深，却未想到我有时也会翻脸无情的。"

司徒中平依然瞧着他，就像是第一次看到这个人似的。

连城璧叹道："其实每个人都有两种面目，有善的一面，也有恶的一面，否则他非但无法做大事，简直连活都活不下去的。"

司徒中平满头水流如注，也不知是雨水，还是冷汗。他突然抛下了手里的油纸伞，飞也似的逃了出去。

闪电又击下！

连城璧的剑却比闪电还快！

司徒中平连一声惨呼都未发出，长剑已自他后背刺入，前心穿出，将他整个人钉在地上！

连城璧垂首瞧他，叹息着道："没有人能真'稳如泰山'的，也许只有死人——"

他慢慢地拔出剑。

剑锋上的血立刻就被暴雨冲得干干净净。

荒山。

闪电照亮了山坳后的一个洞穴。

沈璧君也不管洞穴中是否藏有毒蛇、猛兽，不等第二次闪电再照亮这洞穴，就已钻了进去。

洞穴并不深。

她紧紧抱着萧十一郎，身子拼命往里缩，背脊已触及冰凉铁硬的石壁，她用力咬着嘴唇，不让自己喘息。

雨水挂在洞口，就像是一重水晶帘子。

她忽然觉得自己就像是一匹狼，一匹被猎人和恶犬追踪的狼，她忽然了解了狼的心情。

赵无极他们并没有放过她。

她虽然没有真的看到他们，但她知道。

一个人到了生死关头，感觉也就会变得和野兽一样敏锐，仿佛可以嗅得出敌人在哪里。

这是求生的本能。

但无论是人或野兽，都会有种错觉，到了一个可以避风的地方，就会觉得自己已安全得多。

沈璧君颤抖着，伸出手——

萧十一郎的心还在跳，还在呼吸。

她闭上眼睛，长长叹了口气，过了半晌，他身子突然发起抖来，牙齿也在"格格"地打战，仿佛觉得很冷，冷得可怕。

沈璧君心里充满了怜惜，把他抱得更紧。

然后，她就感觉到萧十一郎在她怀中渐渐平静，就好像一个受了惊骇的孩子，知道自己已回到母亲的怀抱。

世上只有母亲的怀抱才是最安全的。

虽然外面还是那样黑暗，风雨还是那么大，虽然她知道敌人仍在像恶犬般追踪着她。

但她自己的心忽然也变得说不出的平静。一种深挚的、不可描述的母爱，已使她忘却了惊惶和恐惧。

孩子固然要依赖母亲。

母亲却也是同样在依赖着孩子的。

世上固然只有母亲才能令孩子觉得安全，但也惟有孩子才能令母亲觉得幸福、宁静——这种感觉是奇妙的。

她自己也不知道自己怎会有这种感觉。

因为她还不太懂得真正的爱情。

恋人们互相依赖，也正如孩子和母亲。

闪电和霹雳已停止。

除了雨声外，四下已听不到别的声音了。

沈璧君也不知道是该往前面逃，还是停留在这里。恍恍惚惚中，她总觉这里是安全的，绝没有任何人能找得到他们。

她这是不是在欺骗自己？

有时人会自己欺骗自己，所以才能活下去，若是对一切事都看得太明白、太透彻，只怕就已没有活下去的勇气。

恍恍惚惚中，她似又回到了深谷里的那间小小的木屋。

萧十一郎正在外面建筑另一间，雨点落在山石上，就好像他用石锤在敲打着木头。

声音是那么单调，却又是那么动听。

她眼帘渐渐阖起，似已将入睡。

她虽然知道现在睡不得，却已支持不下去——

恐惧并不是坏事。

一个人若忘了恐惧，就会忽略了危险，那才是真的可怕。

幸好这时萧十一郎已有了声音！

他身子仿佛微微震动了一下，然后就轻轻问道："是你？"

四下一片黑暗，暗得什么都分辨不出。

沈璧君看不到萧十一郎，萧十一郎自然也看不到她。

但他却已知道是她，已感觉出她的存在。

沈璧君心里忽然泛起了一阵温暖之意，柔声道："是我——你刚刚睡着了。"

萧十一郎很久没有回答，然后才轻轻叹息了一声，道："你不该来的。"

沈璧君道："为——为什么？"

萧十一郎道："你知道——我不愿意连累你。"

沈璧君道："若不是我，你怎会这样子？本就是我连累了你。"

萧十一郎道："没你，他们一样会找到我，没有你，我一样能活下去，你明白吗？"

290

沈璧君道："我明白。"

萧十一郎道："好，你走吧!"

沈璧君道："我不走。"

她很快地接着道："这次无论你说什么，我都不会走了。"

萧十一郎从来也未曾听到过如此坚决的话。

她本是很柔弱的人，现在已变了。

他本想再像以前那么样刺伤她，让她不能不走。

但也不知为了什么，那些尖刻的话他竟再也无法说出来。

沈璧君仿佛笑了笑，柔声道："好在那些人已走了，我们总算已逃了出来，等到天一亮，我就可以送你回去，那时我——我再走也不迟。"

萧十一郎又沉默了很久，忽也笑了笑，道："你根本不会说谎，何必说谎呢?"

沈璧君道："我——说谎?"

萧十一郎道："那些人无论哪一个，都绝不会放过我的，我明白得很。"

他声音虽然还是那么虚弱，却又已带着些讥诮之意。

沈璧君道："他们为什么一定要你死?"

萧十一郎道："因为我若死了，他们就可以活得更安全，更有面子。"

沈璧君终于听出了他话中的讥诮之意，试探着问道："是不是只有你才知道他们曾做过哪些见不得人的事?"

萧十一郎没有回答。

沈璧君长长叹息了一声，道："其实，你用不着告诉我，我现在也已看清这些自命侠义之辈的真面目了。"

萧十一郎道："哦?"

沈璧君道："他们说的，跟他们做的，完全是两回事。"

萧十一郎

萧十一郎道："所以他们为了要杀我，必定不惜使用各种手段。"

沈璧君道："的确是这样。"

萧十一郎道："所以，你还是走的好，你不必陪我死。"

沈璧君道："我不走。"

她的回答还是只有这三个字。

这三个字里包含的决心，比三万个字还多。

萧十一郎知道自己就算说三十万个字，也无法改变她这决心的。

他只有一个字也不说。

过了很久，沈璧君忽又问道："我知道赵无极他们必定是做过许多亏心事，但厉刚呢？"

萧十一郎冷笑道："你觉得厉刚真是个'见色不乱'的真君子，是不是？"

沈璧君道："别人都是这么样说的。"

萧十一郎道："我却只能这么说，在男人面前，他也许是个君子，但遇着单身的美丽女子，他身上恐怕就只剩下头发还像个君子了。"

沈璧君不说话了，因为已说不出话来。

雨还是很大。

萧十一郎忽然道："天好像已有些亮了。"

沈璧君道："嗯。"

萧十一郎道："你真的不肯一个人走？"

这次沈璧君只回答了一个字："是。"

萧十一郎道："好，那么我们一齐走。"

沈璧君又迟疑了。

天已亮了，敌人就在外面，他们一走出去，只怕就要——

沈璧君道："等雨停再走不好吗?"

萧十一郎道："我知道你讨厌这场雨,但我却很感激。"

沈璧君道："感激?"

萧十一郎道："就因为这场雨冲乱了我们的足迹,所以他们直到现在还没有找到我们,也就因为这场雨,所以我们才有机会逃走。"

沈璧君道："机会? 什么机会?"

暴雨自山路上冲下来,就好像一道小小的瀑布。

厉刚、赵无极、屠啸天、海灵子,在山路的分岔口停下。赵无极叹了口气,道:"这场雨倒真帮了他们不少忙,非但冲走了他们的足迹,连他们的味道都冲掉了,我们就算带着猎犬,只怕也追不到他们。"

海灵子冷冷道:"他们还是逃不了!"

屠啸天道:"不错,这种路连我们都走不快,何况沈璧君,她还带着个重伤的人。"

他笑了笑,接着道:"我们这位连夫人的功夫,大家自然都清楚得很。"

赵无极道:"但至少我们现在就不知道该往哪条路上追。"

厉刚忽然道:"分开来追!"

赵无极沉吟着,道:"也好,我和海道长一道,厉兄——"

厉刚道:"我一个人走。"

这句话未说完,已施动身形,向左面一条山路扑了上去。

赵无极、屠啸天、海灵子,三个人站在那里静静地瞧着他身影消失。

屠啸天悠然道:"这人的掌力虽强,轻功也不弱,脑袋却不大怎么样。”

赵无极笑了笑，道："你是说他选错了路?"

海灵子道："不错，沈璧君和萧十一郎绝不会从这条路上逃的。"

海灵子道："怎见得?"

屠啸天道："因为这条路比较好走。"

他又解释道："一个人在逃命时，反而不会选择好走的一条路的，总认为若向难走的一条路逃，别人也就很难找到。"

赵无极笑道："不错，每个人都难免有这种毛病，我只奇怪，厉刚也是老江湖了，怎会想不到?"

屠啸天望着自雨笠檐前流落的雨水，忽也笑了笑，道："还有件事，我也始终觉得奇怪。"

赵无极道："哪件事?"

屠啸天道："厉刚人称君子，不知他做了些什么见不得人的事，被萧十一郎发现，所以才非要将萧十一郎杀死不可。"

赵无极笑道："他坚持要一个人走，只怕也是生怕萧十一郎在我们面前揭穿他的秘密吧!"

萧十一郎似在思索着。沈璧君就又问了句："什么机会?"

萧十一郎道："他们猜不出我们往哪条路逃走，一定会分开来搜索。"

沈璧君道："嗯。"

萧十一郎道："厉刚生怕我在人前说出他的秘密，一定不愿和别人同行。"

沈璧君道："但赵无极、屠啸天、海灵子呢? 他们三个人最近就好像已粘在一起似的。"

萧十一郎道："但这次他们一定也会分开。"

沈璧君道："为什么?"

萧十一郎笑了笑，道："能杀了我，是件很露脸的事，谁也不愿别人分去这份功劳。"

沈璧君道："可是，他们难道就不怕一个人的力量不够吗?"

萧十一郎道："他们知道我已受了重伤，已无力反抗。"

沈璧君道："但我却没有受伤。"

萧十一郎又笑了笑道："你以为你的武功和他们差不多?"

沈璧君咬着嘴唇，道："我只知道他们四个人，无论谁也不敢跟我交手。"

萧十一郎叹了口气，道："他们怕你，因为你是沈璧君，是连夫人，并不是为了你的武功。"

沈璧君又不说话了。

萧十一郎道："但他们还是算错了一件事。"

沈璧君道："哦?"

萧十一郎道："他们不知道，野兽对伤痛的忍耐力，总比人强些。"

沈璧君忍不住笑了，道："他们更不知道你的忍耐力比野兽还强。"

萧十一郎道："所以只要我算得不错，以我们两人之力，无论要对付他们其中哪个人，都可以对付得了。"

他缓缓接着道："只要他们分开来追，我们就有机会将他们一个个杀死!"

这句话中已带着种杀气。

沈璧君似乎打了个寒噤，过了半天，才叹息着道："你若猜错了呢?"

萧十一郎道："我们至少总有机会赌一赌的!"

虽然天已亮了，但在暴雨中，目力犹无法及远。

沈璧君扶着萧十一郎走出了山穴，道："我们往哪里去？"

萧十一郎道："哪里都不去，就等在这里!"

沈璧君愕然道："就等在这里？"

萧十一郎道："逃，我们是逃不了的，所以只有等在这里，引他们来。"

沈璧君道："可是——可是——"

萧十一郎没有听她说下去，道："这样做，虽然很冒险，但至少是在以逸待劳，因为我们现在的气力已有限，已不能再浪费了。"

沈璧君望着他，目中充满了爱慕。

她觉得萧十一郎的确是任何人都比不上的。

萧十一郎忽又笑了笑，道："我现在只是在猜想，第一个找到我们的是谁？"

沈璧君道："你猜会是谁？"

萧十一郎道："是屠啸天。"

沈璧君道："你为什么猜是他？"

萧十一郎道："他的江湖经验最丰富，轻功也不比别人差。"

他微笑着道："第一个抓到鸡的，一定是条老狐狸。"

沈璧君道："他若来了，我该怎么样做？"

萧十一郎道："老狐狸都难免会有种毛病。"

沈璧君道："什么毛病？"

萧十一郎道："疑心病。"

沈璧君道："所以我们就要对准他这毛病下手。"

萧十一郎道："一点也不错，我们只要——"

他说话的声音变得很低很低，除了沈璧君外，谁也听不到。

　　第一个找来的，果然是屠啸天。

　　他果然是一个人来的。

　　沈璧君坐在山穴前一块石头上，似已痴了，暴雨如注而下，她仿佛一点感觉都没有，屠啸天来了，她也似没有瞧见。

　　屠啸天一眼就瞧见了她，却没有瞧见萧十一郎。

　　萧十一郎莫非躲在山洞里？

　　屠啸天迟疑着，慢慢地走了过去，脸上带着假笑，故作惊讶，道："连夫人，你怎会在这里？"沈璧君这才抬头瞧了他一眼，居然笑了笑，道："你怎么到现在才来？"

　　屠啸天目光闪动着，道："连夫人难道在等我吗？"

　　沈璧君道："我迷了路，正在等着人来送我回去。"

　　屠啸天道："那位萧十一郎呢"？

　　沈璧君叹了口气，道："他已死了，你们本就该知道他是活不长的。"

　　屠啸天慢慢地点了点头，也叹息着道："他受的伤确实很重，但若是有名医救治，还是很快就会复原的。"

　　他忽然笑了笑，接着道："却不知他的尸身在哪里，也许还未真的断气呢？"

　　沈璧君目光有意无意地向山洞里瞧了一眼，立刻又垂下了头，道："我跑了半夜，实在一点力气也没有了，只得将他尸身抛下。"

　　屠啸天道："抛在哪里？"

　　沈璧君呐呐道："黑夜之中，也不知究竟抛在哪里了，慢慢找，也许还可找着。"

　　屠啸天笑道："一定可以找着的。"

　　他脸色突然一沉，人已蹿到山洞前，高声道："姓萧的，事已至此，你躲在里面又有什么用？还是老老实实地出来吧!"

　　山洞中没有应声。

　　沈璧君面上却露出了惊惶之色。

　　屠啸天眼珠子一转，突然蹿到沈璧君身旁，道："得罪了!"

　　三个字出口，他已扣住了沈璧君的手腕。

　　沈璧君变色道："你想干什么?"

　　屠啸天道："也没什么，只不过想请连夫人先走一步，带我到山洞里去瞧瞧。"

　　沈璧君脸都吓白了，犹疑着，终于跺了跺脚。

　　屠啸天已将她推入了山洞，厉声道："姓萧的，你听着，连夫人已在我手里，你若敢玩什么花样，我就叫你们连死都不得好死!"

　　最后一个"死"字，他并没有说出来。

　　这"死"字已变作一声惨呼!

　　他只觉得好像有千百只蜜蜂，一齐钉入了他的后颈和背脊。

　　沈璧君乘机挣脱了手，反手一掌击出。

　　屠啸天踉跄后退，退到洞口，霍然转身。

　　萧十一郎正站在洞外笑嘻嘻地瞧着他。

　　屠啸天眼珠子都快凸了出来，咬着牙道："你——你这恶贼——"

　　萧十一郎微笑道："不错，我是恶贼，你却是笨贼，你以为我在洞里，我偏在外面。"

　　屠啸天道："你——你——你用的是什么恶毒的暗器?"

萧十一郎道："只不过是沈家的金针，自然是有毒的那种。"

屠啸天死灰色的脸，突然一阵扭曲。

然后，他的人也倒下。

就在他倒下去的时候，萧十一郎也倒了下去。

沈璧君奔出来，扶起他，柔声道："你没事吧?"

萧十一郎道："我只怕自己会先倒下，我若先倒下，他也许就能再多支持一会儿，先将我杀了。"

沈璧君透了口气，嫣然道："想不到你用金针的手法，并不在我之下。"

萧十一郎叹了口气，道："一个人到了生死关头，无论做什么都会比平时做得好些的。"

屠啸天自从倒下去后，就没有再动过。

萧十一郎喘息着，瞧着他，喃喃道："幸好老狐狸的疑心病都很重，否则哪有鸡的活路。"

沈璧君道："我将他拖到洞里去好不好?"

萧十一郎道："不好，他还有用。"

沈璧君道："有用?"

萧十一郎闭上眼睛，道："第二个来的，一定是赵无极。"

沈璧君并没有问他是从哪点判断出的。

她已完全相信他。

萧十一郎道："赵无极的为人，不但聪明，而且狡猾，聪明人大多有种毛病，就是自作聪明，狡猾的人大多胆小。"

沈璧君道："你准备怎么样对付他?"

萧十一郎道："我靴筒里有把小刀，你拿出来。"

刀很锋利。

沈璧君轻拭着刀锋，嫣然道："你什么都不讲究，用的刀

却很讲究。"

萧十一郎笑了笑，道："我喜欢刀。"

他立刻又接着道："我喜欢它，并不是因为它能杀人。"

沈璧君道："我明白。"

萧十一郎道："好的刀，本身就是完美的，就好像无暇的璧玉一样，你只要将它拿在手里，心里就会觉得很满足。"

沈璧君道："但'匹夫无罪，怀璧其罪'，好刀常常都会替人找来许多麻烦。"

说了这几句话，他们都觉得松弛了些。

沈璧君道："你要这把刀干什么？"

萧十一郎拿过刀，道："你回过头去。"

沈璧君凝注着他道："我不必回头，无论你做什么，我知道都是对的，何必回头？"

萧十一郎避开了她的目光，一刀插入了屠啸天的胸膛。

然后，他才解释着道："这么样一来，赵无极就会认为我是面对面杀死屠啸天的了。"

沈璧君道："嗯。"

萧十一郎道："对面有两排树，你瞧见了没有？"

沈璧君道："赵无极认为你杀了屠啸天，一定不敢过来，一定会退到那两排树中去，是不是？"

萧十一郎笑道："不错，你不但已学会很多，而且学得很快。"

沈璧君道："但他退过去后又怎样呢？"

萧十一郎道："你将右面一排树，选较柔韧的树枝，弯曲下来，用——用你的头发系在地面的石头或者树根上。"

他凝视着沈璧君，道："你能做得到吗？"

沈璧君情不自禁摸了摸满头流云的柔发，道："我一定能

300

做到。"

萧十一郎瞧着她，心里充满了感激。

因为他知道女人们对自己的头发是多么珍视，有时她们甚至宁愿割下头来，也不愿牺牲头发的。

沈璧君道："你还要我做什么?"

萧十一郎道："左面第三棵树，枝叶最浓密，你就躲到那棵树上去。"

沈璧君道："然后呢?"

萧十一郎道："然后你就等着，等赵无极进入树丛，牵动头发，左面的树枝一下子就会突然弹起，赵无极必定会大吃一惊，以为左面还有埋伏。"

沈璧君眼睛亮了，道："他一定就会往右面闪避退却。"

萧十一郎道："不错，那时你就在树上用金针招呼他。"

沈璧君笑道："我明白了。"

萧十一郎道："但你一定要把握机会，要看准他身法的变化已穷，旧力已竭、新力未生的那一瞬间出手，叫他避无可避，退无可退!"

沈璧君嫣然道："你放心，沈家的金针，毕竟不是用来绣花的。"

萧十一郎长长松了口气，笑道："这就叫安排香饵钓金鳌，不怕他来，只怕他不来!"

突听一人冷笑道："好! 果然是妙计!"

第一九章　奇　计

海灵子。

来的是海灵子。

萧十一郎毕竟不是神仙，毕竟有算错的时候。

沈璧君全身都凉了。

头戴雨笠，手持长剑的海灵子，已站在她面前，距离她还不及七尺，湿透了的衣裳蛇皮般紧贴在他枯柴般的身上。

他看来就像是个刚从地狱里逃出来，向人索命的厉鬼！

沈璧君连看都不敢看他，扭过头，去看萧十一郎。

萧十一郎居然在笑。

海灵子冷冷道："两位只怕再也想不到来的会是我吧！"

萧十一郎大笑道："你以为我想不到？其实我早就看到你鬼鬼祟祟地躲在那里了。我那些话就是说给你听的，否则你怎敢现身？"

他笑得那么开心，说得又那么自然。

连沈璧君都几乎忍不住要相信他这番话是真的。

海灵子脸也不禁变了变，但脚步并没有停。

他走得并不快，因为他每走一步，脚步与剑锋都完全配合。

302

他行动时全身几乎完全没有破绽。

他并不是个轻易就会被人两句话动摇的人。

萧十一郎不再等了，因为他知道不能再等了。

他用尽全力，扑了过去。

然后，他倒下。

他气力已不继，就像块石头似的，往半空中跌在海灵子足下。

沈璧君惊呼失声。

海灵子的剑已毒蛇般下击，直刺萧十一郎腰后软肋。

萧十一郎似已不能闪避，身子一缩，以右臂去迎海灵子的剑!

"哧"的剑锋入内，鲜血四溅。

海灵子面露狞笑，正想拔剑，再刺!

谁知萧十一郎突然反手，以肉掌握住了剑锋。

海灵子一挣，未挣脱，身形已不稳。

金针已暴雨般射了过来!

萧十一郎应变的急智，永远是任何人都想像不到的。

他自知力竭、伤重，绝难对敌，竟拼个以血肉之躯去迎海灵子的剑，为的只是将海灵子毒蛇般的剑扼死!

他必须要给沈璧君一个出手的机会。

他只怕沈璧君会轻易放过这机会，那么他们就必死无疑了!

幸好沈璧君已学会了很多。霎时间，她已发出七把金针!

"满天花雨!"

这名字虽普通，但却是暗器中最厉害的一种手法。

萧十一郎先倒下，正是怕阻住她的暗器。

海灵子一声狂吼，撤剑，萧十一郎已滚了过去，抱住了他的腿，他倒下时，胸膛上已多了柄匕首。

一柄几乎完美无瑕的匕首，却刺在丑恶无比的人身上！

萧十一郎仰面躺着，喘息着，他觉得雨点打在他身上，已不再发疼。

是雨已小了？还是他已麻木。

沈璧君呆呆地站在那里，茫然望着倒在地上的海灵子。

她几乎不相信这是真的。

她整个人都似乎已将虚脱。

萧十一郎挣扎着，像是要爬起来。

沈璧君这才定了定神，赶过去扶住他，柔声道："你——你的伤——"

看到他的伤口，她眼泪已流下面颊。

萧十一郎道："我的伤没关系，扶我坐起来。"

沈璧君道："可是你……你还是躺着的好。"

萧十一郎苦笑道："我一定要坐起来，否则只怕就要永远躺在这里了！"

雨虽小了，却仍未停。

萧十一郎盘膝坐在海灵子和屠啸天的尸体旁，似在调息。

沈璧君一直在看着他，仿佛天地间就只剩下他这么一个人，仿佛她目光只要离开他，她的人就会崩溃。

萧十一郎眼睛一直是闭着的，突然道："赵无极，你既已来了，为何还躲在那里？"

沈璧君心一震，目光四下搜索，哪有赵无极的人影？

过了很久很久，萧十一郎突然又道："赵无极，你既已来了，为何还躲在那里？"

同样一句话，他竟说了四遍。

每隔盏茶工夫就说一次，说到第三次时，沈璧君已明白他这只不过是在试探，但等他说到第四次时，赵无极果然被他说出来了。

　　赵无极步履虽很安详，但面上却带着惊讶之色，他自信步履很轻，实在想不通萧十一郎怎会知道他已来了的。

　　萧十一郎眼睛已张开，却连瞧都没瞧他一眼，淡淡笑道："我知道你迟早总会来的，想不到你竟来得这么迟，连海灵子都比你早来了一步。"

　　赵无极目光掠过地上的尸身，脸色也变了，瞪着萧十一郎，满面都是惊讶和怀疑之色。

　　萧十一郎道："你用不着瞪我，他们两位并不是我杀的!"

　　赵无极道："不是你? 是谁?"

　　萧十一郎道："我也不知道是谁，他们刚走到这里，就突然倒下去死了。"

　　赵无极目光闪动，道："他们是自己死的?"

　　萧十一郎道："不错，你只要走过来，看看他们的伤痕就知道。"

　　赵无极非但没向前走，反而往后退了几步，道："用不着再往前走了，在这里我就可以看得很清楚!"

　　萧十一郎道："你不相信我的话?"

　　赵无极嘴唇动了动，却没有开口。萧十一郎叹了口气，道："我已力竭，又受了重伤，连逃都逃不了，怎么能杀得死屠大侠和海南剑派的第一高手?"

　　他又叹了口气，道："现在我坐在这里，只不过是在等死而已。"

　　赵无极道："等死?"

　　萧十一郎苦笑道："不瞒你说，现在你若要来割下我的脑

袋，我连一点反抗之力都没有，最惨的是，连沈姑娘的金针都用完了。"

沈璧君只觉嘴里在发苦，苦得要命。

她自然知道萧十一郎说的是真话。

但他为什么要说真话，他疯了吗？

赵无极若是真的走过来，后果实在是不堪设想。

但赵无极非但没往前走，反而又后退了几步。

萧十一郎道："你若要杀我，现在就是最好的机会，你为什么还不过来动手？"

赵无极突然仰面大笑起来，笑得几乎淌出了眼泪。

萧十一郎道："你杀人的时候一定要笑吗？"

赵无极大笑道："两位一搭一档，戏真演得不错，只可惜在下既没有屠老儿那么土，也没有海灵子那么蠢。"

萧十一郎道："你以为我在骗你？"

赵无极道："我只不过还不想被人在胸膛上刺一刀而已。"

萧十一郎叹了口气，道："这机会太好了，错过了实在可惜。"

赵无极笑道："多谢多谢，阁下的好意，我心领了。"

萧十一郎道："你现在若走，一定会后悔的!"

赵无极笑道："活着后悔，也比死了的好。"

这句话未说完，他身形已倒纵而出。

萧十一郎道："你若想通了，不妨再回来，我反正是逃不了的。"

这句话赵无极也不知听见了没有。

因为话未说完，他已走得踪影不见了。

赵无极一走，沈璧君整个人就软了下来，嫣然道："我真没想到赵无极会被你吓走。"

萧十一郎长长叹息了一声，苦笑道："你以为我有把握？"

沈璧君道："但我已快急死了，你还是那么沉得住气。"

萧十一郎叹道："那也多亏了这场雨。"

沈璧君道："这场雨？"

萧十一郎道："其实那时我又何尝不是满头冷汗，但赵无极却一定以为那只不过是雨水，我身上的血迹也被雨冲走了。"

他笑了笑，又接着道："这场雨一下，每个人都变成了落汤鸡，大家都同样狼狈，否则以赵无极的精明，又怎会看不出毛病来？"

沈璧君看着他的笑容，面上忽然露出了忧虑之色。

他虽然在笑着，却笑得那么艰涩，那么疲倦。

萧十一郎自然知道她忧虑的是什么。

沈璧君终于忍不住道："厉刚到现还没有找来，只怕不会来了吧！"

萧十一郎道："嗯！只怕是不会来了。"

两人目光相遇，沈璧君突然握住了他的手。

她平时绝不会这么做的，但现在却不同。

现在也许就是他们相聚的最后一刻了。

他们嘴里虽还在骗着自己，心里却都很明白。

厉刚必定会来的，而且很快就会来的。

就算没有人来，他们也很难再支持下去，厉刚来了，他们哪里还有生路？

厉刚的心，就像是一把刀！

沈璧君凝注着萧十一郎，道："我——我只要你明白一件事。"

萧十一郎道："你说。"

沈璧君咬了咬嘴唇，垂下头，柔声道："无论怎么样，我都绝没有后悔。"

萧十一郎没有说话，也没有移动，整个人却似已痴了。

也不知过了多久，萧十一郎突然道："只要你肯，我还是有对付厉刚的法子。"

雨渐稀疏。

厉刚摘下了雨笠，用衣袖擦着脸。

他几乎已找遍了半山，几乎已将绝望。

就在这时，他发现了沈璧君和萧十一郎。

萧十一郎仰面倒在那里，海灵子就压在他的右边，手里还握着剑，剑已刺入了萧十一郎的胯骨。

屠啸天倒在左边，一只手扣住萧十一郎的脉门，另一只手还印在他心口的"玄机"穴上。

这三人想必经过一场恶斗，已同归于尽了。

再过去几步，才是沈璧君。

她胸膛还在微微起伏着，显然还没有死。

她脸色苍白，长长的睫毛覆盖在眼帘上，湿透的衣衫，紧紧裹着她那修长却成熟的胴体。

厉刚自从第一眼看到她，目光就没有离开，脚步也没有移动，面上却还是连一丝表情也没有。

沈璧君似已睡着，又似已昏迷，全不知道有人已到她身旁。

厉刚岩石般的脸，忽然起了一种极奇异的变化，那双刀一般锐利、冰一般冷的眼睛里，也似有股火焰燃烧了起来。

他呼吸也渐渐急促，仿佛叹息了一声，喃喃道："果然不愧是天下无双的美人——"

这句话还没有说完，他已扑在沈璧君身上。

沈璧君的身子似在颤抖。

厉刚喘息着，撕开了她的衣襟，眼睛里的火焰燃烧得更炽热——

突然，这双眼睛死鱼般凸了出来。

他的人也突然挺直、僵硬，嘴里"咝咝"地吐着气——

一丝鲜血，慢慢地自嘴角沁出。

一柄刀已插入他心脉旁的肋骨之间。

沈璧君还是在不停地颤抖着，全身打着冷战。

她的手紧握着刀柄，厉刚的血就流在她那春葱般的玉手上。

她甚至可以感觉到厉刚的身子在逐渐僵硬，逐渐冰冷……

她用尽全身力气，疯狂地推开了他，站起来，喘息着，牙齿不停地"格格"打战，连嘴唇上都再也没有一丝血色。

然后，她突然弯下腰，呕吐起来。

上山虽艰苦，但有时下山却更难。

沈璧君挣扎着，扶着萧十一郎，在山路上踉跄而奔。

虽然也知道此时外面已不再有人追赶，但她还是用尽全力在奔跑，她只想快跑，走得离厉刚远些。

她这下才认清了这"见色不乱真君子"的真面目。

萧十一郎一直没有说话，因为他知道这时候任何话都可能令她受到刺激，他绝不能让她再受到任何伤害。

他只是在心里感激。

沈璧君若不是为了他，是死也不肯做出这种事来的。

山路旁，密林中，仿佛有两条人影。

但他们并没有发觉。

309

他们再也想不到连城璧此刻正在他们方才经过的密林里。

连城璧眼看着他们走过，既没有说话，更没有阻拦，甚至连他脸色看来都还是那么平静。

站在他身旁的正是赵无极。

赵无极平时一向自命镇定的功夫不错，此刻却再也忍不住了。

他已知道方才上了当，已忍不住要追过去。

但连城璧却拉住了他。

赵无极愕然，试探着问道："连兄难道不想将嫂夫人劝回来？"

连城璧慢慢地摇了摇头，淡淡道："她想回来，迟早总会回来的，若不想回来，劝也没有用。"

赵无极沉默着，似在猜测着连城璧的用意，过了很久，嘴角才慢慢露出一丝很奇特的微笑。

他微笑着，喃喃道："不错，连夫人迟早总会回来的，萧十一郎反正已活不长了。"

走过前面的山坡，就是平地。

萧十一郎用手掩住嘴，轻轻地在咳嗽。

沈璧君柔声道："你要不要歇歇再走？"

萧十一郎摇了摇头，身子突然倒了下去，捂着嘴的手也松开。

掌心已满是鲜血。

沈璧君大骇，挣扎着抱起他。

就在这时，她腹中突然觉得一阵无法形容的绞痛，就仿佛心肝五脏都已绞在一起，连胆汁都已绞了出来。

她全身突然虚脱，就从这山坡上滚了下去。

萧十一郎比沈璧君醒来得早。

他一醒就想到了沈璧君，立刻就开始寻找。

其实他根本用不着找，因为沈璧君就躺在他身旁。

但他们躺着的地方，并不是那山坡下的草地，而是一张很柔软、很舒服，还挂着流苏锦帐的大床。

床上的被褥都是丝的，光滑、崭新，绣着各式各样美丽的花朵，绣得那么精细，那么生动。

他们身上也换了光滑崭新的丝袍，丝袍上的绣工，也和被褥上的同样精致，同样华美。

萧十一郎忽然发觉自己到了个奇异的地方。

这难道是梦？

屋子里其实也并没有什么太离奇古怪的陈设，只不过每样东西都精致到了极点，甚至已精致得有些夸张。

就连一个插烛的灯台，上面都缀满了晶莹的明珠，七色的宝石，锦帐上的流苏竟是用金丝缕成的。

但萧十一郎却知道这地方的主人绝不是暴发户。

因为每件东西都选得很美，这么多东西摆在一齐，也并没有令人觉得拥挤、俗气，看来甚至还很有条理。

暴发户绝不会有这么样的眼光。

就算这是场梦，也是场奇异而华美的梦。

只可惜萧十一郎并不是喜欢做梦的。

他悄悄溜下床，没有惊动沈璧君——他不愿沈璧君醒来时发现他睡在旁边，他不愿做任何使她觉得难堪的事。

地上铺着厚而软的波斯毡。

萧十一郎赤着足，穿过屋子。

这段路他本来一眨眼就走过去的，现在却走了很多时候，每走一步，他全身的骨骼都似乎要散开。

但他的伤势无疑已好了很多，否则他根本连一步都走不动。

他伤势怎么会忽然好了这么多？

是因为睡了一觉，还是因为有人替他治过伤？

这里的主人是谁？

为什么要救他？

问题还有很多，但他并不急着去想。

因为他知道急也没有用。

对面有扇门，雕花的门，镶着黄金环。

门是虚掩着的。

推开了这扇门，萧十一郎就走入了比梦还离奇的奇境！

他这一生从未经历过，也永远想像不到的奇境！

这间屋子比方才那间还大，屋里却只有一张桌子。

一张桌子几乎就已占据了整个屋子。

桌子上也摆着一栋屋子，是栋玩偶房屋。

就连孩子们的梦境中，也不会有如此精美的玩偶房屋。

整栋房屋都用真实的木材砖瓦建筑的，瓦是琉璃瓦，和皇宫所用的完全一样，只不过至少小了十几倍。

房屋四周，是个很大的花园。

园中有松竹、花草、小桥、流水、假山、亭阁——花木间甚至还有黄犬白兔仙鹤驯鹿。

树是绿的，花是香的，只不过都比实际的小了十倍。

那些驯鹿、白兔虽是木石所塑，但也雕得栩栩如生，仿佛只要一招手，它们就会跑到你面前。

萧十一郎最欣赏的就是九曲桥后的那座八角亭，朱栏绿瓦，石桌上还摆了局残棋，下棋的两个高冠老人似已倦了。

一个朱衣老人正在流水旁垂钓，半歪着头，皱着眉，似乎还在思索那局残棋似的。

　　另一个绿袍老者就在他身旁浣足，手里还拿着刚脱下来的一双福字履，正斜着眼，瞅着那朱衣老人做得意的微笑。

　　这一局棋，显然他已有胜算在握。

　　两个都是形态逼真，须眉宛然，身上穿的衣服，也是用极华贵的绸缎剪裁成的，而且剪裁得极合身。

　　这一切，已足够令人看得眼花缭乱，目眩神迷。

　　但比起那栋屋子，这些又全不算什么了。

　　屋子前后一共有二十七间。

　　有正厅、偏厅、卧房、客房、仓房，甚至还有厨房。

　　从窗户里瞧进去，每间房子里的陈设都可以看得很清楚。

　　每间屋里，每样东西，看来竟似全都是真的。

　　厅房里摆着紫檀木的雕花椅，椅上铺着织绵缎的垫子。

　　墙上挂着字画，中堂是一幅山水，烟雨濛濛，情致潇洒，仔细一看，那比蝇足还小的落款，竟是吴道子的手笔。

　　萧十一郎最爱的，还是那副对联。

　　"常未饮酒而醉，以不读书为通。"

　　这是何等意境! 何等洒脱!

　　厅中有两人枯坐，像是正在等主人接见。

　　两个轻衣小鬟，正捧着茶掀帘而入。

　　就连那两只比纽扣还小的茶盏，都是真瓷的。

　　丫环们脸上带着巧笑，仿佛对这两个客人并不太看重，因为她们知道她们的主人对这客人也很轻慢。

　　主人还在后面卧室中拥被高卧。

　　床旁边已有四个丫环在等着服侍他起身了，一人手里捧着形式奇古的高冠，一人手里捧着套织金的黄袍，一人手里打着扇，还有一人正蹲在地上，刷着靴子。

主人的年纪并不大，白面无须，容貌仿佛英俊。

床后有个身穿纱衣的美女，正在小解，秀眉微颦，弱不胜衣，仿佛昨夜方经雨露，甜蜜中还带着三分羞煞人的疼痛。

厨房里正在忙碌着，显然正在准备主人的早膳。

萧十一郎叹了口气，喃喃道："这人的福气倒真不错。"

每间屋子里都有人，都是些美貌如花的妙龄少女。有的在抚琴、有的在抄经、有的在绣花、有的在梳妆，也有的还娇慵未起。

二十七间屋子，只有一间是没有人的。

这屋子就在角落上，外面有浓荫覆盖的回廊，里面四壁全是书，案上还燃着一炉龙涎香。

香炉旁文房四宝俱全，还有幅未完成的图画，画的是挑灯看剑图，笔致潇洒，虽还未完成，气势已自不凡。

看来此间的主人还是个文武双全的高士。

萧十一郎已不是孩子了，但面对着这样的玩偶房屋，还是忍不住瞧得痴了，几乎恨不得将身子缩小，也到里面去玩玩。

听到后面传来呻吟声，他才知道沈璧君不知何时也已起来了。

沈璧君脸色苍白，连一丝血色都没有。

但她的眼睛里，却也正闪动着孩子般的喜悦。

她倚在门口瞧着这栋玩偶屋宇，也不觉瞧得痴了。

过了很久很久，她才叹了口气，道："好美的屋子，若能在里面住几天，一定很好玩。"

萧十一郎笑道："只可惜谁也没有那么大的神通，能将我们缩小。"

沈璧君转过头，凝注着萧十一郎，过了很久，才嫣然一笑，道："我们都没有死。"

萧十一郎慢慢地点了点头，凝注着她道："我们都没有死。"

这虽然只不过是很普通的一句话，但在他们口中说出来，却不知包含了多少欢悦、多少感激。

人的欲望，本来是最难满足的。

但他们仿佛只要能活着，就已别无奢望。

又过了很久很久，沈璧君才垂下头，道："是你带我到这里来的?"

萧十一郎道："我醒来时，已经在这里了。"

沈璧君道："你也不知道这是什么地方?"

萧十一郎道："我也不知道。"

沈璧君又转过头去瞧那玩偶之屋，道："我想，这里的主人必定也是位奇人，而且一定很有趣。"

萧十一郎笑了笑，道："若非奇人，也做不出这样的奇事。"

沈璧君道："但他既然救了我们，为什么又不出来与我们相见呢?"

萧十一郎还未回答，只听一阵银铃般的笑声自门外响起。

一人娇笑着道："正因我家主人生怕惊扰了贤伉俪的清梦。"

"贤伉俪"这三个字听在沈璧君耳里，她连耳根都红了。

别人居然将他们当做了夫妻。

她心里只觉乱糟糟的，也不知究竟是什么滋味，想去瞧瞧萧十一郎的表情，又没有这勇气。

她垂着头，并没有看到说话的人进来，只嗅到一阵淡淡的香气。

兰花般的香气。

进来的这人，清雅正如兰花。

她穿着纯白的丝袍，蛾眉淡扫，不施脂粉，漆黑的头发随随便便挽了个髻，全身上下找不出一粒金珠翠玉。

她的嘴很大，不笑的时候，显得很坚强，甚至有些冷漠，但一笑起来，露出了那白玉般的牙齿，看来就变得那么柔美妩媚。

她的颧骨很高，却使她的脸添了几分说不出的魅力。一种可以令大多数男人心迷的魅力。

这女子并不能算美，但站在这华丽无比的屋子中，却显得那么脱俗，若不是沈璧君在她身旁，所有的光辉几乎要全被她一个夺去了。

沈璧君虽没有看她，但她却在看着沈璧君。

一个美丽的女子遇到另一个美丽的女子时，总会从头到脚，上上下下，仔细打量一遍的。

女人看女人，有时比男人还要仔细。

然后，她才转过头来打量萧十一郎。

她不是那种时常会害羞的女人，但瞧见萧十一郎那双猫一般的眼睛时，还是不由自主垂下了头，带着三羞涩，七分甜笑，道："贱妾素素，是特地来侍候贤伉俪的。"

又是"贤伉俪"。

沈璧君头垂得更低，希望萧十一郎能解释。

但萧十一郎若真的解释了，她也许又会觉得很失望。

萧十一郎只淡淡道："不敢当。"

素素道："两位若有什么需要，只管吩咐，若有什么话要问，问我就行了。"

萧十一郎道："我若问了，你肯说吗？"

素素抿着嘴笑道："只要是我知道的，知无不言。"

萧十一郎道："我们承蒙相救，却连是谁救的都不知道。"

素素道："那是我们家公子，乘着雨后去行猎时，无意中发现了两位。"

她忽又嫣然一笑，道："我们家公子本不喜欢管闲事的，但见到两位不但郎才女貌，而且情深如海，纵在垂死昏迷时，手还是紧紧握着，舍不得松开——"

听到这里，沈璧君的脸已似在燃烧。

幸好萧十一郎将话打断了，道："却不知你们家公子尊姓大名？"

素素笑道："他姓天，我们做下人的，只敢称他为天公子，怎么敢去问他的名字呢？"

萧十一郎道："天，天地的天？"

素素道："嗯。"

萧十一郎道："有这种姓吗？"

素素笑道："一个人有名姓，只不过是为了要别人好称呼、好分辨而已，只要你愿意，随便姓什么都无所谓的，是吗？"

萧十一郎不说话了。

素素笑得更甜，又道："譬如说，我若问两位贵姓大名，两位也未必肯将真实的姓名告诉我，是吗？"

萧十一郎也笑了，道："却不知这位天公子是否愿意见我们一面？"

素素道："当然愿意，只不过——"

萧十一郎道："只不过怎样？"

素素嫣然道："只不过现在已是深夜，他已经睡了。"

萧十一郎这才发觉了两件事。

屋里根本没有窗子。

有光是因为壁上嵌着铜灯。

素素道："公子知道两位都不是普通人，而且武功一定很高，所以再三吩咐我们，千万不可怠慢了两位。"

萧十一郎淡淡笑道："若是武功很高，就不会如此狼狈了。"

素素徐徐地说道："你受了四处内伤，两处外伤，外伤虽不致命，但那四处内伤，却仿佛是被'摔碑手''金钢掌'这一类的功夫击伤的，普通人只要挨上一掌，就活不成了，你却还能支持得住，若不是武功极高，就是运气太好了。"

萧十一郎笑道："姑娘非但目光如炬，而且也是位高人，否则又怎会知道我是被哪一种掌力所伤？"

素素巧笑道："其实我什么都不懂，全都是听别人说的。"

她似乎在逃避着什么，话未说完，已转身走了出去。

萧十一郎既没有阻止，也没有追问。

沈璧君这才偷偷瞟了他一眼，悄声道："你看这位姑娘怎样？"

萧十一郎道："还不难看，也不太笨。"

沈璧君笑道："非但不难看，而且美极了，只看她，就可想见主人是个怎样的人物了。"

萧十一郎沉吟着。

沈璧君又道："我看这地方的人好像都有点神秘，却不知道他对我们是好意？还是坏意？"

只听素素娇笑道："若是坏意，两位只怕已活不到现在了。"

地毡又厚又软，走在上面，根本一点声音也没有。

沈璧君不禁又红着脸，垂下了头。

素素已捧着两碗茶走进来，带着笑道："这本是我们家公子的好意，茶里有意想不到的效力，但两位若不愿接受，也没关系。"

萧十一郎笑了笑，淡淡道："我们的性命本为天公子所救，这碗茶里就算下毒，我也一样喝下去。"

他果然端起来，一饮而尽。

素素叹了口气，道："难怪公子对两位如此看重，就凭这份豪气，已人所难及的了。"

她看见沈璧君慢慢地喝下那碗茶。

她看着萧十一郎先倒下去，沈璧君也跟着倒了下去。

她笑得仍是那么甜，柔声道："我方才说过，这碗茶有种意想不到的效力，你们很快就会知道，我并不是骗你们的。"

第二〇章　玩偶世界

睡，有很多种；醒，也有很多种。

很疲倦的时候，舒舒服服睡了一觉，醒来时眼睛里看到的是艳阳满窗，自己心爱的人就在身旁，耳朵里听到的是鸟语啁啾，天真的孩子正在窗外吃吃地笑，鼻子里嗅到的是火腿炖鸡汤的香气。

这只怕是最愉快的"醒"。

最难受的是，心情不好，喝了个烂醉，迷迷糊糊睡了半天，醒来时所有的问题还没有解决，头却疼得恨不能将它割下来。

这种"醒"，还不如永远不醒的好。

被人灌了迷药，醒来时也是昏昏沉沉的，却觉得轻飘飘的，舒服极了，好像只要摇摇手，就可以在天空中飞来飞去。

沈璧君也在他身旁，睡得很甜。

他心里恍恍惚惚的，仿佛充满了幸福，以前所有的灾难和不幸，在这一刻间，他完全忘得干干净净。

不幸的是，这种感觉并不太长久。

首先，他看到很多书。

满屋子都是书。

然后，他就看到那个香炉。

炉中香烟袅娜，燃的仿佛是龙涎香。

萧十一郎慢慢地站起来，就看到桌上摆着的很名贵的端砚，很古的墨，很精美的笔，连书架都是秦汉时的古物。

他也看到桌上铺着的那张未完成的图画。

画的是挑灯看剑图。

萧十一郎忽然觉得有股寒意自脚底升起，意忍不住激灵灵打了个寒噤，就仿佛严冬中忽然从被窝中跌入冷水里。

他站在桌子旁，呆了半晌，转过身。

这屋子有窗户，窗户很大，就在他对面。

从窗子中望出去，外面正是艳阳满天。

阳光正照在一道九曲桥上，桥下的流水在闪着金光。

桥尽头有个小小的八角亭，亭子里有两个人正在下棋。

一个朱衣老人座旁还放着钓竿儿渔具，一只手支着额，另一只手拈着棋子，迟迟未放下去，似乎正在苦思。

另一个绿袍老人笑嘻嘻地瞧着他，面上带着得意之色，石凳旁放着一双福字履，脚还是赤着的。

这岂非正是方才在溪水旁垂钓和浣足的那个玩偶老人？

萧十一郎只觉头有些发晕，几乎连站都站不住了。

他简直不相信自己的眼睛。

窗外绿草如茵，微风中还带着花的香气。

一只驯鹿自花木丛中奔出，仿佛突然警觉到窗口有个陌生人正在偷窥，很快地又转了回去。

花丛外有堵高墙，隔断了墙外边的世界。

但从墙角半月形的门户望出去，就可以看到远处有个茶几，茶几上还有两只青瓷的盖碗。

这正是萧十一郎和沈璧君方才用过的两只盖碗。萧十一郎

第十一郎

用一只手就可以将碗托在掌心中。

但此刻在他眼中，这两只碗仿佛比那八角亭还要大些。

他简直可以在碗里洗澡。

沈璧君正在长长地呼吸着，已醒了。

萧十一郎转过身，挡住了窗子。

沈璧君受的惊吓与刺激已太多，身心都已很脆弱，若再瞧见窗外的怪事，说不定要发疯。

萧十一郎自己也快发疯了。

沈璧君揉着眼睛，道："我们怎会到这里来的？这里又是什么地方？"

萧十一郎勉强笑着，他实在不知道该怎么回答这句话。

沈璧君叹了口气，道："看来那位天公子真是个怪人！既然没有害我们的意思，为什么又要将我们迷倒后再送到这里来？我们清醒时，他难道就不能将我们送来吗？"

沈璧君盯着他，也已发现他的神情很奇怪。

萧十一郎平日要哭就哭，要笑就笑，从来没有勉强过自己。

沈璧君忍不住问道："你——你怎么了？是不是很难受？"

萧十一郎道："没什么，只不过——我也觉得有点奇怪。"

他嘴里在说话，眼睛却在望着沈璧君身后的书桌。

他只恨方才没有将桌上的画收起来，只希望沈璧君方才没有注意到这幅画。

沈璧君诧异着，转过头，顺着他的目光瞧过去。

她脸色立刻变了，怔了半晌，目光慢慢地向四面移动。

四壁都是书箱，紫檀木的书箱。

萧十一郎勉强笑道："天公子也许怕我们闲得无聊，所以将我们送到这里来。这里的书，看上三五年也未必看得完。"

萧十一郎

许明康 许黎黎／绘

　　沈璧君低呼一声，倒在萧
十一郎身上。

沈璧君嘴唇发白，手发抖，突然冲到窗前，推开了萧十一郎。

曲桥、流水、老人、棋局……

沈璧君低呼一声，倒在萧十一郎身上。

炉中的香，似已将燃尽了。

沈璧君的心却还没有定。

过了很久，她才能说话，道："这地方就是我们方才看到的那栋玩偶屋子。"萧十一郎只是点了点头，道："嗯。"

沈璧君道："我们现在是在玩偶屋子里。"

萧十一郎道："嗯。"

沈璧君颤声道："但我们的人怎么会缩小了？那两个老人明明是死的玩偶，又怎会变成了活人？"

萧十一郎只能叹息。

这件事实在太离奇，离奇得可怕。

任何人都不会梦想到这种事，也绝没有任何人能解释这种事——这简直比最离奇的梦还要荒唐。

沈璧君连嘴唇都在发着抖，她用力咬着嘴唇，咬得出血，才证明这并不是梦。

萧十一郎苦笑道："我们方才就想到这里来玩玩的，想不到现在居然真的如愿了。"

沈璧君已失去控制，突然拉住他的手，道："我们快——快逃吧!"

萧十一郎道："逃到哪里去？"

沈璧君垂下头，一滴眼泪滴在手背上。

门外有了敲门声。

是谁？

门是虚掩着的，一个红衣小环推门走了进来，眼波流动，巧笑倩然。萧十一郎依稀还认得出她就是那在前厅奉茶的人。

她本也是个玩偶，现在也变成了个有血有肉、活生生的人。

萧十一郎眼睛盯着她的时候，她的脸也红了，垂头请安道："敝庄主特令贱婢前来请两位到厅上便饭小酌。"

萧十一郎什么话都没有问，就跟她走了出去。

他知道现在无论问什么都是多余的。

转过回廊，就是大厅。

厅上有三个人正在聊着天。

坐在主位的，是个面貌极俊美，衣着极华丽的人，戴着形状古怪的高冠，看来庄严而高贵，俨然有帝王的气象。

他肤色如玉，白得仿佛是透明的，一双手十指纤纤，宛如女子，无论谁都可看出他这一生中绝没做过任何粗事。

他看来仿佛还年轻，但若走到他面前，就可发现他眼角已有了鱼尾纹，若非保养得极得法，也许是个老人。

另外两个客人，一个头大腰粗，满脸都是金钱麻子。

还有一个身材更大，一张脸比马脸还长，捧着茶碗的手如磐石，手指又粗又短，中指几乎也和小指同样长，看来外家掌力已练到了十成火候。

这两人神情都很粗豪，衣着却很华丽，气派也很大，显然都是武林豪杰，身份都很尊贵，地位也都很高。

这二个人，萧十一郎都见过的。

只不过他刚刚见到他们时，他们都是没有灵魂的玩偶。

现在，他们却都有了生命。

萧十一郎走进来，这三人都面带微笑，长身而起。

那有王者气象的主人缓步离座，微笑道："酒尚温，请。"

他说话时用的字简单而扼要，能用九个字说完的话，他绝不用十个字。

他说话的声音柔和而优美，动作和走路的姿势也同样优美，就仿佛是个久经训练的舞蹈家，一举一动都隐然配合着节拍。

但萧十一郎对这人的印象并不好。

他觉得这人有些娘娘腔，脂粉气太重。

男人有娘娘腔，女人有男子气，遇见这种人，他总是觉得很痛苦。

厅前已摆了桌很精致的酒席。

主人含笑揖客，道："请上座。"

萧十一郎道："不敢。"

那麻子抢着笑道："这桌酒本是庄主特地准备为两位洗尘接风的，阁下何必还客气？"

萧十一郎目光凝注着这主人，微笑道："素昧平生，怎敢叨扰？"

主人也在凝注着他，微笑道："既已来了，就算有缘，请。"

两人目光相遇，萧十一郎才发觉这主人很矮，矮得出奇。

只不过他身材长得匀称，气度又那么高贵，坐着的时候，看来甚至还仿佛比别人高些。

谁也不会想到他居然是个侏儒。

萧十一郎立刻移开目光，没有再瞧第二眼。

因为他知道矮人若是戴着高帽子，心里就一定有些不正常，一定很怕别人注意他的矮，你若对他多瞧了两眼，他就会觉得你将他看成个怪物。

所以矮子常常会做出很多惊人的事，就是叫别人不再注意他的身材，叫别人觉得他高一些。

坐下来后，主人首先举杯，道："尊姓？"

萧十一郎道："萧，萧石逸。"

麻子道："石逸？山石之石，飘逸之逸？"萧十一郎道："是。"

麻子道："在下雷雨，这位——"

他指了指那马面大汉，道："这位是龙飞骥。"萧十一郎动容道："莫非是'天马行空'龙大侠？"

马面大汉欠了欠身，道："不敢。"萧十一郎看着那麻子，道："那么阁下想必就是'万里行云'雷二侠了。"

麻子笑道："我兄弟久已不在江湖走动，想不到阁下居然还记得贱名。"

萧十一郎道："无双铁掌，龙马精神——二位大名，天下皆知，十三年前天山一战，更是震铄古今，在下一向仰慕得很。"

雷雨目光闪动，带着三分得意，七份伤感，叹道："那已是多年前的往事了，江湖中只怕已很少有人提起。"

十三年前，这两人以铁掌连战"天山七剑"，居然毫发未伤，安然下山，在当时的确是件了不得的大事。

萧十一郎道："天山一役后，两位侠踪就未再现，江湖中人至今犹在议论纷纷，谁也猜不出两位究竟到何处去了。"

雷雨的神色更惨淡了，苦笑道："休说别人想不到，连我们自己，又何尝——"

说到这里，突然住口，举杯一饮而尽。

主人轻叹道："此间已非人世，无论谁到了这里，都永无消息再至人间了。"

萧十一郎只觉手心有些发冷，道："此间已非人世，难道是——"

主人安详的脸上，也露出一丝伤感之色，道："这里只不过是个玩偶的世界而已。"

萧十一郎呆住了。

过了很久，他才能勉强说得出话来，嘎声道："玩偶?"

主人慢慢地点了点头，黯然道："不错，玩偶——"

他忽又笑了笑，接着道："其实万物，皆是玩偶，人又何尝不是玩偶?"

雷雨缓缓道："只不过人是天的玩偶，我们都是人的玩偶。"

他仰面一笑，嘶声道："江湖中又有谁想到，我兄弟已做了别人的玩偶?"

萧十一郎道："可是——"

主人打断了他的话，缓缓道："再过二十年，两位只怕也会将自己的名姓忘却了。"

在陌生人面前，沈璧君是不愿开口的。

但此刻她只觉得自己的心一直在往下沉，忍不住道："二——二十年?"

主人道："不错，二十年——我初来的时候，也认为这种日子简直连一天也没法忍受，要我忍受二十年，实在是无法想像。"

他凄然而笑，慢慢地接着道："但现在，不知不觉也过了二十年了——千古艰难惟一死，无论怎么样活着，总比死好。"

沈璧君怔了半晌，突然扭过头。

她不愿被人见到她眼中已经流下的眼泪。

萧十一郎沉吟着，道："各位可知道自己是怎会到这里来的吗?"

雷雨盯着他，道："阁下可知道自己是怎会到这里来的?"

萧十一郎笑道："非但不知道，简直连相信都无法相信。"

雷雨举杯饮尽，重重放下杯子，长叹道："不错，这种事正是谁也不知道，谁也不相信的——我来此已有二十年，时时刻刻都在盼望这只不过是场梦，但现在——现在——"

主人慢慢地啜着杯中酒，突然道："阁下来此之前，是不是也曾有过性命之危？"

萧十一郎道："的确是死里逃生。"

主人道："阁下的性命，是否也是被一位天公子所救的？"

萧十一郎道："庄主怎会知道？"

主人叹道："我们也正和阁下一样，都受过那位天公子的救命之恩，只不过——"

雷雨打断了他的话，恨恨道："只不过他救我们，并不是什么好心善意，只不过是想让我们做他们的玩偶，做他的奴隶！"

萧十一郎道："各位可曾见过他是个怎么样的人？"

主人叹道："谁也没有见过他，但到了现在，阁下想必该知道他是个怎么样的人？"

雷雨咬着牙，道："他哪里能算是一个人！简直是个魔鬼！比鬼还可怕！"

说到这里，他不由自主向窗外瞧了一眼，脸上的肌肉突然起了一阵无法形容的变化，整个一张脸仿佛都已扭曲了起来。

主人道："此人的确具有一种不可思议的魔法，我们说的每句话，他都可能听到，我们的每件事，他都可能看到，但现在我已不再怕他！"

他淡淡一笑，接着道："连这种事我们都遇着，世上还有什么更可怕的事？"

雷雨叹道："不错，一个人若已落到如此地步，无论对任何人，任何事，都不会再有畏惧之心了。"

萧十一郎道："但一个人的所作所为，若是时时刻刻都被人瞧着，这岂非也可怕得很？"

主人道："开始时，自然也觉得很不安，很难堪，但日子久了，人就渐渐变得麻木，对任何事都会觉得无所谓了。"

龙飞骧叹道："无论谁到了这里，都会变得麻木不仁、自暴自弃，因为活着也没有意思，死了也没有什么关系。"

主人一向很少开口。

很少开口的人，说出来的话总比较深刻些。

萧十一郎不知道自己以后是否也会变得麻木不仁，自暴自弃，他只知道现在很需要喝杯酒。

一大杯。

他很快地喝了下去，忽然忍不住脱口问道："各位为什么不想法子逃出去？"

这句话，沈璧君本已问过他的。

龙飞骧叹道："逃到哪里去？"

这句话也正和萧十一郎自己的回答一样。

龙飞骧已接着道："现在我们在别人眼中，已无异蝼蚁，无论任何人只要用两根手指就可以将我们捏死，我们能逃到哪里去？"

主人忽然道："我们若想逃出去，也并非绝对不可能。"

萧十一郎道："哦？"

主人道："只要有人能破了他的魔法，我们就立刻可以恢复自由之身。"

萧十一郎道："有谁能破他的魔法？"

主人叹了口气，道："也只有靠我们自己了。"

萧十一郎道："我们自己？有什么法子？"

主人道："魔法正也和武功一样，无论多高深的武功，总有一两处破绽留下来，就连'达摩易筋经'都不例外，据说三丰真人就曾在其中找出了两三处破绽。"

萧十一郎道："这魔法自然也有破绽，而且是天公子自己留下来的。"

萧十一郎道："他为什么要这样做？"

主人道："挑战! 他为的就是向我们挑战。"

萧十一郎道："挑战？"

主人道："人生正和赌博一样，若是必胜无疑，这场赌博就会变得很无趣，一定要有输赢才刺激。"

萧十一郎笑了笑，道："不错。"

主人道："天公子想必也是个很喜欢刺激的人，所以他虽用魔法将我们拘禁，却又为我们留下了一处破法的关键!"

他缓缓接着道："关键就在这宅院中，只要我们能将它找出来，就能将他的魔法破解!"

萧十一郎沉吟道："这话是否他自己亲口说的？"

主人道："不错，他曾亲口答应过我，无论谁破去他的魔法，他就将我们一齐释放，绝不为难。"

他长长叹息了一声，道："这二十年来，我时时刻刻都在寻找，却始终未能找出那破法的关键!"

萧十一郎默然半晌，道："这宅院一共只有二十七间屋子，是吗？"

主人道："若连厨房在内，是二十八间。"

萧十一郎道："那破法的关键既然就在这二十八间屋子里，怎会找不出来？"

主人苦笑道："这只因谁也猜不到那关键之物究竟是什么，也许是一粒米、一片木叶，也许只是一粒尘埃!"

萧十一郎也说不出话来了。

主人忽又道："要想找出这秘密来，固然是难如登天，但除此之外，还有个法子。"

萧十一郎道："什么法子？"

主人忽然长身而起，道："请随我来。"

大厅后还有个小小的院落。

院中有块青石，有桌面般大小，光滑如镜。

萧十一郎被主人带到青石前，忍不住问道："这是什么？"

主人道："祭台！"

萧十一郎皱眉道："祭台？"

主人道："若有人肯将自己最心爱、最珍视之物作为祭礼献给他，他就会放了这人！"

他眼睛似乎变得比平时更亮，凝注着萧十一郎，道："却不知阁下最珍视的是什么？"

萧十一郎没有回答这句话，却反问道："庄主呢？"

主人苦笑道："现在留在这里的人，都很自私，每个人最珍视的，就是自己的性命，谁也不愿将自己的性命献给他。"

他很快地接着又道："但有些人却会将别的人，别的事看得比自己性命还重。"

萧十一郎淡淡道："这种人世上并不太多。"

主人道："十年前我就见到过，那是一对很恩爱的夫妻，彼此都将对方看得比自己的性命还重，不幸也被天公子的魔法拘禁在这里，那丈夫出身世家，文武双全，本是个极有前途，极有希望的年轻人，但到这里，就一切都绝望了。"

萧十一郎道："后来呢？"

主人叹息了一声，道："后来妻子终于为丈夫牺牲了，作了天公子的祭品，换得了她丈夫的自由和幸福。"

他一直在瞧着萧十一郎，仿佛在观察着萧十一郎的反应。

萧十一郎完全没有反应，只是在听着。

沈璧君的神情却很兴奋，很激动，垂下头，轻轻问道："后来天公子真的放了她的丈夫？"

主人叹道："的确放了。"

他又补充着道："我一直没有说出他们的名字，只因我想那丈夫经过十年的奋斗，现在一定已是个很有名声、很有地位的人，我不愿他名声受损。"

沈璧君沉默了很久，幽幽道："这对夫妇实在伟大得很——"

萧十一郎突然冷冷道："依我看，这夫妻两人只不过是一对呆子。"

主人怔了怔，道："呆子？"

萧十一郎道："那妻子牺牲了自己，以为可令丈夫幸福，但她的丈夫若真的将她看得比自己性命还重，知道他的妻子为了他牺牲，他能活得心安吗？他还有什么勇气奋斗？"

主人说不出话来了。

萧十一郎冷冷道："我想，那丈夫现在纵然还活着，心里也必定充满了悔恨，觉得毫无生趣，说不定终日迷于醉乡，只希望能死得快些。"

主人默然良久，才勉强笑了笑，道："他们这样做，虽然未见得是明智之举，但他们这种肯为别人牺牲自己的精神，却还是令我很佩服。"

他不让萧十一郎说话，接着又道："只不过，在这里活下去也没有什么不好，人世间的一切享受，这里都不缺少，而且绝没有世俗礼教的拘束，无论你想做什么，绝没有人管你的。"

雷雨大笑道："不错，我们反正也到这般地步了，能活着一天，就要好好地享受一天，什么礼教，什么名誉，全去他妈的!"他忽然站起来，大声道："梅子、小雯，我知道你们就在外面，为什么不进来?"

只听环佩丁当，宛如银铃，两个满头珠翠的锦衣少女，已带着甜笑，盈盈走了进来。

雷雨一手搂住一个，笑着道："这两人都是我的妻子，但你们无论谁若看上了她们，我都可以让给他的。"

沈璧君面上的血色一下子褪得干干净净，变得苍白如纸。

雷雨瞪着她，道："你不信? 好。"

他突又放开了左手搂着的那女子，道："小雯，你身上最美的是什么?"

小雯嫣然道："是腿。"

她的身材很高，腰很细，眼睛虽不大，笑起来却很迷人，无论从哪方面看，都可算是美人胚子。

雷雨笑道："你的腿既然很美，为什么不让大家瞧瞧?"

小雯抿嘴一笑，慢慢地拉起了长裙。

裙子里并没有穿什么，一双修长、丰满、结实、光滑而白腻的腿，立刻呈现在大家的眼前。

沈璧君也不知是为了惊惧，还是愤怒，连指尖都颤抖起来。

小雯却还是笑得那么甜，就像是屋子里只有她一个人，手提着长裙，轻巧地转了个身，裙子扬得更高了。

主人微笑着，举杯道："如此美腿，当饮一大杯，请!"

萧十一郎手里正拿着酒杯，居然真喝了下去。

雷雨拍了拍右手搂的女子，笑道："梅子，你呢?"

梅子眼波流动，巧笑道："你说我最美的是什么?"

萧十一郎

雷雨大笑道："你身上处处皆美，但最美的还是你的腰。"

梅子眨着眼，兰花般的手，轻巧地解着衣纽。

衣襟散开，她的腰果然是完美无瑕，盈盈一握。

主人又笑道："雷兄，你错了!"

雷雨道："错了?"

主人道："她最美的地方不在腰，而是腰以上的地方。"

腰以上的地方，突然高耸，使得她的腰看来仿佛要折断。

雷雨举杯笑道："是，的确是我错，当罚一大杯。"

梅子娇笑着，像是觉得开心极了。

沈璧君垂着头，只恨不得能立刻冲出这间屋子，只要能逃出这魔境，无论要她到哪里都没关系。

她觉得甚至连地狱都比这地方好些。

雷雨又向萧十一郎举杯，笑道："你看，我并没有骗你吧?"

萧十一郎表面上还是一点表情也没有，淡淡道："你没有骗我。"

雷雨道："不只是我，这里每个人都和我同样慷慨的，也许比我还要慷慨多了。"

萧十一郎道："哦?"

主人突然叹了口气，道："他说的并不假，人到了这里，就不再是人了，自然也不再有羞耻之心，对任何事都会觉得无所谓。"

他凝注着萧十一郎，悠然接着道："两位现在也许会觉得很惊讶，很看不惯，但再过些时候，两位自然也会变得和别人一样的!"

第二一章　真情流露

萧十一郎和沈璧君被带进了一间屋子。

到了这种地方，他们也绝不能再分开了。

他们只有承认是夫妻。

屋子里自然很舒服，很精致，每样东西都摆在应该摆的地方，应该有的东西绝没有一样缺少。

无论任何人住在这里，都应该觉得满意了。

但沈璧君却只是站在那里，动也不动，这屋里的东西无论多精致，她连手都不愿去碰一碰。

她觉得这屋子里每样东西像是都附着妖魔的恶咒，她只要伸手去碰一碰，立刻就会发疯了。

过了很久，萧十一郎才慢慢地转过身，面对着她，道："你睡，我就在这里守护。"

沈璧君咬着嘴唇，摇了摇头。

萧十一郎道："你看来很虚弱，现在我们绝不能倒下去。"

沈璧君道："我——我睡不着。"

萧十一郎笑了笑，道："你还没有睡，怎么知道睡不着？"

沈璧君目光慢慢地移到床上。床很大，很华丽，很舒服。

沈璧君身子忽然向后面缩了缩，嘴唇颤抖得很，想说话，

但试了几次，都没有说出一个字来。

萧十一郎静静地瞧着她，道："你怕?"

沈璧君点了点头，跟着又摇了摇头。

萧十一郎叹了口气，道："你在怕我——怕我也变得和那些人一样?"

沈璧君目中忽然流下泪来，垂着头道："我的确是在怕，怕得很，这里每个人我都怕，每样东西我都怕，简直怕得要死，可是——"

她忽又抬起头，带泪的眼睛凝注着萧十一郎，道："我并不怕你，我知道你永远不会变的。"

萧十一郎柔声道："你既然相信我，就该听我的话。"

她突然奔过来，投入萧十一郎怀里，紧紧抱着他，痛哭着道："可是我们该怎么办呢? 怎么办呢? 难道我们真要在这里过一辈子，跟那些——那些——那些人过一辈子?"

萧十一郎的脸也已发白，缓缓道："总有法子的，你放心，总有法子的。"

沈璧君道："可是你并没有把握。"

萧十一郎目光似乎很遥远，良久良久，才叹了口气，道："我的确没把握。"

他很快地接着又道："但我们还有希望。"

沈璧君道："希望? 什么希望?"

萧十一郎道："也许我能想出法子来破天公子的魔咒。"

沈璧君道："那要等多久? 十年? 二十年?"

她仰起头，流着泪道："求求你，求求你让我做一件事。"

萧十一郎道："你说。"

沈璧君道："求求你让我去做那恶魔的祭物，我情愿去，莫说要我在这里待十年二十年，就算叫我再待一天，我都会发疯。"

萧十一郎道："你——"

沈璧君不让他说话，接着又道："我虽然不是你的妻子，可是——为了你，我情愿死，只要你能好好地活着，无论叫我怎么样都没关系。"

这些话，她本已决定要永远藏在心里，直到死——

但现在，生命已变得如此卑微，如此绝望，人世间所有的一切，和他们都已距离得如此遥远，她还顾虑什么？她为什么还不能将真情流露？

萧十一郎只觉身体里的血忽然沸腾了，忍不住也紧紧拥抱着她。

这是他第一次拥抱她。

在这一瞬间，荣与辱、生与死，都已变得微不足道。

生命，也仿佛就是为这一刻而存在的。

良久良久，沈璧君才慢慢地、微弱地吐出口气，道："你——答应了？"

萧十一郎道："要去，应该由我去。"

沈璧君霍然抬起头，几乎是在叫着，道："你——"

萧十一郎轻轻地掩住了她的嘴，道："你有家，有亲人、有前途、有希望，应该活着的；但是我呢？只不过是个无足轻重的流浪汉，什么都没有，我死了，谁也不会关心。"

沈璧君目中的眼泪又泉涌般流了出来，沾湿了萧十一郎的手。

萧十一郎的手自她嘴上移开，轻拭着她的泪痕。

沈璧君凄然道："原来你还不明白我的心，一点也不明白，否则你怎会说死了也没有人关心？你若死了，我——我——"

萧十一郎

339

萧十一郎柔声道："我什么都明白。"

沈璧君道："那么你为什么要说——"

萧十一郎道："我虽然那么说，可是我并没有真的准备去做那恶魔的祭物!"

他凝注道沈璧君，一字一字接着道："我也绝不准你去!"

沈璧君道："那么——那么你难道准备在这里过一辈子?"

她垂下头，轻轻地接着道："跟你在一起，就算住在地狱里，我也不会怨，可是这里——这里却比地狱还邪恶，比地狱还可怕!"

萧十一郎道："我们当然要想法子离开这里，但却绝不能用那种法子。"

沈璧君道："为什么?"

萧十一郎道："因为我们若是那样做了，结果一定更悲惨!"

沈璧君道："你认为天公子不会遵守他的诺言?"

萧十一郎道："我认为这只不过是个圈套，他非但要我们死，在我们死前，还要尽量作弄我们，折磨我们，令我们痛苦!"

他目中带着怒火，接着道："我认为他不但是个恶魔，还是个疯子!"

沈璧君不说话了。

萧十一郎道："我们若是为了要活着，不惜牺牲自己心爱的人，向他求饶，他非但不会放过我们，还会对我们嘲弄、讥笑。"

沈璧君道："但你也并不能确定，是吗?"

她显然还抱着希望。

大多数女人，都比男人乐观些，因为她们看得没有那么深，那么远。

萧十一郎道："但我已确定他是个疯子，何况，他说的这法子本就充满了矛盾。试想一个人若为了自己要活着，就不惜牺牲他的妻子，那么他岂非显然将自己的性命看得比他妻子重，他既然将自己性命看得最重，就该用自己的性命做祭物才是，他既已用性命做祭物，又何必再求别人放他？"

他很少说这么多话，说到这里，停了半晌，才接着道："一个人若死了，还有什么魔法能将他拘禁得住？"

沈璧君沉默了半晌，突然紧紧拉住萧十一郎的手，道："我们既然已没有希望，不如现在就死吧！"

"死"，无论对任何人来说，都是件极痛苦的事。

但沈璧君说到"死"的时候，眼睛却变得分外明亮，脸上也起了种异样的红晕，"死"在她说来，竟像是件很值得兴奋的事。

她的头倚在萧十一郎的肩上，幽幽地道："我不知道你怎想，但我却早已觉得，活着反而痛苦，只有'死'，才是最好的解脱！"

萧十一郎柔声道："有时，死的确的是一种解脱，但却不过是懦夫和弱者的解脱！何况——"

他声音忽然变得很坚定，道："现在还没有到死的时候，我们至少要先试试，究竟能不能逃出去？"

沈璧君道："但那位庄主说的话也很有理，在别人眼中，我们已无异蝼蚁，只要用一块小石头，就能将我们压死。"

萧十一郎道："要逃，自然不容易，所以我必需先做好三件事。"

沈璧君道："哪三件？"

萧十一郎道："第一，我要等伤势好些。"

他笑了笑，接着道："那位天公子显然不愿我死得太快，已替我治过伤，也不知他用的是什么魔法，反正灵得很，我想再过几天，我的伤也许就会好了。"

沈璧君透了口气，道："但愿如此。"

萧十一郎道："第二，我得先找出破译他魔法的秘密。"

沈璧君道："你认为那秘密真在这庄院中？你认为这件事他没有说谎？"

萧十一郎道："每个人都有赌性，疯子尤其喜欢赌，所以他一定会故意留下个破绽，赌我们找不找得到。"

沈璧君叹道："我若能知道他用的是什么魔法，就算死，也甘心了。"

萧十一郎道："这的确是件令人猜不透、想不通的事，但无论什么秘密，迟早总有被揭穿的一日。"

沈璧君道："还有第三件事呢？"

萧十一郎目光转到窗外："你看到亭子里的那两个人了吗？"

方才的那一局残棋已终，两个老人正在喝着酒，聊着天，那朱衣老人拉着绿袍老人的手，拽着棋盘，显然是在邀他再着一盘。

输了棋的人，总是希望还有第二盘，直到他赢了时为止。

萧十一郎道："我总觉得这两个老头子很特别。"

沈璧君道："特别？"

萧十一郎道："若是我猜得不错，这两人一定也是在江湖中绝迹已久的武林高人，而且比雷雨和龙飞骧还要可怕得多。"

沈璧君道："所以，你想查明他们两人究竟是谁？"

萧十一郎叹道："我只希望他们不是我想像中的那两个人，否则，就只他们这一关，我们也许都无法闯过。"

忍耐。

沈璧君从小就学会了忍耐。

因为在她那个世界里，大家都认为女人第一件应该学会的事，就是忍耐，女人若不能忍耐，就是罪恶。

所以沈璧君也觉得"忍耐"本就是女人的本分。

但后来她忽然觉得有很多事简直是无法忍耐了。

在这种地方，她简直连一天都过不下去。

现在，却已过了四五天了。

她并没有死，也没有疯。

她这才知道忍耐原来是有目的、有条件的，为了自己所爱的人，人们几乎能忍受一切。

尤其是女人。

因为大多数女人本就不是为了自己而活的，而是为了他们心爱的人——为她的丈夫、为她的孩子。

这四五天来，沈璧君忽然觉得自己仿佛又长大了许多……

这宅院儿，是正方形的，就和北京城里"四合院"格式一样。

一进大门，穿过院子，就是厅。

厅后还有个院子，这种院子通常都叫"天井"。

天井两侧，是两排厢房。

后面一排屋子，被主人用来做自己和姬妾们的香闺和卧房。

旁边还有个小小的院落，是奴仆们的居处和厨房。

雷雨住在东面那座厢房里，他和他的两个"老婆"、四个丫环，一共占据了四间卧房和一间小厅。

剩下的两间，才是龙飞骥住的。

龙飞骧是个很奇怪的人，对女人没有兴趣，对酒也没兴趣，就喜欢吃，而且吃得非常多。

他吃东西的时候，既不问吃的是鸡是鸭，也不管好吃难吃，只是不停地将各种东西往肚子里塞。

最奇怪的是，他吃得越多，人反而越瘦。

西面的那排屋子，有五间是永远关着的，据说那两位神秘的老人就住在这五间屋子里。

但萧十一郎从未看到他们进去，也从未看到他们出来过。

萧十一郎和沈璧君就住在西厢剩下的那两间屋子里，一间是卧室，另一间就算是饭厅。

菜很精致，而且还有酒。

酒很醇，也很多，多得足够可以灌醉七八个人。

醉，可以逃避很多事。

在这里，萧十一郎几乎很少看到一个完完全全的清醒的人。

这几天来，他已对这里的一切情况都很熟悉。

主人的话不错，你只要不走出这宅院的范围，一切行动都绝对自由，无论你想到哪里，无论你想干什么，都没有人干涉。

但自从那天喝过接风的酒，萧十一郎就再也没有瞧见过主人，据说他平时本就很少露面。

一个人若要应付十几个美丽的姬妾，一天时间本就嫌太短了，哪里还有空做别的事。

每天吃过早饭，萧十一郎就在前前后后闲逛，像是对每样东西都觉得很有趣，见了每个人都含笑招呼。

除了雷雨和龙飞骧外，他很少见到别的男人。

进进出出的女孩子们，对他那双发亮的大眼睛也像是很有兴趣，每当他含笑瞧着她们的时候，她们笑得就更甜了。

萧十一郎一走，沈璧君就紧紧关起了门。

她并不怕寂寞。

她这一生，本就有大半是在寂寞中度过的。

现在，已是第五天了。

晚饭的菜是笋烧肉，香椿炒蛋，芙蓉鸡片三样，一大盘熏肠和酱肚，一大碗小白菜氽丸子汤。

今天在厨房当值的，是北方的大师傅。

沈璧君心情略微好了些，因为她已知道萧十一郎喜欢吃北方的口味，这几样菜正对他的胃口。

她准备陪他喝杯酒。

平时只要饭菜一送来，萧十一郎几乎也就跟着进门了，吃饭的时候，他的话总是很多。

无论他说什么，沈璧君都很喜欢听。

只有在这段时候，她才会暂时忘记恐惧和忧郁，忘记这是个多么可怕的地方，忘记他们的遭遇是多么悲惨。

但今天，饭菜都已凉了，萧十一郎却还没有回来。

其实，这种经验她也已有过很多。

自从成婚的第二个月之后，她就常常等得饭菜都凉透，又回锅热过好几次，连城璧还是没有回来。

一个月中，几乎有二十八天她是一个人吃饭的。

她本已很习惯了。

但今天，她的心特别乱，几次拿起筷子，又放下，几乎连眼睛都望穿了，还是瞧不见萧十一郎的影子。

萧十一郎从未让她等过，今天是怎么回事？

难道又有什么可怕的事发生在他身上？

在这种地方，本就是什么事都可能会发生的。

沈璧君忽然发觉自己对萧十一郎的依赖竟是如此重，思念竟是如此深，几乎一时一刻都没法子离开他。

芙蓉鸡片已结了冻，连汤都凉透了。

沈璧君咬了咬牙，悄悄开了门，悄悄走出去。

这是她第一次走出这屋子。回廊上每隔几步，就挂着个宫纱灯笼。她忽然发现有个人正倚在栏杆上，笑嘻嘻地瞧着她。

是雷雨。

沈璧君想退回去，已来不及了。

雷雨已在向她含笑招呼，这时候她再退回去，岂非太无礼？

灯光下，雷雨脸上的麻子看来更密、更深。

每粒麻子都像是在对她笑，笑得那么暧昧，那么可恶。

她一定要去找萧十一郎。

雷雨突然拦住了她，笑道："用过饭了吗？"

沈璧君道："嗯。"

雷雨道："今天是老高掌勺，据说他本是京城里'鹿鸣春'的大师傅，手艺很不错。"

沈璧君道："哦？"

雷雨道："这院子虽不太大，但若没有人陪着，也会迷路；姑娘若一不小心，闯到庄主的屋子里去，那可不是好玩的。"

沈璧君板着脸，道："谁是姑娘？"

雷雨道："不是姑娘，是夫人。"

沈璧君道："哼！"

雷雨笑嘻嘻道："夫人可知道你的丈夫现在什么地方吗？"

沈璧君的心一跳，道："你可知道？"

雷雨道："我当然知道。"

沈璧君勉强使自己脸色好看些，道："却不知他在哪里？我正要找他。"

雷雨悠然道："以我看，还是莫要找的好，找了反而烦恼。"

沈璧君的心又一跳，道："为什么？"

雷雨笑得更可恶，道："你要我说真话？"

沈璧君道："当然。"

雷雨道："你知道，这里有很多很美的小姑娘，都很年轻，又都很寂寞，你的丈夫又是个很不难看的男人。"

他眯起了眼，笑道："夫人虽然是天香国色，但山珍海味吃久了，也想换换口味的——"

沈璧君早已气得发抖，忍不住大声道："不许你胡说！"

雷雨笑道："你不信，要不要我带你去瞧瞧？那个小姑娘没有你漂亮，却比你年轻，女人只要年轻，男人就有胃口。"

沈璧君气得连嘴唇都已发抖。

雷雨道："我劝你，什么事还是看开些好，这里的人，本就对这种事看得很淡，就好像吃白饭一样，他能找别的女人，你为什么不能找别的男人？反正大家都是在找乐子，两人扯平，心里就会舒服些。"

他眼睛已眯成一条线，伸出手就要拉沈璧君，道："来，用不着害臊，反正迟早总有一天，你也免不了要跟别人上——"

沈璧君没有让他说出下面的那个字，突然一个耳光，掴在他脸上。

雷雨似未想到她的出手如此快，竟被打怔了。

沈璧君手藏在袖中，眼睛瞪着他，一步步向后退。

萧
十
一
郎

347

雷雨手抚着脸，突然狞笑道："你这是敬酒不吃吃罚酒，到了这里，你就算真的三贞九烈，也不由得你不依，你逃也逃不了的。"

他步步向前逼。

沈璧君大喝道："站住，你再往前走一步，我金针就要你的命!"

雷雨怔了怔，道："金针?"

沈璧君道："你既然也在江湖中走动过，总该听说过沈家的金针，见血封喉，百发百中，你有把握能避得开?"

雷雨脚步果然停了下来，道："你是沈太君的什么人?"

沈璧君道："我就是她孙女——"

这句话未说完，她已退回房中"砰"地关起了门!

门外久久没有动静，雷雨似乎已真的被沈家的金针吓退了。

沈璧君靠在门上，不停地喘息着。

她的心在疼，疼得几乎已忘记了惊恐和愤怒。

"——她比你年轻——女人只要年轻，男人就有胃口——你丈夫在找别的女人——要不要我带你去瞧瞧——"

这些话，就像针一般在刺着她的心。

萧十一郎虽然并不是她的丈夫，但也不知为了什么，就算她知道连城璧有了别的女人，她也不会像现在这么痛苦。

"我不信，不信，绝不信——他绝不会做这种事的!"

可是，他为什么还不回来呢?

这里一共有三十几个少女，都很美丽，也都很会笑。

其中只有一个没有对萧十一郎笑过，甚至没有正眼瞧过他。

这少女的名字叫"苏燕"。

萧十一郎现在就躺在苏燕的床上。

苏燕的头，正枕着萧十一郎宽阔的胸膛。

她阖着眼，睫毛很长，眼角是向上的，可是她张开眼的时候，一定很迷人——女人只要有双迷人的眼睛，就已足够征服男人了。

何况，她别的地方也很美。

虽然盖着被，还是可以看出她的腿很长，胴体结实而有弹性，线条却很柔和，既不太丰满，也不太瘦弱。

屋子里本来很静，这时候突然发出一阵银铃般的娇笑声。

女人的笑，也有很多种。大多数女人，只会用嘴笑，她们的笑，只不过是种声音，有些人的笑声甚至会令人起很多鸡皮疙瘩。能用表情笑的女人，已经很少见了。

她们若会用眉毛笑，用眼睛笑，用鼻子笑，男人看到这种女人笑的时候，常常都会看得连眼珠子都像凸了出来。

还有种女人，全身都会笑。

她们笑的时候，不但有各种表情，而且还会用胸膛向你笑，用腰肢向你笑，用腿向你笑。

男人若是遇着这种女人，除了拜倒裙下，乖乖地投降外，几乎已没有第二条路可走了。

苏燕就是这种女人。

她的胸膛起伏，腰肢在扭动，腿在磨擦。

萧十一郎并不是个木头人，已有点受不了，忍不住问道："你笑什么?"

苏燕道："我是在笑你。"

萧十一郎道："笑我?"

苏燕道："你呀! 有了那么一个漂亮的太太，还不老实。"

萧十一郎也笑了，道："有哪个男人是老实的？"

苏燕吃吃笑道："有人说，男人就像是茶壶，女人是茶杯，一个茶壶，总得配好几个茶杯。"

萧十一郎笑道："比喻得妙极了，你这是听谁说的？"

苏燕道："自然是男人说的，可是——"

她支起半个身子，盯着萧十一郎道："这里的女孩子个个都很漂亮，你为什么会挑上我？"

萧十一郎道："一个人若要偷嘴吃，当然要挑最好吃的。"

苏燕咬着嘴唇，道："可是我连瞧都没有瞧你一眼，你怎么知道我会上你的钩？"

萧十一郎道："越是假正经的女人，越容易上钩，这道理男人很明白。"

他话未说完，苏燕已扑到他身上，纠缠着不依道："什么？你说我假正经？你以为我随随便便就会跟人家上床？老实告诉你，雷雨想钓我，已想得发疯，可是我瞧见他那一脸大麻子就生气。"

萧十一郎忍不住笑道："麻子有什么不好？十个麻子九个俏，有的女人还特别喜欢麻子哩！何况，熄了灯，不都是一样？"

苏燕"啪"的一声，轻轻给了他个耳刮子，笑骂道："我本来以为雷大麻子已经够坏的了，谁知道你比他更不是东西！"

萧十一郎道："这里的男人除了龙飞骧外，大概没有一个好东西。"

苏燕道："一点也没错。"

萧十一郎道："那两个老头子呢，除了下棋外，大概已没有什么别的兴趣了吧？"

苏燕撇了撇嘴，冷笑道："那你就错了，这两个老不死，人老心却不老，除了庄主留下来的之外，这里的女孩子哪个没有被他们欺负过？"

萧十一郎道："雷雨的老婆呢？"

苏燕道："那两个骚狐狸，本就是自己送上门去的。"

萧十一郎道："雷雨难道甘心戴绿帽子？"

苏燕道："雷大麻子在别人面前虽然耀武扬威，但见了他们两人，简直连屁都不敢放一个。"

萧十一郎眨着眼，道："雷雨年轻力壮，又会武功，为什么要怕那两个糟老头子？"

苏燕突然不说话了。

萧十一郎道："这两个老头武功难道比雷雨还高？"

苏燕还是不说话。

萧十一郎道："你可知道他们姓什么？叫什么？"

苏燕道："不知道。"

萧十一郎笑了笑，道："他们是什么时候来的，这你总该知道了吧？"

苏燕道："也不知道，我来的时候，他们已经在这里了。"

萧十一郎道："你是什么时候来的？"

苏燕道："有好几年了。"

萧十一郎道："你怎么会到这里来的呢？"

苏燕勉强笑了笑，道："还不是跟你们一样，糊里糊涂地就来了。"

萧十一郎道："你年纪还轻，难道真要在这种鬼地方过一辈子？"

苏燕叹了口气，道："既已到了这里，还不是只有认命。"

她又伏到萧十一郎身上，腻声道："大家开开心心的，为

什么要谈这种事呢？来——"

萧十一郎刚伸手搂住了她，突又大声叫起痛来。

苏燕道："你干什么？抽了筋？"

萧十一郎喘息着，道："不——不是，是我的伤——伤还没有好。"

苏燕红着脸，咬着嘴唇，用手戳着他的鼻子，笑道："挑来挑去，想不到却挑上了你这个短命的病鬼！"

沈璧君坐在饭桌旁，垂着头，眼睛红红的，像是刚哭过。

桌上的饭菜，连动都没有动。

萧十一郎敲了半天门，门才开。

平时只要萧十一郎回来，沈璧君面上就会露出花一般的微笑。

但今天，她始终垂着头，只轻轻问了句话："你在外面吃过饭了？"

萧十一郎道："没有，你呢——你为什么不先吃？"

沈璧君道："我——我还不饿。"

她垂着头，盛了碗饭，轻轻放在萧十一郎面前，道："菜都凉了，你随便吃点吧——这些菜，本来都是你爱吃的。"

萧十一郎忽然觉得只要有她在，连这地方居然都充满了家的温暖。

沈璧君也盛了半碗饭，坐在旁边慢慢地吃着。

也不知为了什么，萧十一郎心里突又觉得有些歉意，仿佛想找些话来说，却又偏偏不知道该如何开口。

这也就是像个在外面做亏心事的丈夫，回到家时，总会尽量温柔些，做妻子的越不说话，做丈夫的心里反而抱歉。

萧十一郎终于道："这几天我已将这院子前前后后都量过

了。”

沈璧君道：“哦?”

萧十一郎道：“我总觉得这地方绝不止二十八间屋子，本该至少有三十间的，只可惜我找来找去，也找不到多出来的那两间屋子在哪里。”

沈璧君沉默了半晌，轻轻道：“这里的女孩很多，女孩子的嘴总比较快些，你为什么不去问问她们呢?”

萧十一郎终于明白她是在吃醋。

只要是男人，知道有女人为他吃醋，总是非常愉快的。

萧十一郎心里也觉得甜丝丝的，他这一生，从来也没有这种感觉，过了很久，他才决定要说老实话。

他苦笑着道：“我本来是想问的，只可惜什么也没有问出来。”

他忽又接着道：“但她们的口风越紧，越可证明她们必定有所隐藏，证明这里必定有什么不可告人的秘密，我只要知道这点，也就够了。”

沈璧君又沉默了半晌，才轻轻道：“你不准备再去问她们了?”

萧十一郎凝注着她，缓缓道：“绝不会再去。”

沈璧君头垂得更低，嘴角却露出了微笑。

她本来并不想笑，但这笑却是自心底发出的，怎么能忍得住?

看到她的笑，萧十一郎才觉得肚子饿了，很快地扒光了碗中的饭，道：“小姑娘已问过了，明天我就该去问老头子了。”

沈璧君嫣然道：“我想，明天你一定会比今天回来得早。”

这句话没说完，她自己的脸也红了起来。

女人醋吃得太凶，固然令人头疼，但女人若是完全不吃

萧
十
一
郎

醋，男人们的乐趣岂非也减少了很多。

第六天，晴天。

萧十一郎走到前面的庭园中，才发现围墙很高，几乎有五六个人高，本来开着的那道角门，也已经关起，而且还上了锁。

门是谁锁起来的？为什么？

在天公子眼中，这些人既已无异蝼蚁，纵然逃出来，只要用两根手指就能拈回来，为什么还要防范得如此严密？

萧十一郎嘴角仿佛露出了一丝笑意。

老人不知何时又开始在八角亭中饮酒下棋了。

萧十一郎慢慢地走过去，负手站在他们身旁，静静地瞧着。

老人专心于棋局，似乎根本没有发现有个人走过来。

风吹木叶，流水呜咽，天地间一片安详静寂。

老人们的神情也是那么悠然自得。

但萧十一郎走近他们身旁，就突然感觉到一股凌厉逼人的杀气，就仿佛走近了两柄出鞘的利剑似的。

神兵利器，必有杀气。

身怀绝技的武林高手，视人命如草芥，身上也必定会带着种杀气！

萧十一郎隐隐感觉出，这两人一生中必已杀人无数！

朱衣老人手里拈着个棋子，正沉吟未决。绿袍老人左手支颊，右手举杯，慢慢地啜着杯中酒，看他的神情，棋力显然比那朱衣老人高出了许多。

这杯酒喝完了，朱衣老人的棋还未落子。

绿袍老者突然抬头瞧了瞧萧十一郎，将手中的酒杯递过来，点了点石桌上一只形式奇古的酒壶。

这意思谁都不会不明白，他是要萧十一郎为他斟酒。

"我凭什么要替你倒酒？"

若是换了别人纵不破口大骂，只怕也将掉头不顾而去。但萧十一郎却不动声色，居然真的拿起了酒壶。

壶虽已拿走，酒却未倒出。

萧十一郎慢慢地将壶嘴对着酒杯。

他只要将酒壶对着酒杯，酒就倾入杯中。但他却偏偏再也一动不动。

绿袍老人的手也停顿在空中，等着。

萧十一郎不动，他也不动。

朱衣老人手里拈着棋子，突然也不动了。

这三人就仿佛突然都被魔法定住，被魔法夺去了生命，变成了玩偶。

一个多时辰已过去了。

三个人都没动，连指尖都没动，每个人的手都稳如磐石。

日已偏西。

萧十一郎的手只要稍有颤抖，酒便倾出。

但三个时辰过去了，他的手还是磐石般动也不动。

绿袍老人的神情本来很安详，目中本来还带着一丝讥诮之意，但现在却已渐渐有了变化，变得有些惊异，有些不耐。

他自然不知道萧十一郎的苦处。

萧十一郎只觉得手里的酒壶越来越重，似已变得重逾千斤，手臂由酸而麻，由麻而疼，疼得宛如被千万根针在刺着。

他头皮也有如针刺，忍耐着，尽力使自己心里不去想这件事。

因为他知道现在绝不能动。

他们全身虽然都没有任何动作，但却比用最锋利的刀剑搏斗还要险恶。

壶中的酒若流出，萧十一郎的血只怕也要流出来。

这是一场内力、定力和忍耐的决斗。

这一场决斗虽然险恶，却不激烈，也不精彩。

这一场决斗由上午开始，直到黄昏，已延续了五个时辰，却没有任何一个人走过来瞧一眼。

生活在这里的人，关心的只是自己，你无论在干什么，无论是死是活，都绝不会有人关心的。

第二二章 最长的一夜

暮色四合。

大厅中已亮起了灯火，走廊上的宫纱灯笼也已被点燃。

灯光自远处照过来，照在绿袍老人的脸上。

他脸色苍白，眼角的肌肉已在轻微地跳动。

但他的手还是稳如磐石。萧十一郎几乎已气馁，几乎崩溃。

他的信心已开始动摇，手也已将开始动摇。

他几乎已无法再支持下去，这场决斗只要再延续片刻。

但就在这时，只听"嗤"的一声，朱衣老人手里拈着的棋子突然射出，酒壶的壶嘴如被刀削，落下，跌碎。

酒涌出，注入酒杯。

酒杯已满，绿袍老人手缩回，慢慢地啜着杯中酒，再也没有瞧萧十一郎一眼。

萧十一郎慢慢地放下酒壶，慢慢地走出八角亭，走上曲桥，猛抬头，夜色苍茫，灯光已满院。

萧十一郎站在桥头，凝注着远处的一盏纱灯，久久都未举步。

萧
十
一
郎

357

他从来也未发觉，灯光竟是如此柔和、如此亲切。

只有经过死亡恐惧的人，才知道生命之可贵。

"饭菜恐怕又凉了。"

萧十一郎悄悄地揉着手臂，大步走了回去。

今天，几乎是他一生中最长的一天，但这一天并不是白过的。

他毕竟已有了收获。

他身上每块肌肉都在酸疼，但心情却很振奋，他准备好好吃一餐，喝几杯酒，好好睡一觉。

明天他还有很多很多的事要做，每件事都可能决定他的一生。

门是开的。

沈璧君一定又等得很着急了。

"只希望她莫又认为我是在和那些小姑娘们鬼混。"

萧十一郎悄悄地推开门，也希望能看到沈璧君春花般的笑。

他永远想不到推开门后看到的是什么，会发生什么事？

否则他只怕永远也不会推开这扇门了！

桌上摆着五盘菜：蟹粉鱼唇，八宝辣酱，清炒鳝糊，豆苗虾腰，一大盘醉转弯拼油爆虾是下酒的，一只砂锅狮子头是汤。

今天在厨房当值的，是位苏州大司务。

菜，也都已凉了。

桌子旁坐着一个人，在等着。

但这人并不是沈璧君，而是那已有四五天未曾露面的主人。

屋子里没有燃灯。

宫灯的光，从窗棂中照进来，使屋子里流动着一种散碎而朦胧的光影。他静静地坐在光影中，看来仿佛也变得很玄虚、很诡秘、很难以捉摸，几乎已不像是个有血有肉的活人，而像是个幽灵。

墙上，挂着幅画，画的是钟馗捉鬼图。他眼睛眨也不眨地盯在这幅画上，似已瞧得出神了。

萧十一郎一走进来，心就沉了下去。他忽然有了种不祥的预感，就像是一匹狼，已嗅出了灾祸的气息，而且灾祸已来到眼前，纵想避免，也已太迟了。

主人并没有回头。

萧十一郎迟疑着，在对面坐了下来。

他决定什么话都不说，等主人先开口，因为他根本就不知道事情已发生了什么变化。

也猜不出别人将要怎么样对付他。

也不知过了多久，主人忽然长长叹了口气，道："旧鬼未去，新鬼又生，既有各式各样的人，就有各式各样的鬼，本就永远捉不尽的，钟道士又何苦多事？"

萧十一郎倒了杯酒，一饮而尽。

主人也倒了杯酒，举杯在笑，目光终于慢慢地转过来，盯着他，又过了很久，忽然笑了笑，道："你看来已很累了。"

萧十一郎也笑了笑，道："还好。"

主人悠然道："和他们交手，无论用什么法子交手，都艰苦得很。"

萧十一郎道："还好。"

主人目光闪动，道："经此一战，你想必已知道他们是谁了？"

萧
十
一
郎

萧十一郎淡淡一笑，道："也许我早就知道他们是谁了。"

主人道："但你还是敢去和他们交手?"

萧十一郎道："嗯。"

主人仰面而笑，道："好，有胆量，当敬一杯。"

萧十一郎道："请。"

主人饮尽了杯中的酒，忽然沉下了脸，道："除此之外，你还知道了什么?"

萧十一郎道："知道得并不多，也不太少。"

主人冷冷道："希望你知道得还不太多，一个人若是知道得太多，常常都会招来杀身之祸，那就还不如完全不知道的好了。"

萧十一郎将空了的酒杯放在指尖慢慢地转动着，忽然道："她呢?"

主人道："谁?"

萧十一郎道："内人。"

主人突又笑了笑，笑得很奇特，缓缓道："你是问那位沈姑娘?"

萧十一郎盯着那旋转的酒杯，瞳孔也似乎突然收缩了起来，眼珠子就变得说不出的空洞。

过了很久，他才慢慢地点了点头。

主人的眼睛却在盯着他，一字字问道："他真是你的妻子?"

萧十一郎没有回答。

主人跟着又追问道："你可知道她出了什么事? 你可知道她身子为何会如此虚弱?"

萧十一郎长长吸了口气，道："她出了什么事?"

主人淡淡道："她本来再过几个月就会有个孩子的，现在却没有了。"

"当"的一声，旋转着的酒杯自指尖飞出，撞上墙壁，粉碎。

萧十一郎眼睛还是盯着那根空空的手指，手指还是直挺挺的竖在那里，显得那么笨拙、那么无助、那么可笑。

主人笑了笑，悠然道："你若连这种事都不知道，又怎么可能是她的丈夫？又怎配做她的丈夫！"

萧十一郎眼睛终于自指尖移开，盯着他，道："她在哪里？"

主人拒绝回答这句话，却缓缓道："你有没有注意到一件事？这里最美丽的女人，最舒服的屋子，所有一切最好的东西，都是属于我的。"

他盯着萧十一郎，又道："你可知道这是什么缘故？"

萧十一郎道："什么缘故？"

主人道："这只因我最强！"

他又笑了笑，接着道："我早就告诉过你，在这里既不讲道义，也没有礼法，谁最有力量，谁最强，谁就能取得最好的！"

萧十一郎道："你的意思是……"

主人道："你既已到这里，就得顺从这里的规矩。沈姑娘既非你的妻子，也不属于任何人，那么，谁最强，谁就得到她！"

他将空了的酒杯捏在手里，缓缓接道："所以现在她已属于我，因为我比任何人都强，也比你强！"

他的手纤细而柔弱，甚至比女人的手还要秀气。

但说完了这句话，他再摊开手，酒杯已赫然变成了一堆粉末。

一堆比盐还细的粉末!

萧十一郎霍然站了起来,又缓缓坐了下去。

主人却连瞧也没有瞧他一眼,悠然道:"这就是你的好处,你比大多数年轻人都看清楚,知道我的确比你强,你也比大多数年轻人都能忍耐,所以你才能活到现在。"他笑了笑,接着道,"要找一个像你这样的对手,并不容易,所以我也不想你死得太快,只要你够聪明,也许还能活下去,活很久。"

萧十一郎突然长长叹了口气,道:"我的毛病就是太聪明了,太聪明的人,是活不长的。"主人道:"那倒未必,我岂非也已活得很长了吗?你若真够聪明,就该少说些话,多喝些酒,那么,就算你吃了点亏,我也会对你有所补偿。"

萧十一郎道:"补偿?"

主人微笑道:"苏燕——她虽然没有沈姑娘那么美,但却有很多沈姑娘比不上的好处,而且,她岂非正是你自己挑中的吗?你失去了一个,又得回了一个,并没有吃亏。只要你也和别人一样,对什么事都看得开些,你还是可以快快乐乐地在这里过一辈子,也许比在外面还要活得愉快得多。"

萧十一郎道:"我若不愿待在这里呢?"

主人沉下了脸,道:"你不愿意也得愿意,因为你根本别无选择,你根本逃不出去!"

萧十一郎忽然也笑了笑,道:"也许,我已找出了破解这魔法的关键!"

主人的脸变了,但瞬间即展颜笑道:"你找不到的,没有人能找得到!"

萧十一郎道:"我若找到了你肯让我将她带走?"

主人道:"你要找多久?"

萧十一郎道:"用不着多久,就是现在!"

主人道："你若找不到呢？"

萧十一郎断然道："我就在这里待到死，一辈子做你的奴隶！"

主人的笑容忽又变得很温柔，柔声道："这赌注并不小，你还是再考虑考虑的好。"

萧十一郎道："赌注越大，越有刺激，否则还不如不赌的好，这就看你敢不敢赌了。"

主人道："话出如风！"

萧十一郎道："好！"

"好"字出口，他身子突然地往墙上撞了过去，"轰"的一声，灰石飞扬，九寸厚的墙已被他撞破了桌面般大的洞！

萧十一郎的人已撞入了隔壁的屋子！

这间屋子很大，却没有窗户。屋里简直可说什么都没有，只有张很大的桌子，桌子上摆着栋玩偶的房屋，园中亭台楼阁，小桥流水，有个绿袍老人正在溪边水里浣足……

萧十一郎喘息着，面上终于露出了笑容，笑道："这就是破解你魔法的关键，是吗？"

主人的脸色苍白，没有说话。

萧十一郎道："你故意仿照你住的这地方，造了这么样一栋玩偶房屋，故意先让我们瞧见，然后再将我们带到这里来，让我们不由自主生出种错觉，以为自己也已被魔法缩小，也变成了玩偶——"

他接着又道："这计划虽然荒谬，却当真是妙不可言，因为无论谁也想不到世上竟有像你这种疯狂的人，居然会做出这种荒唐的事来。"

主人也大笑起来，道："的确没有人能想得到，我已用这种法子作弄过不知多少人了，那些人到最后不是发了疯，就是自己割了颈子。"

萧十一郎道："所以你觉得这法子不但很有用，而且很有趣。"

主人笑道："当然很有趣，你若也见过那些突然发觉自己已被'缩小'了时的表情，见到他们拼命地喝酒，拼命地用各种法子麻醉自己，直到发疯为止，你也会觉得世上绝不会再有更有趣的事了。"

他大笑着接着道："那些人为了要活下去，再也不讲什么道义礼法，甚至连名誉地位都不要了，到最后为一瓶酒，他们甚至可以出卖自己的妻子！"

萧十一郎道："你难道认为世上所有的人都和他们一样？"

主人笑道："你若见过那些人，你才会懂得：人，其实并不如自己想像中那么聪明，有时简直比狗还贱，比猪还笨！"

萧十一郎冷冷道："但你莫忘了，你自己也是个人！"

主人厉声道："谁说我是人？我既然能主宰人的生死和命运，我就是神！"

萧十一郎叹了口气，道："只有疯子，才会将自己当做神。"

主人面上忽又露出了那种温柔的笑容，柔声道："你也莫要得意，你现在还在我的掌握中，我还可主宰你的生死命运。"

萧十一郎道："我也没有忘记你答应过我的话。"

主人道："也许我自己忘了呢？"

萧十一郎笑了笑，道："我相信你，你既然将自己当做神，就绝不会对人食言背信的，否则你岂非也和别人同样卑贱？"

主人盯着他，喃喃道："你的确很聪明，我一直小看了你！"

萧十一郎道："她呢？你现在总该放了她吧！"

主人道："我还得问你几句话。"

萧十一郎道："我本就在等着你问。"

主人道："这秘密你是怎么看破的？"

萧十一郎笑道："我们若真已到了玩偶的世界，怎会再见到阳光？但这里，却有阳光。"

主人叹了口气，道："我本就发觉疏忽了这一点，但到了这里的人，神智就已混乱，谁也不会注意到这点疏忽，连我自己都已渐渐忘了。"

萧十一郎道："大多数人都自以为能看得很远，对近在眼前的反而不去留心。你当然也很明白人心的这种弱点，所以才会将我安顿在这里，你以为我绝对想不到秘密的关键就在我自己住处的隔壁。"

主人道："你是怎么想到的？"

萧十一郎道："我只不过隐隐觉得这地方必定有两间隐藏着的秘密屋子，但不能确定在哪里，方才只不过是碰碰运气而已。"

他笑了笑，接着说："我的运气还不错。"

主人沉默了半晌，淡淡道："一个人的运气无论多么好，总有一天会变坏的。"

长夜已将过去。

主人还坐在屋子里，屋子里还没有燃灯。

黑暗中，慢慢地现出了一条纤小朦胧的人影，慢慢地走到他身后，轻轻地替他捶着背，柔声道："你看来也有些累了。"

语声柔和而甜美，带着种无法形容的吸引力。

主人既没有说话，也没有回头。

窗纸渐渐发白，曙色照亮了那人影。

她身材不高，但曲线却是那么柔和，那么匀称，圆圆的脸，眼睛大而亮，不笑的时候也带着几分笑意。

她笑得不但甜，而且纯真，无论谁看到她的笑容，都会将自己所有的忧愁烦恼全都忘记。

小公子！

小公子怎会也到了这里！

过了很久，主人才叹了口气道："你说的不错，萧十一郎的确不是普通人，我不该小看他的。"

小公子道："所以你就不该放他走！"

主人道："我要让人知道，我说出的话，就是金科玉律！"

小公子道："可是——纵虎归山——"

主人打断了她的话，微笑道："他们现在虽然走了，不出十天就会回来。"

小公子道："回来，你说他们会回来？"

主人道："一定会回来！"

小公子笑了，道："你认为萧十一郎有毛病？"

主人道："萧十一郎虽未必，但沈璧君却非回来不可！"

小公子道："你有把握？"

主人道："你几时见过我做过没有把握的事？"

小公子道："她为什么要回来？"

主人道："因为我已将她的心留在这里。"

小公子眨着眼，吃吃地笑了。

主人道："你不信？"

主人笑道："一个男人若想留住女人的心，只有两种法子。"

小公子道："哪两个？"

主人道："第一种，是要她爱你，这当然是最好的法子，但却比较困难。"

小公子道："第二种呢?"

主人道："第二种就是要她恨你，一个女人若是真的恨你，就会时时刻刻地想着你，忘也忘不了，甩也甩不开。"

他微笑着，接着道："这法子就比较容易多了。"

小公子眼珠转动着，道："但女人若没有真的爱过你，就绝不会恨你。"

主人笑道："你错了，爱也许只有一种，恨却有很多种。"

小公子道："哦?"

主人道："若有人杀了你最亲近的人，你恨不恨他?"

小公子说不出话了。

主人道："我已想法子让她知道，沈家庄是我毁了的，她祖母也是我杀了的!"

小公子道："可是，这种恨……"

主人道："这种恨也是恨，她恨我越深，就越会想尽各种法子回到我身边，因为只有在我身边，她才有机会杀我，才有机会报仇!"

小公子沉默半晌，道："既然如此，她为什么要走呢?"

主人道："因为她不愿意连累萧十一郎，她知道她若不走，萧十一郎也不会走。"

小公子目光闪动着，道："这么说，你也知道她爱的是萧十一郎?"

主人道："女人若是爱上了一个男人，不是瞎子就能看得出。"

小公子咬着嘴唇，道："你有把握能得到她?"

主人笑道："只要她在我身边，我就有把握。"

　　小公子道："但你既然知道她爱的是别人，就算得到她，又有什么意思？"

　　主人笑道："只要我能得到她，就有法子能令她将别的男人全都忘记。"

　　小公子敲着背的手突然停了下来，头垂得很低。

　　主人转过身，拉住她的手，笑得很特别，道："这法子别人不知道，你总该知道的。"

　　小公子"嘤咛"一声，倒入他怀里……

第二三章　吓坏人的新娘子

萧十一郎忽然觉得他和沈璧君之间的距离又变得遥远了。

在那"玩偶山庄"中，他们不但人在一起，心也在一起。

在那里，他们的确已忘了很多事，忘了很多顾虑。

但现在，一切事又不同了。

有些事你只要活着，就没法子忘记。

路长而荒僻，显然是条已被废弃了的古道。

路旁的杂草已枯黄，木叶萧萧。

萧十一郎没有和沈璧君并肩而行，故意落后了两步。

沈璧君也没有停下来等他。

现在，危险已过去，伤势也将愈，他们总算已逃出了魔掌，本该觉得很开心才是，但也不知为了什么，他们的心情反而很沉重。

难道他们觉得又已到了分手的时候?

难道他们就不能不分手?

突然间车驰马嘶，一辆大车疾驰而来!

萧十一郎想让出道路，马车竟已在他身旁停下!

马是良驹，漆黑的车身，亮得像镜子。甚至可以照得出他们黯淡的神情，疲倦而憔悴的脸。

萧
十
一
郎

车窗上垂着织锦的帘子。

帘子忽然被掀起，露出了两张脸，竟是那两个神秘的老人。

朱衣老人道："上车吧!"

绿袍老人道："我们送你一程。"

萧十一郎迟疑着，道："不敢劳动。"

朱衣老人道："一定要送。"

绿袍老人道："非送不可。"

萧十一郎道："为什么?"

朱衣老人道："因为你是第一个活着从那里出来的人。"

绿袍老人道："也是第一个活着从我眼下走出来的人。"

两人的面色很冷漠，他们的眼睛里却闪动着一种炽热的光芒。

萧十一郎第一次感觉到他们也是活生生的人。

他终于笑了笑，拉开了车门。

车厢里的布置也正如那山庄里的屋子，华丽得近于夸张，但无论如何，一个已很疲倦的人坐上去，总是舒服的。

沈璧君却像是呆子。

她直挺挺地坐着，眼睛瞪着窗外，因为老人们的眼睛都在眨也不眨地盯着她。

朱衣老人忽然道："你这次走了，千万莫再回来!"

绿袍老人道："无论为了什么，都千万莫再回来!"

萧十一郎道："为什么?"

朱衣老人目中竟似露出了一丝恐惧，道："因为他根本不是人，是鬼，比鬼还可怕的妖怪，无论谁遇着他，活着都不如死的好!"

绿袍老人道："我们说的'他'是谁，你当然也知道。"

萧十一郎长长吐出口气，道："两位是什么人，我现在也知道了。"

朱衣老人道："你当然会知道，因为以你的武功，当今天下，已没有第四个人是你的敌手，我们正是其中两个。"

绿袍老人道："但我们两个加起来，也不是他一个人的敌手！"

朱衣老人的嘴角在颤抖，道："天下绝没有任何人能接得住他三十招！"

绿袍老人道："你也许只能接得住他十五招！"

沈璧君咬着嘴唇，几次想开口，都忍住了。

萧十一郎沉思着，缓缓道："也许我已猜出他是谁了。"

朱衣老人道："你最好不要知道他是谁，只要知道他随时能杀你，你却永远没法子杀他。"

绿袍老人道："世上根本就没有人能杀得死他！"

萧十一郎道："两位莫非已和他交过手？"

朱衣老人沉默了半晌，长叹道："否则我们又怎会待在那里，早上下棋，晚上也下棋……"

绿袍老人道："你难道以为我们真的那么喜欢下棋？"

朱衣老人苦笑道："老实说，现在我一摸到棋子，头就大了，但除了棋外，我们还能做什么？"

绿袍老人道："二十年来，我们未交过一个朋友，也没有一个人值得我们交的，只有你……但我们最多只能送你到路口，就得回去。"

萧十一郎目光闪动，道："两位难道就不能不回去？"

老人对望了一眼，沉重地摇了摇头。

朱衣老人嘴角带着丝凄凉的笑意，叹道："我们已太老了，已没有勇气再逃了。"

绿袍老人笑得更凄凉，道："以前，我们也曾经试过，但无论怎么逃，只要一停下来，就会发现他在那里等着你!"

萧十一郎沉吟着，良久良久，目中突然射出了剑锋般的锋芒，盯着老人，缓缓道："合我们三人之力，也许……"

朱衣老人很快地打断了他的话，厉声道："不行，绝对不行。"

绿袍老人道："这念头你连想都不能想!"

萧十一郎道："为什么?"

朱衣老人道："因为你只要有了这个念头，就会想法子去杀他!"

绿袍老人道："只要你想杀他，结果就一定死在他手里!"

萧十一郎道"可是……"

朱衣老人又打断了他的话，怒道："你以为我们是为了什么要来送你的? 怕你走不动? 你以为我们出来一次很容易?"

绿袍老人道："我们本就是要你明白，你们这次能逃出来，全是运气，所以此后你只要活着一天，就离他越远越好! 永远不要再回来，再不要动杀他的念头，否则，你就算还能活着，也会觉得生不如死。"

朱衣老人长长叹了口气，道："就和我们一样，觉得生不如死。"

绿袍老人道："若是别人落在他手中，必死无疑，但是你……他可能还会留着你，就像留我们一样，他无聊时，就会拿你做对手来消遣。"

朱衣老人道："因为他只有拿我们这种人做对手，才会多少觉得有点乐趣。"

绿袍老人道："但我们却不愿你重蹈我们的覆辙，做他的玩偶，否则你是死是活，和我们又有什么关系？"

朱衣老人目光遥视着窗外的远山，缓缓道："我们已老了，已快死了，等我们死后，他别无对手可寻时，一定会觉得很寂寞……"

绿袍老人目中闪着光，道："那就是我们对他的报复！因为除此之外，我们就再也找不出第二种报复的法子了！"

萧十一郎静静地听着，似已说不出话来。

马车突然停下。朱衣老人推开了车门，道："走，快走吧！走得越远越好。"

绿袍老人道："你若敢再回来，就算他不杀你，我们也一定要你的命！"

前面，已是大道。

马车又已绝尘而去，萧十一郎和沈璧君还站在路口发着怔。

沈璧君的脸色发白，突然道："你想，这两人会不会是'他'故意派来吓我们的？"

萧十一郎想也没有想，断然道："绝不会。"

沈璧君道："为什么？"

萧十一郎道："这两人也许会无缘无故地就杀死几百人，但却绝不会说一句谎。"

沈璧君道："为什么？他们究竟是谁？"

萧十一郎道："二十年来，武林中怕没有比他们更有名、更可怕的人了，江湖中人只要听到他们的名字……"

他还没有说他们的名字，远处突然传来了一阵鼓乐声。

萧十一郎抬起头，就看到一行人马，自路那边蜿蜒而来。

是新娘子坐的花轿。

新郎官头戴金花，身穿蟒袍，骑着匹毛色纯白，全无杂色

的高头大马，走在行列的最前面。

世上所有的新郎官，一定都是满面喜气、得意洋洋的。尤其是新娘子已坐在花轿里的时候。

一个人自己心情不好的时候，也很怕看到别人开心得意的样子。

萧十一郎平时本不是如此自私小气的人，但今天却是例外，他也不知是无意，还是有意，突然弯下腰去咳嗽起来。

沈璧君头虽是抬着的，但眼睛却什么也瞧不见，看到别人的花轿，她就会想到自己坐在花轿里的时候。那时她心里还充满了美丽的幻想，幸福的憧憬。

但现在呢？

她只希望现在坐在花轿里的这位新娘子，莫要遭遇到和她同样的事，除了自己的丈夫外，莫要再爱上第二个男人。

一个人在得意的时候，总喜欢看着别人的样子，总希望别人也在看他，总觉得别人也应该能分享他的快乐。

但这新郎官却是例外。他人虽坐在马上，一颗心却早已钻入花轿里，除了他的新娘子外，全世界所有的人他都没有放在心上、瞧在眼里。

因为这新娘他得来实在太不容易了。

为了她，他也不知吃了多少苦，受了多少气。

为了她，他身上的肉也不知少了多少斤。

他本来几乎已绝望，谁知她却忽然点了头。

"唉！女人的心。"

现在，受苦受难的日子总算已过去，她总算已是他的。

眼见花轿就要抬进门，新娘子就要进洞房了。

想到这里，他百把斤重的身子忽然轻得好像要从马背上飘了起来。他抬头看了看天，又低头看了看地。

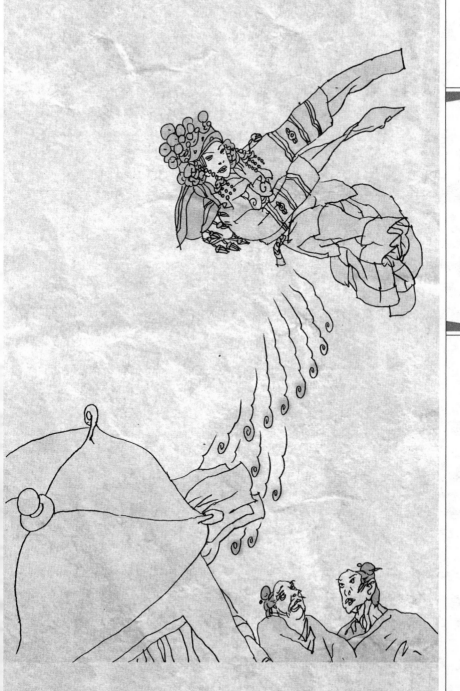

萧十一郎

许明康 许黎黎／绘

萧十一郎

红绸衣、红绣鞋，满头凤冠霞帔，穿戴得整整齐齐的新娘子，竟突然从花轿里飞了出来。

"唉！真是谢天谢地。"

八匹对子马，十六个吹鼓手后面，就是那顶八人抬的花轿。

轿帘当然是垂着的。

别的新娘子一上了花轿，最刁蛮，最调皮的女人也会变成呆子，动也不敢动，想也不敢想，甚至连放屁都不敢，就算有天大的事，也得忍着。

但这新娘子，却是例外。帘子居然被掀起了一线，新娘子居然躲在轿子里向外偷看。

萧十一郎刚抬起头，就看到帘子后面那双骨碌四面乱转的眼睛。

他也忍不住觉得好笑："人还在花轿里，已憋不住了，以后那还了得？"

这样的新娘已经很少见了，谁知更少见的事情还在后头哩！

轿帘突然掀起。

红绸衣、红绣鞋，满头凤冠霞帔，穿戴得整整齐齐的新娘子，竟突然从花轿里飞了出来。

萧十一郎也不禁怔住。

他再也想不到这新娘子竟飞到他面前，从红缎子衣袖里伸出了手，"啪"的一声，用刀拍了拍他的肩头，银铃般娇笑道："你这小王八蛋，这些日子，你死到哪里去了？"

萧十一郎几乎已被那一巴掌拍得跌倒，再一听到这声音，他就好像真的连站都站不住了。吹鼓手、抬轿的、跟轿的，前前后后三四十个，也全都怔住，瞪大了眼睛，张大了嘴。那神情就好像嘴里刚被塞下个煮熟滚烫的鸡蛋。

沈璧君也已怔住，这种事，她更是连做梦都没有想到过。

萧十一郎

377

新娘子娇笑着道："我只不过擦了一斤多粉，你难道就认不出我是谁了？"

她叹了口气，苦笑道："你就算认不出，也猜得到的……世上除了风四娘外，哪里找得出第二个这样的新娘子？"

风四娘脸上的粉当然没有一斤，但至少也有三两。

这当然是喜娘们的杰作，据说有本事的喜娘不但能将黑姑娘"漂白"，还能将麻子姑娘脸上每个洞都填平。所以世上每个新娘子都很漂亮而且看来差不多都一样。

但再多的粉也掩不住风四娘脸上那种洒脱而甜美的笑容，那种懒散而满不在乎的神情。风四娘毕竟是风四娘，毕竟与别的新娘子不同，就算有一百双眼睛瞪着她，她还是那般模样。

她还是咯咯地笑着，拍着萧十一郎的肩膀，道："你想不想得到新娘子就是我？想不想得到我也有嫁人的一天？"

萧十一郎苦笑着，道："实在想不到。"

风四娘虽然不在乎，他却已有些受不了。压低了声音道："但你既已做了新娘子，还是赶快上轿吧！你看，这么多人都在等你。"

风四娘瞪着眼道："要他们等等有什么关系？"

她提起绣裙，轻巧地转了个身，又笑着道："你看，我穿了新娘的衣服，漂不漂亮？"

萧十一郎道："漂亮、漂亮极了，这么漂亮的新娘简直天下少有。"

风四娘用指头戳了戳他的鼻子，道："所以我说你呀……你实在是没福气。"

萧十一郎摸着鼻子，苦笑道："这种福气我可当不起。"

风四娘瞪起眼，又笑了，眨着眼笑道："你猜猜看，我嫁的是谁?"

萧十一郎还未说话,新郎官已匆匆赶了过来。

他这才看清这位新郎倌四四方方的脸,四四方方的嘴,神情虽然很焦急,但走起路来却四平八稳,连帽子上插着的金花都没有什么颤动,整个人看起来就像是块刚出炉的硬面饼。

萧十一郎笑了,抱拳道:"原来是杨兄,恭喜恭喜。"

杨开泰看见他就怔住了,怔了半晌,好不容易才挤出一丝笑容,也抱了抱拳,勉强笑道:"好说好说,这次我们喜事办得太匆忙,有很多好朋友的帖子没有发到,等下次……"

刚说出"下次"两个字,风四娘就踩了他一脚,笑骂道:"下次?这种事还能有下次,我看你真是个呆脖子鹅。"

杨开泰也知道话说错了,急得直擦汗,越急话就越说不出,只有在下面去拉风四娘的衣袖,吃吃道:"这……这种时候……你……你……你怎么能跑出轿子来呢?"

风四娘瞪道:"为什么不能?看见老朋友,连招呼都不能打么?"

杨开泰道:"可是……可是你现在已经是新娘子……"

风四娘道:"新娘子又怎样,新娘子难道就不是人?"

杨开泰涨红了脸,道:"你……你们评评理,天下哪有这样的新娘子?"

风四娘道:"我就是这样子,你要是看不顺眼,换一个好了。"

杨开泰气得直跺脚,着急道:"不讲理,不讲理,简直不讲理……"

风四娘叫了起来,道:"好呀!你现在会说我不讲理了,以前你为什么不说?"

杨开泰擦着汗,道:"以前……以前……"

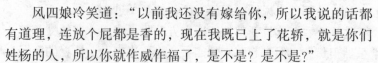

风四娘冷笑道：“以前我还没有嫁给你，所以我说的话都有道理，连放个屁都是香的，现在我既已上了花轿，就是你们姓杨的人，所以你就作威作福了，是不是？是不是？”

杨开泰又有些软了，叹着气，道：“我不是这个意思，只不过……只不过……”

风四娘道：“只不过怎样？”

杨开泰眼角偷偷往后瞟了一眼，几十双眼睛都在瞪着他，他的脸红得快发黑了，悄悄道：“只不过你这样子，叫别人瞧见会笑话的。”

他声音越低，风四娘喊得越响，大声道：“笑话就笑话，有什么了不起，我就是不怕别人笑话！”

杨开泰脸色也不禁变了，他毕竟也是个人，还有口气，毕竟不是泥巴做的，忍不住也大声道：“可是……可是你这样子，要我以后怎么做人？”

风四娘怒道：“你觉得我丢了你们杨家的人，是不是？”

杨开泰闭着嘴，居然给她来了个默认。

风四娘冷冷笑道：“你既然认为我不配做新娘子，这新娘子我不做好了。”

她忽然取下头上的凤冠，重重地往上一摔，大声道：“你莫忘了，我虽然上了花轿，却还没有进你们杨家的门，做不做你们杨家的媳妇，还由不得你，还得看我高不高兴。”

抬轿的、跟轿的、吹鼓手，看得几乎连眼珠子都凸了出来。

他们其中有些人已抬了几十年花轿，已不知送过多少新娘子进人家的门，但这样的事，他们非但没有见过，简直连听都没听说过。

杨开泰已快急疯了，道：“你……你……你……”

380

平时他只要一急，就会变成结巴，现在哪里还能说得出话来。

萧十一郎本来还想劝劝，只可惜他对风四娘的脾气太清楚了，知道她脾气一发，就连天王老子也是劝不了的。

风四娘索性将身上的绣袍也脱了下来，往杨开泰头上一摔，转身拉了萧十一郎的手道："走，我们走，不做杨家的媳妇，看我死不死得了。"

"你不能走！"

杨开泰终于将这四个字叫了出来，赶过去拉风四娘的手。

风四娘立刻就重重地摔开了，大声道："谁说我不能走？只要我高兴，谁管得了我？"

她指着杨开泰的鼻子，瞪着眼，道："告诉你，你以后少碰我，否则莫怪我给你难堪！"

杨开泰如木头人般怔在那里，脸上的汗珠一颗颗滚了下来。

萧十一郎看得实在有些不忍，正考虑着，想说几句话来使这场面缓和些，但风四娘已用力拉着他，大步走了出去。

他挣也挣不脱，甩也甩不开，更不能翻脸，只有跟着往前走，苦着脸道："求求你，放开我好不好，我不是不会走路。"

风四娘瞪眼道："我偏要拉，我都不怕，你怕什么？"

遇见风四娘，萧十一郎也没有法子了，只有苦笑道："可是……可是我还有……还有个朋友。"

风四娘这才想起方才的确有个人站在他旁边的，这才回头笑了笑，道："这位姑娘，你也跟我们一齐走吧！人家杨大少爷有钱有势，我们犯不着待在这里受他们的气。"

沈璧君迟疑着，终于跟了过去。

这只不过是因为实在也没法子在这地方待下去，实在不忍再看杨开泰的可怜样子，否则她实在是不愿跟他们走的。

她的脸色也未必比杨开泰好看多少。

凤四娘既然已转过身，索性又瞪了杨开泰一眼，道："告诉你，这次你若还敢像以前一样在后面盯着我，我若不把你这铁公鸡毛一根根拔光，就算没本事。"

杨开泰突地跳了起来，大声道："你放心，就算天下女人都死光，我也不会再去找你这个女妖怪!"

就算是个泥人，也有土性的。

杨开泰终于发了脾气。

凤四娘反倒怔住了，怔了半晌，才冷笑道："好好好，这话是你说的，你最好不要忘记。"

现在，凤四娘的脸也变得很难看了。

走了很长的一段路，她都没有说话，却不时回头去望一眼。

萧十一郎淡淡道："你不用再瞧了，他绝不会再跟来的。"

凤四娘的脸红了红，冷笑道："你以为我是在瞧他?"

萧十一郎道："你难道不是?"

凤四娘道："当然不是，我……我只不过是在瞧这位姑娘。"

话既已说了出来，她就真的瞧了沈璧君一眼。

沈璧君虽然垂着头，但无论谁都可以看出她也有一肚子气。

凤四娘拉着萧十一郎的手松开了，勉强笑道："这位姑娘，你贵姓呀?"

沈璧君道："沈。"

她虽然总算说话了，但声音却从鼻子里发出来的，谁也听不出她的话的是个什么字。

风四娘笑道："这位姑娘看到我这副样子，一定会觉得很奇怪。"

萧十一郎叹了口气，道："她若不奇怪，那才是怪事。"

风四娘道："但姑娘你最好莫要见怪，他是我的老朋友了，又是我的小老弟，所以……我一看到他就想骂他两句。"

这样的解释，实在还不如不解释的好。

萧十一郎只有苦笑。

沈璧君本来也应该笑一笑，可是脸上却连一点笑的意思都没有。

风四娘直勾勾地瞧着她，眼睛比色狼看到漂亮女人时睁得还要大，突又将萧十一郎拉到一边，悄悄道："这位姑娘是不是你的……你的那个？"

只好苦笑着摇头。

风四娘眼波流动，吃吃笑道："这种事又没什么好难为情的，你又何必否认……她若不是，为什么会吃我的醋？"

她的嘴，简直快咬着萧十一郎的耳朵了，心里真像是故意在向沈璧君示威，天下的女人，十个中只怕有九个有这种要命的脾气。

沈璧君故意垂下头，好像什么都没有瞧见。

风四娘说话的声音本就不太小，现在又高了些，道："却不知这是谁家的姑娘，你若真的喜欢，就赶紧求求我，我这老大姐说不定还可以替你们说个媒。"

萧十一郎的心在收缩。

他已不敢去瞧沈璧君，却又情难自禁。

沈璧君也正好抬起头，但一接触到他那充满了痛苦的眼色，她目光就立刻转开了，沉着脸，冷冷道："你为什么不向这位老大姐解释解释？"

萧十一郎

风四娘瞟了萧十一郎一眼，抢着道："解释什么？"

沈璧君的神色居然很平静，淡淡道："我和他只不过是很普通的朋友，而且，我已是别人的妻子。"

风四娘也笑不出来了。

沈璧君慢慢地接着道："我看你们两位倒是天生的一对。我和外子倒可以去替你们说媒，我想，无论这——这位老大姐是谁家的姑娘，多少总会给我们夫妻一点面子。"

她说得很平静，也很有礼。

但这些话每个字都像一把刀，萧十一郎的心已被割裂。

他似已因痛苦而麻痹，汗，正沁出，一粒粒流过他僵硬的脸。

风四娘也怔住了。

她想不出自己这一生中有什么时候比现在更难堪过。

沈璧君缓缓道："外子姓连，连城璧，你想必也听说过。"

风四娘似乎连呼吸都停顿了。她做梦也想不到连城璧的妻子会和萧十一郎走在一起。

沈璧君的神色更平静，道："只要你肯答应，我和外子立刻就可以……"

萧十一郎忽然大喝道："住口！"

他冲过去，紧紧抓住了沈璧君的手，沈璧君冷冷地瞧着他，就仿佛从未见过他这个人似的。

她的声音更冷淡，冷冷道："请你放开我的手好么？"

萧十一郎的声音已嘶哑，道："你……你不能这样对我！"

沈璧君竟笑了起来，道：'你是我的什么人，凭什么敢来拉住我的手？"

萧十一郎仿佛突然被人抽了一鞭子，手松开，一步步向后退，锐利而明朗的眼睛突然变得说不出的空洞、呆滞……

风四娘的心也在刺痛。

她从未见过萧十一郎这种失魂落魄的样子。

直到现在，她才了解萧十一郎对沈璧君的爱有多么深，痛苦有多么深，她只恨不得能将方才说的话全都吞回去。

直退到路旁的树下，萧十一郎才有声音，声音也是空洞的，反反复复地说着两句话："我是什么人？……我凭什么？……"

沈璧君的目光一直在回避着他，冷冷道："不错，你救过我，我本该感激你，但现在我对你总算有了报答，我们可以说两不相欠。"

萧十一郎茫然道："是，我们两不相欠。"

沈璧君道："你受的伤还没有完全好，我本来应再多送你一程的，但现在，既然已有人陪着你，我也用不着再多事了。"

她说到这里，停了停，因为她的声音也已有些颤抖。

等恢复平静，才缓缓接着道："你要知道，我是有丈夫的人，无论做什么事，总得特别谨慎些，若有什么风言风语传出去，大家都不好看。"

萧十一郎道："是……我明白。"

沈璧君道："你明白就好了，无论如何，我们总算是朋友……"

说到这里，她猝然转过身。

风四娘突然脱口唤道："沈姑娘……"

沈璧君的肩头似在颤抖，过了很久，才淡淡道："我现在已是连夫人。"

风四娘勉强笑了笑，道："连夫人现在可是要去找连公子么？"

沈璧君道："我难道不该去找他？"

风四娘道："但连夫人现在也许还不知道连公子的去向，不如让我们送一程，也免得再有意外。"

沈璧君道："这倒用不着操心，就算我想找人护送，也不会麻烦到两位。"

她冷冷接着道："杨开泰杨公子本是外子的世交，而且，他还是位君子，我去找他，非但什么事都方便得多，而且也不会有人说闲话。"

风四娘非但笑不出，连话都说不出了，她这一生很少有说不出话的时候，只有别人遇见她，才会变成哑巴，但现在，在沈璧君面前，她甚至连脾气都不能发作。

她实未想到这看来文静又温柔的女人，做事竟这样厉害。

沈璧君缓缓道："以后若是有机会，我和外子也许会请两位到连家庄去坐坐，只不过我想这种机会也不会太多。"

她开始向前走，始终不会回头。

她像是永远再也不会回头。

第二四章　此情可待成追忆

风很冷，冷得似都凉透。

树上枯黄的残叶，正一片片随风飘落。萧十一郎就这样站在树下，没有表情，更没有动作。也不知过了多久，风四娘终于长长叹了口气，苦笑道："是我害了你……我这个人为什么总会做错事，说错话？"

萧十一郎仿佛根本没有听到她在说什么，但又过了很久，他突然道："这根本不关你的事。"

风四娘道："可是……"

萧十一郎打断了她的话，道："该走的人，迟早总是要走的，这样也许反倒好。"

风四娘沉吟着，道："你的意思是说，长痛不如短痛？"

萧十一郎道："嗯。"

风四娘道："这当然也是一句话，说这话的人也一定很聪明，可是人的情感，并不是这么简单的。"

她笑了笑，笑得很凄凉，慢慢地接着道："有些问题，也并不是这么容易就可以解决的。"

萧十一郎闭起眼睛，垂首道："不解决又如何？"

风四娘沉默了很久，黯然道："也许你对，不解决也得解决，因为这是谁都无可奈何的事。"

萧十一郎也沉默了很久，霍然抬头，道："走，今天我破例让你请一次，我们喝酒去。"

他笑了，凤四娘也笑了。

但两人的笑容中，却都带着种说不出的沉痛，说不出的寂寞……

"此情可待成追忆，只是当时已惘然。"这两句诗，沈璧君早就读过了，却一直无法领略。直到现在，她才能了解，那其中所蕴含的寂寞与酸楚，真是浓得化也化不开。

无论谁遇到这样的事，都只有心碎。

沈璧君的泪已流下，心在呼唤："萧十一郎，萧十一郎，我并不是故意要这样做的，更不想这样对你，可是，你还年轻，还有你的前途，我不能再拖累你。"

"现在你当然会很难受，甚至很愤怒，但日子久了，你就会渐渐将我忘记。"

忘记，忘记，忘记……忘记真如此简单？如此容易？

在她心底深处，又何尝不希望他永远莫要忘记她，她若知道他真的已忘记她时，她宁可去死，宁可将自己一块块剁碎。剁成泥，烧成灰。

路旁有林。

沈璧君突然奔入森林，扑倒在树下，放声大哭了起来。

她只希望能哭晕过去，哭死。

因为她已无法再忍受这种心碎的痛苦。

她本觉这样做是对的，本以为自己可以忍受，但却未想到这种痛苦竟是如此强烈，如此深邃。

也不知过了多久，她忽然觉得有只温柔而坚定的手，在轻抚着她的头发。

萧十一郎？莫非是萧十一郎回来了？

萧十一郎若是真的来了，她决定再也不顾一切，投入他怀抱中，永不分离，就算要她抛弃一切，要她逃到天涯海角，她也愿意。

她回过头。

她的心沉了下来。

树林间的光线很暗，黯淡的月色从林隙照下来，照着一个人的脸，一张英俊、秀气、温柔的脸。

来的人是连城璧。

他也憔悴多了，只有那双眼睛，还是和以前同样温柔，同样亲切。

他默默注视沈璧君，多少情意，尽在无言中。沈璧君的喉头已塞住了。

良久良久，连城璧终于道：“家里的人都在等着，我们回去吧！”

他语声还是那么平静，仿佛已将所有的一切事情全都忘记，又仿佛这些事根本没有发生过似的。但沈璧君又怎能忘得了呢？每一件，每一段快乐和痛苦，都已刻入她的骨髓，刻在她心上。

她至死也忘不了。

“春蚕到死丝方尽，蜡炬成灰泪始干。”

沈璧君的目光忽然变得很遥远，心也回到远方。

她记得在很久以前，在同样一个秋天的黄昏，他们漫步到一个枯林里，望着自枯林间漏下的斜阳，感叹着生命的短促，直到夜色已笼罩了大地，她还是没有想到已是该回去的时候。

那时连城璧就会对她说："家里的人都在等着，我们回去吧！"

同样的一句话，几乎连说话的语气都是完全一模一样。

可是现在，所有的事都已改变了。她的人生变了，已逝去的时光，是永远没有人能换回的。

沈璧君长长叹了口气，幽幽道："回去？回哪里去？"

连城璧笑得还是那么温柔，柔声道："回家，自然是回家。"

沈璧君凄然道："家？我还有家？"

连城璧道："你一直都有家的。"

沈璧君道："但现在却已不同了。"

连城璧道："没有不同，因为事情本就已过去，只要你回去，所有的事都不会改变。"

沈璧君沉默了很久，嘴角露出了一丝凄凉和微笑，缓缓道："我现在才明白了。"

连城璧道："你明白了什么？"

沈璧君淡淡道："你要的并不是我，只不过是要我回去。"

连城璧道："你怎么能说……"

沈璧君打断了他的话，道："因为连家的声名是至高无上的，绝不能被任何事玷污，连家的媳妇绝不能做出败坏门风的事。"

连城璧不说话了。

沈璧君缓缓道："所以，我一定要回去，只要我回去，什么事都可以原谅，可是……"

她声音忽然激动起来，接着道："你有没有替我想过，我也是人，并不是你们连家的摆设。"

连城璧神情也很黯，叹道："难道你……你认为我做错什么事?"

沈璧君的头垂下，泪也又已流下，默然道："你没有做错，做错了的是我，我对不起你。"

连城璧柔声道："每个人都会做错事的，那些事我根本已忘了。"

沈璧君慢慢地摇了摇头，道："你可以忘，我却不能忘。"

连城璧道："为什么?"

沈璧君又沉默了很久，像是忽然下了很大的决心，一字字道："因为我的心已经变了!"

连城璧像是突然被人抽了一鞭子，连站都站不稳。

沈璧君咬着嘴唇，缓缓接着道："我知道说真话有时会伤人，但无论如何，总比说谎好。"

连城璧的手握得很紧，道："你……你……你真的爱他?"

沈璧君的嘴唇已被咬出了血，慢慢地点了点头。

连城璧突然用手握住了她的肩头，厉声道："你说，我有哪点不如他?"

他的声音也已嘶哑，连身子都已因激动而颤抖。

他一向认为自己无论遇着什么事都能保持镇静，因为他知道惟有"镇静"方是解决事情的方法。

直到现在，他才知道自己错了。

他毕竟也是个人，活人，他的血毕竟也是热的。

沈璧君的肩头似已被捏碎，却勉强忍耐着，不让泪再流下。

她咬着牙道："他也许不如你，什么地方都不如你，可是他能为我牺牲一切，甚至不惜为我去死，你……你能么?"

连城璧怔住了，手慢慢地松开，身子慢慢地往后退。

沈璧君的目光也在回避着他，道："你以前也说过，一个女人的心若变了，无论如何也无法挽回的，若有人想去挽回，所受的痛苦必定更大。"

连城璧一双明亮的眼睛也变得空空洞洞，茫然凝视着她，喃喃道："好，你很好……"

这句话他反反复复也不知说了多少，突然冲过来，重重地在她脸上掴了一耳光。

沈璧君动也不动，就像是已完全麻木，就像是已变成了个石头人，只是冷冷地盯着他，冷冷道："你可以打我，甚至杀了我，我也不怪你，但你却永远无法令我回心转意……"

连城璧突然转过身，狂奔了出去。

直到这时，沈璧君的目光才开始去瞧他。

目送着他的背影远去，消失，她泪珠又一连串流了下来。

"我对不起你，但我这么样做，也是不得已的，我绝不是你想像中那么狠的女人。"

"我这么做，也是为了不忍连累你。"

"我只有以死来报答你，报答你们……"

她只恨不得能将自己的心撕碎，撕成两半。

她不能。

除了死，她已没有第二种法子解决，已没有选择的余地！

夜已临。

沈璧君的泪似已流尽。

她忽然站了起来，整了整衣衫，向前走！

她的路只有一条。这条路是直达"玩偶山庄"的！

她似乎已瞧见了那张恶毒的笑脸，正在微笑着对她说："我早就知道你会回来，因为你根本就没有第二条路可走！"

酒，喝得并不快。

萧十一郎的心口就仿佛被什么东西塞住了，连酒都流不下去。

风四娘又何尝没有心事？她的心事也许比他更难说出口。

而且，这是个很小的摊子，卖的酒又酸、又苦、又辣。

风四娘根本就喝不下去。

她并不小气，但新娘子身上，又怎么会带钱呢？这小小的市镇里也根本就找不到她典押珠宝的地方。

萧十一郎更永远是在"囊空如洗"的边缘。

风四娘突然笑了，道："我们两人好像永远都只有在摊子上喝酒的命。"

萧十一郎茫然道："摊子也很好。"

他的人虽在这里，心却还是停留在远方。

他和沈璧君在一起，虽然永远是活在灾难或不幸中，却也有过欢乐的时候，甜蜜的时候。只不过，现在所有的欢乐和甜蜜也都已变成了痛苦，想起了这些事，他只有痛苦得越深。

风四娘很快地将一杯酒倒了下去，苦着脸道："有人说，无论多坏的酒，只要你喝快些，喝到后来，也不觉得了，但这酒却好像是例外。"

萧十一郎淡淡道："在我看来，只有能令人醉的酒，才是好酒。"

他只想能快点喝醉，头脑却偏偏很清醒。

因为"痛苦"本就能令人保持清醒，就算你已喝得烂醉如泥，但心里的痛苦还是无法减轻。

风四娘凝注着他，她已用了很多方法来将他的心思移转，想些别的事，不再去想沈璧君。

现在她已知道这是办不到的。

无论她在说什么，他心里想的还是只有一个人。

风四娘终于叹息了一声，道："我想，她这么样对你，一定有她的苦衷，一定还有别的原因，我看她绝不像如此狠心的女人。"

  萧十一郎缓缓道："世上本就没有真正狠心的女人，只有变心的女人。"

  这语声竟是那么遥远，仿佛根本不是从他嘴里说出来的。

  风四娘道："我看，她也不会是那种女人，只不过……"

  萧十一郎突然打断了她的话，道："你可知道现在还活着的人之中，武功最高的是谁?"

  风四娘自然不知道他为何会忽然问出这句话来，沉吟了半晌，才回答道："据我所知，是逍遥侯。"

  萧十一郎道："我知道你是认得他的。"

  风四娘道："嗯。"

  萧十一郎道："他是个什么样的人?"

  风四娘道："我没有见过他。"

  萧十一郎也怔住了，道："你不但认得他，据我所知，他还送过你两柄很好的剑。"

  风四娘道："但我却没有见过他的人。"

  萧十一郎苦笑道："你又把我弄糊涂了。"

  风四娘也笑了笑，道："我每次去见他的时候，都是隔着帘子和他谈话，有一次，我忍不住冲进帘子想去瞧瞧他的真面目。"

  萧十一郎道："你没有瞧见?"

  风四娘叹了口气，道："我自己认为我的动作已经够快了，谁知我一冲进帘子，他人影已不见。"

  萧十一郎冷冷道："原来他并不是你的朋友，根本不敢见你。"

风四娘却笑了笑，而且好像很得意，道："正因为他是我的朋友，所以才不愿见我。"

萧十一郎道："这是什么话？"

风四娘道："因为这世上只有两种人才能见到他的真面目。"

萧十一郎道："哪两种？"

风四娘道："一种是他要杀的人……他要杀的人，就必定活不长了。"

萧十一郎默然半晌，道："还有一种呢？"

风四娘道："还有一种是女人，他看上的女人，只要是他看上的女人，就没有一个能逃脱他的掌握，迟早总要被他搭上手。"

萧十一郎的脸色变了变，倒了杯酒在喉咙里，冷笑道："如此说来，他并没有看上你。"

风四娘脸色也变了，火气似乎已将发作，但瞬即又嫣然笑道："就算他看不上我好了，反正今天无论你说什么，我都不生气。"

她不让萧十一郎说话，接着又道："江湖之中有关他的传说也很多，有人说，他又瞎又麻又丑，所以不敢见人，也有人说他长得和楚霸王很像，是条腰大十围、满脸胡子的大汉。"

萧十一郎道："从来没有人说过他很好看？"

风四娘道："他若是真的很好看，又怎会不敢见人？"

萧十一郎悠悠道："那也许是因为他生得很矮小，生怕别人瞧不起他。"

风四娘的眼睛睁大了，盯着萧十一郎道："难道你见过他？"

萧十一郎没有回答这句话，却反问："你是不是又想到关外走一趟?"

风四娘道:"嗯。"

萧十一郎道:"这次你在关外有没有见到他?"

风四娘道:"没有,听说他已入关来了。"

萧十一郎沉吟着,道:"他的武功真的深不可测?"

风四娘叹了口气,道:"不说别的,只说那份轻功,已没有人能比得上。"

萧十一郎突然笑了,道:"难道连我也不是他的敌手?"

风四娘凝注着他,缓缓道:"这就很难说了!"

萧十一郎道:"有什么难说的?"

风四娘道:"你的武功也许不如他,可是我总觉得你有股劲,别人永远学不会,也永远比不上的劲。"

她笑了笑,接着道:"也许那只是因为你会拼,但一个人若是真的敢拼命,别人就要对你畏惧三分。"

萧十一郎目光凝注远方,喃喃道:"你错了,我以前没有真的拼过命。"

风四娘嫣然道:"我并没有要你真的去拼命,只不过说你有这股劲。"

萧十一郎笑道:"你错了,若是真到了时候,我也会真的去拼命的。"

他虽然在笑,但目中却连一丝笑意都没有。

风四娘的脸色突然变了,盯着萧十一郎的脸,试探着问道:"你突然问起我这些事,为的是什么?"

萧十一郎淡淡道:"没有什么。"

他表面看来虽然很平静,但目间已露出了杀气。

这并没有逃过风四娘的眼睛。

她立刻又追问道:"你是不是想去找他拼命?"

萧十一郎淡淡笑道："我为什么要去找他拼命？"

风四娘的目光似乎也不肯离开他的脸，一字字道："那只因你想死！"

她很快地接着道："也许你认为只有'死'才能解决你的痛苦，是么？"

萧十一郎面上的肌肉突然抽紧。

他终于已无法再控制自己，霍然长身而起，道："我的酒已喝够了，多谢。"

风四娘立刻拉住他的手，大声道："你绝不能走。"

萧十一郎冷冷道："我要走的时候，绝没有人能留得住我。"

突听一人道："但我一定要留住你。"

语声很斯文，也很平静，却带着种说不出的冷漠之意。

话声中，一个人慢慢地从黑暗中走了出来，苍白的脸，明亮的眼睛，步履很安详，态度很斯文，看来就像是个书生。只不过他腰畔却悬着柄剑，长剑！剑鞘是漆黑色的，在昏暗的灯下闪着令人们发冷的寒光。

风四娘失声道："是连公子么？"

连城璧缓缓道："不错，正是在下，这世上也许只有在下一人能留得住萧十一郎。"

萧十一郎的脸色也变了，忍不住道："你真要留下我？"

连城璧淡淡一笑，道："那只不过是因为在下的心情不太好，很想留阁下陪我喝杯酒。"

他瞳孔似已收缩，盯着萧十一郎，缓缓道："在下今日有这种心情，全出于阁下所赐，就算要勉强留阁下喝杯酒，阁下也不该拒绝的，是么？"

萧十一郎也在凝视着他，良久良久，终于慢慢地坐下。

风四娘这才松了口气，嫣然道："连公子，请坐吧！"

灯光似乎更暗了。

连城璧的脸，在这种灯光下看来，简直就跟死人一样。

他目光到现在为止，还没有离开过萧十一郎的眼睛。他似乎想从萧十一郎的眼睛里，看出他心里究竟在想什么。

但萧十一郎的目光却是空洞的，什么也看不出来。

卖酒的本来一直在盯着他们，尤其特别留意风四娘，他卖了一辈子的酒，像风四娘这样的女客人，还是第一次见到。

他并不是君子，只希望这三人赶快喝醉，最好醉得不省人事，那么，他就可以偷偷地摸摸风四娘的手——能摸到别的地方自然更好。

但现在……

他发觉自从这斯斯文文的少年人来了之后，他们两人就仿佛有了一种说不出的难受滋味。

他并不知道这就是杀气，他只知道自己一走过去，手心就会冒汗，连心跳都像是要停止。

风四娘在斟着酒，带着笑道："这酒实在不好，不知连公子喝不喝得下去？"

连城璧举起酒杯淡淡道："只要是能令人喝醉的酒，就是好酒，请。"

这句话几乎和方才萧十一郎说的完全一模一样。

风四娘做梦也想不到连城璧会和萧十一郎说出同样的一句话，因为他们本是极端不同的两个人。

这也许是因为他们在想着同一个人，有着同样的感情。

风四娘心里也有很多感慨，忽然想起了杨开泰。

她本来从未觉得自己对不起他，因为她从未爱过他，他既然要自作多情，无论受什么样的罪都是自作自受，怨不得别人。

但现在，她忽然了解他的悲哀，忽然了解到一个人的爱被拒绝、被轻蔑，是多么痛苦。

她心里忽然觉得有点酸酸的、闷闷的，慢慢地举起杯，很快地喝了下去。

连城璧的酒杯又已加满，他举杯向萧十一郎，道："我也敬你一杯，请。"

他似乎也在拼命想将自己灌醉，似乎也有无可奈何、无法忘记的痛苦，似乎只有以酒来将自己麻木。

他又是为了什么？

风四娘忍不住试探地问道："连公子也许不知道，她……"

她正不知该怎么说，连城璧已打断了她的话，淡淡道："我什么都知道。"

风四娘道："你知道？知道有人在找你？"

连城璧笑了笑，笑得很苦涩，道："她用不着找我，因为我一直在跟着她。"

连城璧目光转向远方的黑暗，缓缓道："我已见过了。"

风四娘显然很诧异，道："那么她呢？"

连城璧默然道："走了，走了……该走的，迟早总是要走的……"

这句话竟又和萧十一郎所说的完全一样。

风四娘更诧异："难道她也离开了他？"

"她明明要回去，为何又要离开？"

"她既然已决心要离开，为什么又要对萧十一郎那么绝情、那么狠心？"

萧十一郎

风四娘自己也是女人，却还是无法了解女人的心。

有时甚至连她自己都无法了解自己。

但萧十一郎却似已忽然明白了，整个人都似忽然冷透，由他的心、他的胃，直冷到脚底。

但他的一双眼睛却火焰般燃烧起来。

他知道她更痛苦，更矛盾，已无法躲避，更无法解决。

她只有死。

死，本就是种解脱。

可是她绝不会白白地死，她的死，一定有代价，因为她不是个平凡的女人，在临死前，一定会将羞辱和仇恨用血洗清。

萧十一郎的拳头紧握，因为他已明白了她的用心，他只恨自己方才为什么没有想到，为什么没拦住她。

他恨不得立刻追去，用自己的命，换回她的一条命。

可是现在还不能，这件事他必须单独去做。

他不能再欠别人的。

连城璧的目光已自远方转回，正凝注着他，缓缓道："我一直认为你是个可怜的人，但现在，我才知道，你实在比我幸运得多。"

萧十一郎道："幸运？"

连城璧又笑了笑，道："因为我现在才知道，我从来也没有完全得到过她。"

他笑得很酸楚，却又带着种说不出的讥消之意，也不知是对生命的讥消，还是别人的讥消，或是对自己的？

萧十一郎沉默了半响，一字字道：'俄只知道她从来也没有做过对不起你的事。"

连城璧瞪着他，忽然仰天大笑了起来，大笑着道："什么对不起，什么对得起？这世上本就没有'绝对'的事，人们又何苦定要去追寻?"

风四娘厉声道:"你不信?"

连城璧骤然顿住了笑声,凝注杯中的酒,喃喃道:"现在我什么都不信,惟一相信的,就是酒,因为酒比什么都可靠得多,至少它能让我醉。"

他很快地干了一杯,击案高歌道:"风四娘、十一郎,将进酒,杯莫停,今须一饮三百杯,但愿长醉不复醒,古来圣贤皆寂寞,惟有饮者留其名……"

一个人酒若喝不下去时,若有人找你拼酒,立刻就会喝得快了。

连城璧已伏到在桌上,手里还是紧握着酒杯,喃喃道:"喝呀!喝呀!你们不敢喝了么?"

风四娘也已醉态可掬,大声道:"好,喝,今天无论你喝多少,我都陪你。"

她喝得越醉,越觉得连城璧可怜。

一个冷静坚强的人突然消沉沦落,本就最令人同情。因为改变得越突然,别人的感受也就越强烈。

直到这时,风四娘才知道连城璧也是个有情感的人。

萧十一郎似也醉了。

本已将醉时,也正是醉得最快的时候。

连城璧喃喃道:"萧十一郎,我本该杀了你的……"

他忽然站起来,拔剑,瞪着萧十一郎。

可是他连站都站不稳了,用力一抡剑,就跌倒了。

风四娘赶过去,想扶他,自己竟也跌倒了,大声道:"他是我的朋友,你不能杀他。"

连城璧格格笑道:"我本该杀了他的,可是他已经醉了,

萧十一郎

401

他还是不行，不行……"

两人你一句，我一句，像是说得很起劲，但除了他们自己外，谁也听不懂他们说的是什么？

然后，他们突然不说话了。

过了半晌，萧十一郎慢慢地站了起来，黯淡的灯光下，他俯首凝视着连城璧，良久良久。

他的神情看起来就像是一匹负了伤的野兽，满身都带着剑伤和痛苦，而且自知死期已不远了。

连城璧突又醉中呼喊："你对不起我，你对不起我……"

萧十一郎咬着牙，喃喃道："你放心，我一定会把她找回来，我只希望你能好好地待她，只希望你们活得比以前更幸福……"

第二五章　夕阳无限好

萧十一郎又闯入了"玩偶山庄"。

他第一眼看到的就是小公子那纯真无邪、温柔甜美的笑容。

小公子斜倚在一株松木的高枝上，仿佛正在等着他，柔声笑道："我就知道你也会回来，只要来到这里的人，从来就没有一个能走得了。"

萧十一郎神色居然很冷静，只是面色苍白得可怕，冷冷道："她呢?"

小公子眨着眼，道："你是说谁，连……沈璧君?"

她故意把"连"字说得特别重。

萧十一郎面上还是全无表情，道："是。"

小公子嫣然道："她比你回来得早，现在只怕已睡了。"

萧十一郎瞪着她，眼角似已溃裂。

小公子也不敢再瞧他的睛睛了，眼波流动，道："你要不要我带你去找她?"

萧十一郎道："要!"

小公子吃吃笑道："我可以帮你这次忙，但你要用什么来谢我呢?"

萧十一郎道："你说。"

小公子眼珠又一转，道："只要你跪下来，向我磕个头，我就带你去。"

萧十一郎什么话也没有说，就突然跪了下来，磕了个头。他目中甚至连痛苦委屈之色都没有。

因为现在已再也没有别的事能使他动心。

八角亭里，老人们还在下着棋。

两人都没有回头，世上仿佛也没有什么事能令他们动心了。

小公子一跃而下，轻抚着萧十一郎的头发，吃吃笑道："好乖的小孩子，跟阿姨走吧！"

屋子里很静。

逍遥侯躺在一张大而舒服的床上，目中带着点说不出是什么味道的笑意，凝注着沈璧君。

沈璧君就坐在他对面的椅子上，紧张得一直想呕吐。

被他这种眼光瞧着，她只觉得自己仿佛已是完全赤裸着的，她只恨不得能将这双眼睛挖出来，嚼碎，吞下去！

也不知过了多久，逍遥侯突然问道："你决定了没有？"

沈璧君长长吸入了一口气，咬着嘴唇，摇了摇头。

逍遥侯微笑着道："你还是快些决定的好，因为你来这里就是要这么样做的，只有听我的话，你才有机会，否则你就白来了。"

沈璧君身子颤抖着。

逍遥候又问道："我知道你要杀我，可是你若不肯接近我，就简直连半分机会也没有——你也知道我绝不让穿着衣裳的女人接近我。"

沈璧君咬着牙，颤声道："你若已知道我要杀你，我还是没有机会。"

　　逍遥侯笑得更邪，眯着眼道："你莫忘记，我也是男人，男人总有心动的时候，男人只要心一动，女人就可乘虚而入……"

　　他的眼睛似已眯成一条线，悠悠然接着道："问题只是，你有没有本事能令我心动？"

　　沈璧君身子颤抖得更剧烈，嘎声道："你……你简直不是人。"

　　逍遥侯大笑道："我几时说过我是人？要杀人容易，要杀我，那就要花些代价了。"

　　沈璧君瞪着他，狠狠地瞪着他，良久良久，突然咬了咬牙，站起来，用力撕开了衣襟，脱下了衣服。

　　她脱得并不快，因为她的人、她的手，还是在不停地发抖。

　　上面的衣衫除下，她无瑕的胴体就已有大半呈现在逍遥侯眼前。

　　他眼中带着满意的表情，微笑着道："很好，果然未令我失望，我就算死在你这种美人的手下，也满值得了。"

　　沈璧君嘴唇已又被咬出了血，更衬得她肤色如玉。

　　她胸膛更白、更晶莹，她的腿……

　　突然间，门被撞开。

　　萧十一郎出现在门口。

　　萧十一郎的心情已将爆炸，沈璧君的人都似已完全僵硬、麻木，呆呆地瞧着他，动也不动，然后突然间就倒下，倒在地上。

逍遥侯却似并不觉得意外，只是叹了口气，喃喃道："拆散人的好事，至少要短阳寿三十年的，你难道不怕？"

萧十一郎紧握拳头，道："我若要死，你也得陪着。"

逍遥侯道："哦？你是在挑战？"

萧十一郎道："是。"

逍遥侯笑了，道："死的法子很多，你选的这一种并不聪明。"

萧十一郎冷冷道："你先出去！"

逍遥侯瞪了他半晌，又笑了，道："世上没有人敢向我挑战的，只有你是例外，所以……我也为你破例一次，对一个快要死的人，我总是特别客气的。"

他本来是卧着的，此刻身子突然平平飞起，就像一朵云似的飞了出去——就凭这一手轻功，就足以将人的胆吓碎。

萧十一郎却似乎根本没有瞧见，缓缓走向沈璧君，俯首凝注着她，目中终于露出了痛苦之色。

他的心在嘶喊："你何苦这么样做？何苦这么样委屈你自己？"

但他嘴里却只是淡淡道："你该回去了，有人在等你。"

沈璧君闭着眼，眼泪如泉水般从眼角向外流。

萧十一郎沉声道："你不该只想着自己，有时也该想别人的痛苦，他的痛苦也许比任何人都要深得多。"

沈璧君突然大声道："我知道他的痛苦，但那只不过是因为他的自尊受了伤，并不是为了我。"

萧十一郎道："那只是你的想法。"

沈璧君道："你呢？你……"

萧十一郎打断她的话，冷冷道："我无论怎么样都与你无关，我和你本就全无关系。"

沈璧君忽然张开了眼睛，带着泪凝注着他。

萧十一郎虽然在拼命控制着自己，可是被这双眼睛瞧着，他的人已将崩溃，心已将粉碎……

他几乎已忍不住要伸手去拥抱她时，她也几乎要扑入他的怀里。

相爱着的人，只要能活着，活在一起，就已足够，别的事又何必在乎——就算死在一起，也是快乐的。

那至少也比分离的痛苦容易忍受得多。

但就在这时，风四娘突然冲进来了。

她看来比任何人都激动，大声道："我早就知道你在这里，你以为我真的醉了么？"

萧十一郎的脸沉了下去，道："你怎会来的？"

其实他也用不着问，因为他已瞧见小公子正躲在门后偷偷地笑。

萧十一郎立刻又问道："他呢？"

风四娘道："他现在比你安全多了。可是你……你为什么要做这种傻事？"

萧十一郎根本拒绝听她说的话，默然半晌，缓缓道："你来也好，你既来了，就带她回去吧！"

风四娘眼圈又红了，道："我陪你。"

萧十一郎道："我一直认为你很了解我，但你却很令我失望。"

风四娘道："我当然了解你。"

萧十一郎一字字道："你若真的了解我，就应该快带她回去。"

她没有再多说一句话、一个字。

风四娘凝注着他，良久良久，终于叹了口气，黯然道：

"你为什么总不肯替人留下第二条路走。"

萧十一郎目光又已遥远，道："因为我自己走的也只有一条路！"

死路！

一个人到了迫不得已、无可奈何时，就只有自己走上死路。

沈璧君要冲出去，却被风四娘抱住。

"他若要去，就没有人能拦住他，否则他做出的事一定会更可怕。"

这话虽是风四娘说的，沈璧君也很了解。

她哭得几乎连心跳都停止了。

突听一人银铃般笑道："好个伤心的人儿呀！连我的心都快被你哭碎了，只不过，其实你根本用不着为他难受的，因为你一定死得比他更快。"

风四娘瞪起了眼，道："你敢动她？"

小公子媚笑道："我为什么不敢？"

风四娘忽然也笑了，道："你真是个小妖精，连我见了都心动，只可惜你遇上了我这个老妖精，你那些花样，在我面前就好像是小孩子玩的把戏。"

小公子张大了眼睛，像是很吃惊，道："哦，真的么？"

风四娘道："你不妨试试。"

小公子又笑了，道："现在我的确也很想试试，只可惜我已经试过了。"

这次轮到风四娘吃惊了，动容道："你试过了？"

小公子悠然道："我不但试过了，而且很有效。"

风四娘突又笑了，道："你吓人的本事也不错，只可惜在我面前也却没有效。"

小公子笑道："在你面前也许没有效，因为你的脸皮太厚了，但在你手上却很有效，因你的手一直比小姑娘的还嫩。"

风四娘忍不住抬起手来瞧了瞧，脸色立刻变了。

小公子道："方才我拉着你的手进来，你几乎一点也没有留意，因为那时你的心全都放在萧十一郎一个人身上了。"

她媚笑着又道："现在我才知道，喜欢他的人可真不少，能为自己的心上人而死，死得也算不冤枉了。"

风四娘居然又笑了，道："小丫头，你懂得真不少。"

她话未说完，已出手。

江湖人中一向认为风四娘的出手比萧十一郎更可怕，因为她出手更毒、更辣，而且总是在笑得最甜的时候出手，要你做梦也想不到。

小公却想到了，因为她出手也一样。

这本该是场很精彩的决斗，只可惜风四娘的手已被小公子的毒针刺入，已变得麻木不灵了。

所以这一战很快就结束了。

小公子瞧着已动不了的风四娘，嫣然道："我不杀你，因为你太老了，已不值得我动手。"

她目光转向沈璧君，道："可是你就不同了……你简直比我还要令人着迷，我怎么能不杀你?"

沈璧君的心已完全悲痛麻木，根本未将死活放在心上。

小公子柔声道："现在萧十一郎已走入绝路，已无法来救你，你自己也不敢跟我交手的，你难道一点也不在乎?"

沈璧君不动，不听，也不想。

小公子眨着眼，道："噢，我知道了，你一定还等着人来救你……是不是在等那醉猫，你现在想不想见他?"

她拍了拍手，就有两个少女吃吃地笑着，扶着一个人走进来，远远就可嗅到一阵阵酒气扑鼻。

　　连城璧竟也被她架来了。

　　瞧见连城璧，沈璧君才惊醒过来，她从未想到连城璧也会喝得这么醉，醉得这么惨，这令她更悲痛、更难受。

　　小公子走过去，轻拍着连城璧的肩头，柔声道："现在，我就要杀你的老婆了，我知道你心里一定很难受，只可惜你只有瞧着，也许连瞧都瞧不清楚。"

　　连城璧突然弯下腰，呕吐起来，吐得小公子一身都是酒味。

　　少女们娇呼着，捂着鼻子闪开。

　　小公子皱起眉，冷笑道："我知道你是想找死，可是我偏偏……"

　　一柄短剑已刺入她的心口。

　　好快的剑，好快的出手。

　　风四娘也怔住了。她现在才想起，"袖中剑"本就是连家的救命杀手，可是她从未见过，也没有别人见过，见过的人，都已入了坟墓。

　　就只为了练这一着，他已不知练过几十万次、几百万次，他甚至在梦中都可随便使出这一着。

　　可是他从没有机会使出这一着。

　　小公子已倒下，仍瞪着他，好像还不相信这件事是真的。

　　她从未想到自己也和别人一样，也死得如此简单。

　　然后，她嘴角突然露出一丝甜笑，瞧着连城璧，柔声道："我真该谢谢你，原来'死'竟是件这么容易的事，早知如此，我又何必辛辛苦苦地活着呢？你说是么？"

她喘息着把目光转向风四娘，缓缓道："你的解药就在我怀里，你若还想活下去，就来拿吧！可是我劝你，活着绝没有死这么舒服，你想想，活着的人哪一个没有痛苦，没有烦恼……"

路，蜿蜒通向前方。

一个红衣老人和一个绿袍老者并肩站在那里，遥视着路的尽头，神情都很沉重，似乎全未留意身后又有三个人来了。

直到这时，连城璧似乎还未完全清醒。

也许他根本不愿清醒，不敢清醒，因为清醒就得面对现实。

现实永远是残酷的。

沈璧君走在最后面，一直垂着头，似乎不愿抬头，不敢抬头，因为只要一抬头，她就会面对一些她不敢面对的事。

他们都在逃避，但又能逃避多久呢？

风四娘慢慢地走到老人们身旁，过了很久，才缓缓道："他们就是从这条路走的？"

红衣老人道："嗯。"

风四娘道："你在等他们回来？"

绿袍老人道："嗯。"

风四娘长长呼了口气，讷讷道："你想……谁会回来？"

她本不敢问，却又忍不住要问。红衣老人沉吟着，缓缓道："至少他是很难回来了。"

风四娘的心已下沉，她自然知道他说的"他"是谁。

绿袍老人突也道："也许，他们两个人都不会再走回来。"

风四娘突然大声道："你们以为他一定不是逍遥侯的对手？你们错了！他武功也许要差一筹，可是他有勇气，他有股劲，很多人能以寡敌众，以弱胜强，就因为有这股劲。"

红衣老人、绿袍老者同时瞧了她一眼，只瞧了一眼，就扭过头，目光还是远注着路的尽头，神情还是同样沉重。

风四娘还想说下去，喉头却已被塞住。

沈璧君的头突然抬起，走向连城璧，走到他面前，一字字道："我也要走了。"

连城璧茫然道："你也要走了么？"

沈璧君看来竟然很镇定，缓缓道："无论他是死是活，我都要去陪着他。"

连城璧道："我明白。"

沈璧君说得很慢，道："可是，我还是不会做出对不起你的事，我一定会让你觉得满意……"

她猝然转身，狂奔而去。

无论谁都可以想到，她这一走，就再也不会回来了。

黄昏，夕阳无限好。

全走了，每个人都走了，因为再"等"下去也是多余的。这本是条死路。走上这条路的人，就不会再回头的。

只有风四娘，还是在痴痴地向路的尽处凝望。

"萧十一郎一定会回来的，一定……"

连城璧是最后走的，走时他已完全清醒。

风四娘只望他能振作，萧十一郎能活下去，她不忍眼见着他们被这"情"字毁了一生！

她有这信心。

可是她自己呢？

"我永远不会被情所折磨，永远不会为情而苦，因为我从来没有爱过人，也没有人真的爱过我。"

这话她自己能相信么？

夕阳照着她的眼睛，她眼中怎会有泪光闪动？

"萧十一郎，萧十一郎，求你不要死，我只要知道你还活着，就已满足，别的事全不要紧。"

夕阳更绚丽。

风吹过了，乌鸦惊起。

风四娘回过头，就瞧见了杨开泰。

他静静地站在那里，还是站得那么直、那么稳。

这人就像是永远不会变的。

他静静地瞧着风四娘，缓缓道："我还是跟着你来了，就算你打我，我也还是要跟着你。"

平凡的言词，没有修饰，也不动听。

但其中又藏着多少真情？

风四娘只觉得心头热了，忍不住扑过去，扑入他怀里，道："我希望你跟着我，永远跟着我，我绝不会再让你伤心。"

杨开泰紧紧搂住了她，道："就算你令我伤心也无妨，因为若是离开你，我只有更痛苦、更伤心。"

风四娘不停地说道："我知道你，我知道……"

她忽然发觉，被爱的确要比爱人幸福得多。

可是，她的眼泪为什么又流了下来呢？

古龙武侠小说首次出版年表

书 名	年份	出版者(均为台湾)
苍穹神剑	1960	第一
月异星邪	1960	第一
剑气书香(后半部由墨余生代笔)	1960	真善美
湘妃剑	1960	真善美
剑毒梅香(大部分由上官鼎代笔)	1960	清华
孤星传	1960	真善美
失魂引	1961	明祥
游侠录	1961	海光
护花铃	1962	春秋
彩环曲	1962	春秋
残金缺玉	1962	华源
飘香剑雨	1963	华源
剑玄录	1963	清华
剑客行	1963	明祥
浣花洗剑录	1964	真善美
情人箭	1964	真善美
大旗英雄传	1965	真善美
武林外史	1965	春秋
名剑风流(结尾部分由乔奇代笔)	1966	春秋
绝代双骄	1967	春秋
血海飘香(《楚留香传奇》之一)	1968	真善美
大沙漠(《楚留香传奇》之二)	1969	真善美
画眉鸟(《楚留香传奇》之三)	1970	真善美
多情剑客无情剑(又名《风云第一刀》)	1970	春秋
鬼恋侠情(《楚留香新传》之一 又名《借尸还魂》)	1970	春秋
蝙蝠传奇(《楚留香新传》之二)	1971	春秋
欢乐英雄	1971	春秋
大人物	1971	春秋
桃花传奇(《楚留香新传》之三)	1972	春秋
萧十一郎	1973	汉麟
流星·蝴蝶·剑	1973	桂冠

九月鹰飞(《多情剑客无情剑》后传)	1974	春秋
长生剑(《七种武器》之一)	1974	汉麟
碧玉刀(《七种武器》之二)	1974	汉麟
孔雀翎(《七种武器》之三)	1974	汉麟
多情环(《七种武器》之四)	1974	汉麟
霸王枪(《七种武器》之五)	1975	汉麟
天涯·明月·刀	1975	汉麟
七杀手	1975	汉麟
剑花·烟雨·江南	1975	汉麟
绝不低头	1975	汉麟
三少爷的剑	1975	桂冠
金鹏王朝(《陆小凤传奇》之一)	1976	春秋
绣花大盗(《陆小凤传奇》之二)	1976	春秋
决战前后(《陆小凤传奇》之三)	1976	春秋
火并萧十一郎	1976	汉麟
拳头(又名《愤怒的小马》， 　　　曾被收入《七种武器》)	1976	南琪
边城浪子(《天涯·明月·刀》后传)	1976	汉麟
血鹦鹉	1976	汉麟
白玉老虎	1976	桂冠
大地飞鹰	1976	南琪
银钩赌坊(《陆小凤传奇》之四)	1977	春秋
幽灵山庄(《陆小凤传奇》之五)	1977	春秋
圆月弯刀(大部分由司马紫烟代笔)	1977	汉麟
飞刀·又见飞刀	1977	汉麟
碧血洗银枪	1977	桂冠
离别钩(《七种武器》之六)	1978	春秋
凤舞九天(《陆小凤传奇》之六)	1978	春秋
新月传奇(《楚留香新传》之四)	1978	春秋
英雄无泪	1978	汉麟
七星龙王	1978	春秋
午夜兰花(《楚留香新传》之五)	1979	汉麟
风铃中的刀声(结尾由于东楼代笔)	1980	万盛
剑神一笑(《陆小凤传奇》之七)	1981	万盛
猎鹰·赌局	1984	万盛